Mina Ricci

Via della Grammatica

for English speakers

Theory, exercises, tests and authentic material for foreigners

EDILINGUA

www.edilingua.it

Mina Ricci obtained a first degree in Foreign Languages and Literatures from the University of Modern Languages in Milan (IULM), followed by a Masters in Translation at the University of Westminster in London. She has taught Italian in various companies and institutions, such as the Italian Cultural Institute in Dublin and the Applied Languages Centre at University College Dublin. She has also taught Italian language and culture for several years in the Department of Italian in the School of Languages and Literatures at University College Dublin.

To my dear father
Paolo Maria Ricci

© **Copyright edizioni Edilingua**
Sede legale
Via Giuseppe Lazzati, 185 - 00166 Roma
Tel. +39 06 96727307
Fax +39 06 94443138
info@edilingua.it
www.edilingua.it

Deposito e Centro di distribuzione
Via Moroianni, 65 12133 Atene
Tel. +30 210 5733900
Fax +30 210 5758903

First edition: April 2011
Editors: Antonio Bidetti, Marco Dominici, Laura Piccolo
Layout and graphics: Edilingua, Edigraf
Illustrations: Davide Ceccon
Translation: Stella Cragie
ISBN: 978-960-693-050-8

Edilingua supports

Thanks to the sale of our books, Edilingua sponsors children who live in Asia, Africa and South America. Because together we can do so much! For more information see our website.

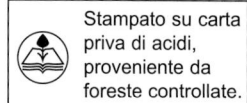

Stampato su carta priva di acidi, proveniente da foreste controllate.

We welcome any suggestions and comments on this book (please send to redazione@edilingua.it).

Edilingua is happy to correspond with any unascertained holders of copyright and to correct any omissions or errors in the bibliographic references.

PREFACE

Via della Grammatica is suitable for young adults and adults at beginner-intermediate level (A1-B2 Common European Framework of Reference for Languages) and for LS/L2 Italian language courses.

This text is a practical and straightforward grammar book consisting of 40 Units, each of which deals with one or more areas of grammar. In each Unit grammar is presented using clear and concise tables, which provide standard and practical use of the rules, rather than theoretical analysis. The grammar points are accompanied by a wide range of stimulating and enjoyable activities, enabling students to learn empirically and to practise using Italian grammar rules. Information about aspects of everyday life, culture and, in some cases, literature – introduced through many exercises and activities – encourages students to enrich and widen their knowledge of Italian society, history and civilisation. This information is often in the form of authentic materials, including articles from the press, literature, publicity and songs.

Lexis is introduced gradually, and reflects the use of current everyday language. To make the activities more interesting, new semantic groups are sometimes presented with an image to aid learning.

At the end of every 5 Units, a set of exercises tests the grammar taught in those Units. The 8 tests are complete with self-assessment tools, which provide plenty of opportunity for independent learning.

Via della Grammatica can be used as a teaching tool for learning and checking grammar in a variety of Italian courses. Assisted by the keys to the tests, the book is ideal for self-study. For this reason, it can be used independently or combined with a course book for teaching Italian to foreigners.

Via della Grammatica for English speakers is completed by i-d-e-e, a platform that includes the exercises in interactive form and extra material and digital tools for both students and teachers.

You can download for free the multilingual Glossary (English, French and Spanish) from our website.

The Author

Indice / Index

edizioni Edilingua

Indice

01 I nomi

Nouns ending in -o and -a

SINGULAR		PLURAL	
masculine	feminine	masculine	feminine
o	a	i	e

Nouns ending in -o are usually masculine The plural of nouns ending in -o is -i.	ragazzo quaderno bambino	ragazzi quaderni bambini
Nouns ending in -a are usually feminine The plural of nouns ending in -a is -e.	ragazza penna chiesa	ragazze penne chiese

Nouns ending in -e

SINGULAR		PLURAL	
masculine	feminine	masculine	feminine
e	e	i	i

Nouns ending in -e are may be masculine or feminine. The plural of nouns ending in -e is -i.	(m) (f)	giornale chiave	giornali chiavi
Nouns ending in -tore, -ale, -ile are usually masculine.		attore canale fucile	attori canali fucili
Nouns ending in -trice are usually feminine. Nouns ending in -zione are always feminine.		attrice lezione stazione	attrici lezioni stazioni

EXERCISES

1.1 Find these 9 nouns in the grid then say whether they are masculine or feminine, as in the example.

> penna   canale   tavolo   libro   porta
> finestra   attore   lezione   mamma

A	L	E	Z	I	O	N	E	C
T	A	V	O	L	O	A	M	A
T	C	D	F	L	T	V	A	N
O	L	I	B	R	O	R	M	A
R	O	R	T	Y	E	P	M	L
E	P	M	R	A	C	G	A	E
G	L	E	O	S	P	B	U	U
F	I	N	E	S	T	R	A	G
S	A	C	T	P	O	R	T	A
P	E	N	N	A	A	V	O	L

masculine	feminine
	lezione

1.2 Put the nouns in the correct circle, as in the example. If in doubt, use the dictionary.

piazza	scultore	albero	padre	televisione
chiave	cane	fiore	treno	attrice
strada	giornale	lezione	stazione	appartamento

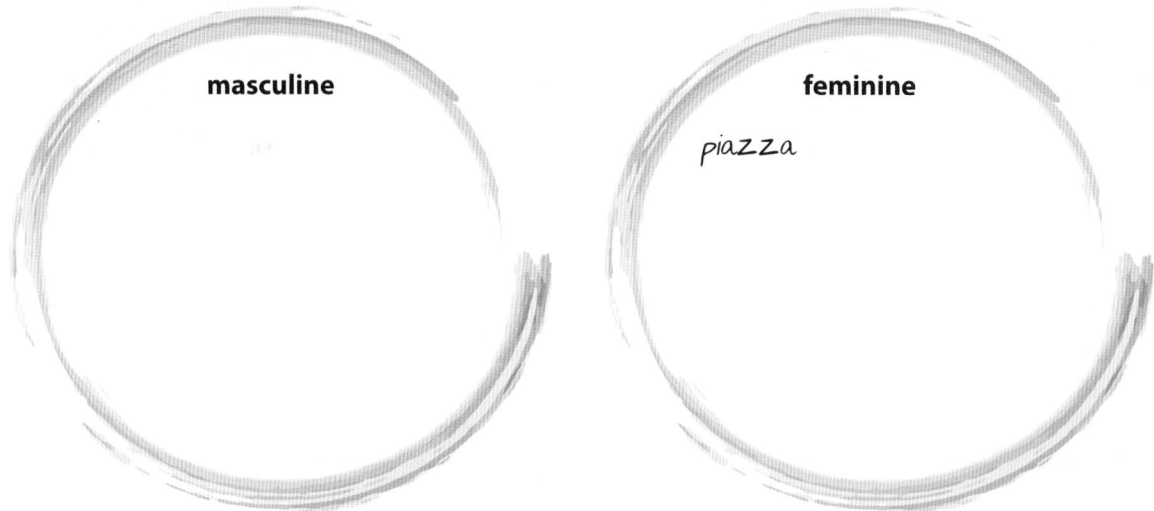

masculine

feminine

piazza

1.3 Put -o, -a or -e at the end of each noun and say if it is masculine (m) or feminine (f), as in the example in blue.

lettera (f)   regal_   cappell_
scultric_   music_   stanz_
ciel_   luc_   pittor_
mar_   nazion_   cas_

edizioni Edilingua

1.4 Put these nouns in the singular or plural, as in the example in blue.

libro	libri	quaderno	....
zaino	....	porta	....
cortile	....	....	chiese
....	dottori	lavagna	....
cane	....	....	lezioni
....	tavoli	....	cieli
ragazzo	....	gatto	....

1.5 Complete the table with the nouns then put the numbers corresponding to the nouns in the picture.

La classe di Anna

Questa è la classe di Anna. C'è una lavagna(1). Ci sono banchi(2) e sedie(3). Ci sono due finestre(4) con le tende(5), una porta(6) e una cartina(7) geografica sulla parete. C'è anche un cestino(8).

Masculine		Feminine	
singular	plural	singular	plural
....	....	*lavagna*	....
		....	....
		....	

1.6 Look at the pictures and complete the crossword, as in the example.

edizioni Edilingua

Nouns with unusual plurals

Noun group ending in *-a*

Some nouns ending in -a are masculine and form the plural with -i	poeta	(m)	poeti
	problema	(m)	problemi
	programma	(m)	programmi
	Careful! 		
	cinema	(m)	cinema
Nouns ending in -ista are can be masculine or feminine. The singular is always -ista while the plural form changes.	farmacista	(m)	farmacisti
	farmacista	(f)	farmaciste
	giornalista	(m)	giornalisti
	giornalista	(f)	giornaliste
The plural of nouns ending in -cia and -gia is -cie and -gie if the group is preceded by a **vowel**. The plural of nouns ending in -cia and -gia is -ce and -ge if the group is preceded by a **consonant**.	camicia	(f)	camicie
	valigia	(f)	valigie
	doccia	(f)	docce
	arancia	(f)	arance
	pioggia	(f)	piogge
	spiaggia	(f)	spiagge
	Careful!		
When the -i in -cia and -gia is stressed the plural is always -cie and -gie	farmacia	(f)	farmacie
	bugia	(f)	bugie
	allergia	(f)	allergie
The plural of masculine nouns ending in -ca and -ga is -chi and -ghi. The plural of feminine nouns ending in -ca and -ga is -che and -ghe.	duca	(m)	duchi
	collega	(m)	colleghi
	amica	(f)	amiche
	collega	(f)	colleghe

Noun group ending in *-o*

The plural of nouns of **two syllables** ending in -co and -go is -chi and -ghi.	fuoco	(m)	fuochi
	luogo	(m)	luoghi
	cuoco	(m)	cuochi
	Careful!		
The plural of nouns of **more than two syllables** ending in -co and -go is -chi and -ghi if -co and -go are preceded by a **consonant**.	tedesco	(m)	tedeschi
	albergo	(m)	alberghi

But the plural of nouns of **more than two syllables** ending in -co and -go is -ci and -gi if -co and -go are preceded by a **vowel**.	nemico	(m)	nemici
	asparago	(m)	asparagi
	medico	(m)	medici

Important!

As you can see, there are many exceptions to this rule. If in doubt, look up the noun in your dictionary.	**Careful!**		
	carico	(m)	carichi
	obbligo	(m)	obblighi

The plural of nouns ending in -logo is -logi if they refer to people.	psicologo	(m)	psicologi
	radiologo	(m)	radiologi
The plural of other nouns ending in -logo is -loghi if they refer to things.	catalogo	(m)	cataloghi
	dialogo	(m)	dialoghi

The plural of masculine nouns ending in -io is -i, but when the -i is stressed the plural is -ii.	figlio	(m)	figli
	occhio	(m)	occhi
	bacio	(m)	baci
	zio	(m)	zii

Invariable nouns

Nouns ending in -à, -è and -ù have the same singular and plural form.	città	(f)	città
	università	(f)	università
	caffè	(m)	caffè
	tè	(m)	tè
	gioventù	(f)	gioventù
	tribù	(f)	tribù
	menù	(m)	menù
	ragù	(m)	ragù
Some nouns ending in -o have the same singular and plural form. These are often abbreviations.	video	(m)	video
	stereo	(m)	stereo
	moto(cicletta)	(f)	moto
	auto(mobile)	(f)	auto
	radio(fonia)	(f)	radio
	foto(grafia)	(f)	foto
	frigo(rifero)	(m)	frigo
Many nouns ending in -ie are feminine and have the same singular and plural form.	serie	(f)	serie
	specie	(f)	specie
	Careful!		
	moglie	(f)	mogli

edizioni Edilingua

Masculine and feminine nouns of foreign origin are the same in the singular and plural.	autobus (m)	autobus
	film (m)	film
	file (m)	file
	brioche (f)	brioche
	toilette (f)	toilette
	e-mail (f)	e-mail
Nouns ending in -i are often feminine and have the same singular and plural form.	metropoli (f)	metropoli
	tesi (f)	tesi
	crisi (f)	crisi

Nouns with irregular plural forms

Some nouns are masculine singular (-o) and feminine plural (-a). This group includes nouns indicating parts of the body.	uovo (m)	uova (f)
	lenzuolo (m)	lenzuola (f)
	dito (m)	dita (f)
	braccio (m)	braccia (f)
	ginocchio (m)	ginocchia (f)
	Careful!	
	mano (f)	mani (f)
Some unusual nouns have a plural that is quite different to the singular.	uomo (m)	uomini
	dio (m)	dei
	bue (m)	buoi

Il Duomo, *Milano*

EXERCISES

2.1 Tick the correct box.

	SINGULAR	PLURAL
1. armadio	☐	☐
2. colleghe	☐	☐
3. ginocchio	☐	☐
4. pacco	☐	☐
5. operai	☐	☐
6. alberghi	☐	☐
7. programma	☐	☐
8. giornaliste	☐	☐
9. pioggia	☐	☐
10. psicologi	☐	☐

02. Nomi particolari

2.2 **Choose the correct plural.**

1. problema
   a. ▨ problemi
   b. ▨ probleme
   c. ▨ problemo

6. città
   a. ▨ città
   b. ▨ cittè
   c. ▨ cittì

2. negozio
   a. ▨ negozie
   b. ▨ negozia
   c. ▨ negozi

7. spiaggia
   a. ▨ spiaggie
   b. ▨ spiaggio
   c. ▨ spiagge

3. luogo
   a. ▨ luoghe
   b. ▨ luoghi
   c. ▨ luoghu

8. auto
   a. ▨ auto
   b. ▨ auti
   c. ▨ aute

4. mano
   a. ▨ mane
   b. ▨ mani
   c. ▨ manu

9. cuoco
   a. ▨ cuoche
   b. ▨ cuochi
   c. ▨ cuochu

5. camping
   a. ▨ camping
   b. ▨ campings
   c. ▨ campingi

10. barca
   a. ▨ barce
   b. ▨ barchi
   c. ▨ barche

2.3 **Make words, as in the example.**

che   ce   gne   che   le   chi   gie

1. Cilie ....
3. Albicoc ....
5. Me ....

Pes _che_
2. Fi ....
4. Pru ....
6. Aran ....

2.4 **Put the nouns in the plural.**

Gianni vive da poco in una nuova zona di Roma. È molto contento perché è una zona bella e tranquilla con molto verde. Ci sono, infatti, due (1. parco)............................ Poi ci sono (2. negozio)..........................., (3. bar)..........................., (4. ristorante)........................... e due (5. discoteca)............................ Ci sono anche due (6. farmacia)........................... vicino a casa sua, che possono sempre essere utili.

edizioni Edilingua

2.5 Put the nouns in the right group then form the plural. Be careful of the exceptions to the rule in each group!

amica   film   dialogo   doccia   computer   spiaggia   dietologo
dizionario   radio   auto   specie   moglie   zio

	singular	plural
1	banca	banche
2	catalogo	cataloghi
3	strudel	strudel
4	valigia	valigie
5	serie	serie
6	foto	foto
7	specchio	specchi

2.6 Put the nouns in the right group then form the plural. Be careful of the exceptions to the rule in each group!

uovo   università   ginocchio   menù   chirurgo   nemico   diploma
uomo   dentista (f)   greco   tesi   braccio

	singular	plural
1	parco	parchi
2	dito (m)	dita (f)
3	pianista	pianisti
4	panorama	panorami
5	tè	tè
6	metropoli	metropoli
7	dio	dei

02. Nomi particolari

SINGULAR		PLURAL	
masculine	feminine	masculine	feminine
il	la (l')	i	le
lo (l')		gli	

Definite articles are used when referring to a specific or known object or person.
The masculine singular is il or lo and the plural is i or gli.

Lo and gli are used before nouns beginning with:
x
y
z
s + consonant (sc, sp, st, sd...)
i + vowel
gn
ps
pn

lo xenofobo	gli xenofobi
lo yogurt	gli yogurt
lo zaino	gli zaini
lo studente	gli studenti
lo iugoslavo	gli iugoslavi
lo gnomo	gli gnomi
lo psicologo	gli psicologi
lo pneumatico	gli pneumatici

Careful!

Colloquial Italian uses the following forms:

il pneumatico	i pneumatici
l'armadio	gli armadi

Lo and gli are also used before nouns beginning with a, e, i, o, u (vowels).

Careful!

Before a noun beginning with a vowel lo becomes l'.
But gli never changes!

Il and i are used with all other masculine nouns beginning with a consonant.

l'albergo	gli alberghi
l'operaio	gli operai

il libro	i libri
il fiore	i fiori
il quaderno	i quaderni

The feminine singular definite article is la.
The feminine plural definite article is le.

la penna	le penne
la bambola	le bambole

Careful!

Before a noun beginning with a vowel la becomes l'.
But le never changes!

l'onda	le onde
l'aranciata	le aranciate

edizioni Edilingua

EXERCISES

3.1 Match the definite articles to the nouns, as in the example.

1	donna	**il**	quadro	9	
2	scienziato		acqua	10	
3	dizionario	**lo**	zucchero	11	
4	studio		yacht	12	
5	bicchiere	**la**	entrata	13	
6	estate		maestra	14	
7	pasta	**l'**(f)	ospedale	15	
8	spazzolino	**l'**(m)	albergo	16	

3.2 Fill in with **gli, i** or **le**.

Come tutti gli anni, il giorno di Pasquetta, il lunedì dopo Pasqua, Giovanna e Marcello, con altri amici, fanno un picnic in campagna. Prendono con loro:

1. .... piatti

5. .... bicchieri

2. .... forchette

6. .... tovaglioli di carta

3. .... coltelli

4. .... cucchiai

7. .... stuzzicadenti

3.3 Choose the correct article.

1. .... casa di Laura è grande e spaziosa.

    a. *la*   b. *gli*   c. *l'*

2. .... ragazzi sono in biblioteca a studiare.

    a. *i*   b. *lo*   c. *gli*

3. .... mare è bello di notte.

    a. *la*   b. *il*   c. *lo*

4. .... tazze sono piene di tè.

    a. *gli*   b. *la*   c. *le*

5. .... isola di Ischia è piccola.

    a. *l'*(m)   b. *le*   c. *l'*(f)

6. Nel Nord Italia .... inverni sono molto freddi.

    a. *gli*   b. *la*   c. *le*

03. Gli articoli determinativi

3.4 **Find the noun that is the odd one out, as in the example.**

il	libro	matita	poster	bracciale
1. **il**	quaderno	angelo	museo	supermercato
2. **lo**	xenofobo	zero	stilista	bacio
3. **l'**(m)	albero	nonno	elefante	esercizio
4. **gli**	giornali	spumanti	aperitivi	stivali
5. **i**	televisori	campioni	presidenti	gnomi
6. **la**	squadra	mamma	attrice	borsa
7. **l'**(f)	arancia	acqua	amico	estate
8. **le**	quadri	canzoni	zie	navi

3.5 **Un po' di astrologia! Put in the definite articles and the correct star signs where they are missing.**

In Italia l'astrologia è di moda e piace molto. Soprattutto all'inizio di ogni anno in televisione e in molte riviste si parla dei segni zodiacali.

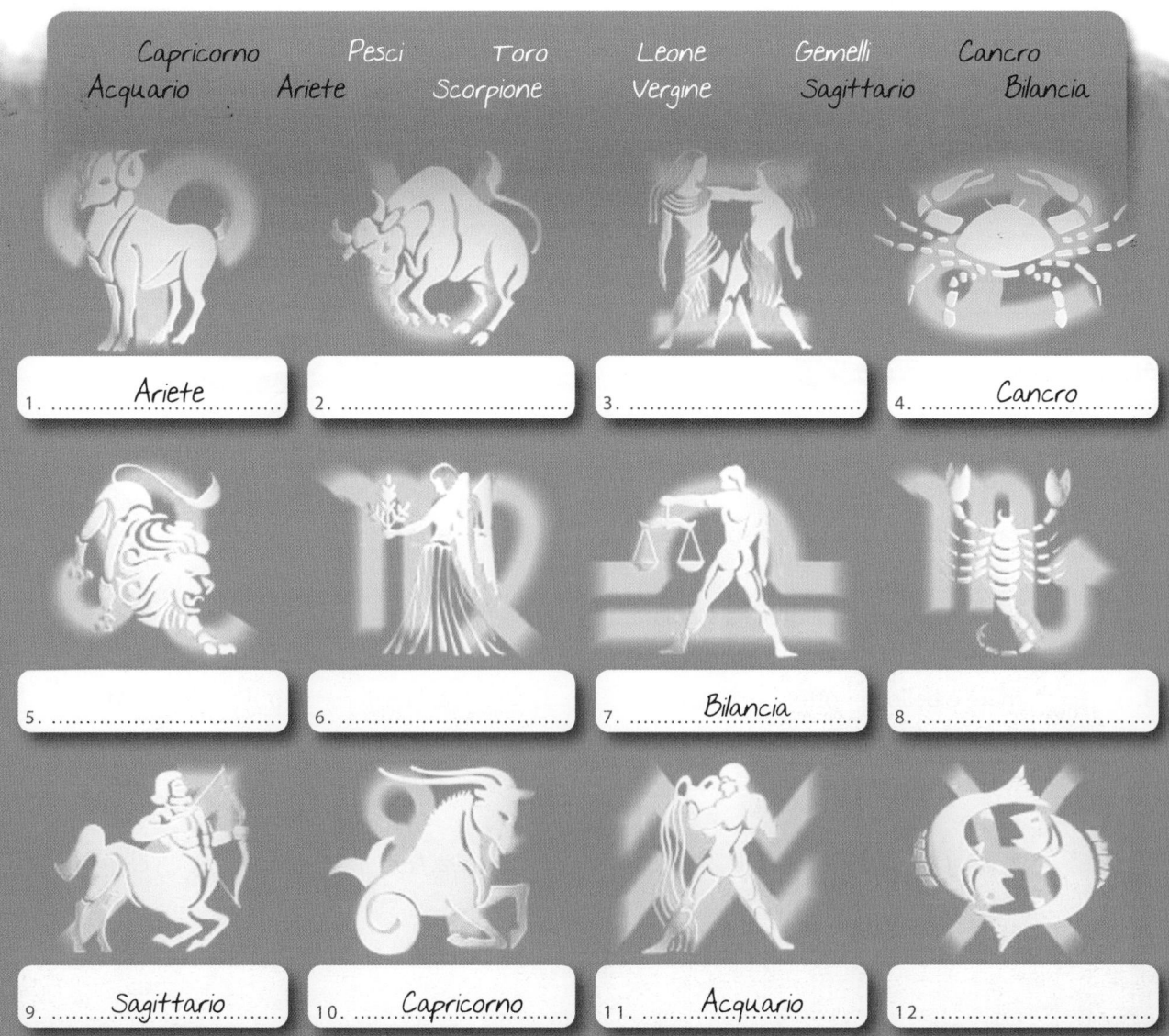

Capricorno   Pesci   Toro   Leone   Gemelli   Cancro
Acquario   Ariete   Scorpione   Vergine   Sagittario   Bilancia

1. Ariete   2. ....   3. ....   4. Cancro

5. ....   6. ....   7. Bilancia   8. ....

9. Sagittario   10. Capricorno   11. Acquario   12. ....

.6 Find the article and put ✔ in the appropriate column, as in the example.

	il	lo	l'(m)	gli	i	la	l'(f)	le
1. pilota	✔							
2. zoo								
3. cucina								
4. giorni								
5. biciclette								
6. ambasciatori								
7. borse								
8. spiaggia								
9. letto								
10. pacchi								

3.7 Find the article and put ✔ in the appropriate column, as in the example.

	il	lo	l'(m)	gli	i	la	l'(f)	le
1. programmi					✔			
2. spumante								
3. alberghi								
4. studenti								
5. mamma								
6. elefante								
7. opera								
8. aranciata								
9. isole								
10. autunno								

Le Chiese Gemelle,
Piazza del Popolo, *Roma*

03. Gli articoli determinativi

Gli articoli indeterminativi

SINGULAR	
masculine	feminine
un uno	**una un'**

Indefinite articles are used for a non-specific object or a person.

The masculine articles are un and uno.

Uno is used before nouns beginning with:
s + consonant (sc, sp, st, sd...)
gn
ps
x
y
z
pn

uno studente
uno gnomo
uno psicologo
uno xenofobo
uno yogurt
uno zaino
uno pneumatico

Careful!

It is common in spoken Italian to use:
un pneumatico

Un is used with all other nouns beginning with a **consonant** or a **vowel**.

un libro, un quadro, un tavolo
un armadio

Important!

The masculine form un is invariable and never takes the apostrophe (').
The feminine indefinite article is una.

un elefante, un orso

una casa, una bambola

Careful!

The feminine form un' always takes the apostrophe (') with nouns beginning with a vowel.

un'amica, un'aranciata

EXERCISES

4.1 Match the nouns with the right photo and add the article un, uno, una, un'.

albicocca   tazza   specchio   panino   radio   caffè
televisore   orologio   cappuccino   gnomo   mela   yogurt

edizioni Edilingua

1. ....

2. ....

3. ....

4. ....

5. ....

6. ....

7. ....

8. ....

9. ....

10. ....

11. ....

12. ....

4.2 Find the names of these animals in the grid then add the indefinite article.

1. .... m _ _ _ l _

2. .... p _ pp _ _ _ l _ o

3. .... f _ _ fa _ _ a

4. .... c _ _ e

5. .... ele _ _ _ t _

6. .... g _ _ _ ff _

7. .... sci _ _ _ a

M	A	I	A	L	E	R	P	T	P	Y
D	P	Z	M	B	C	I	T	E	A	L
R	E	L	E	F	A	N	T	E	P	S
C	A	N	E	F	V	B	N	I	P	D
M	G	H	J	G	K	L	O	E	A	S
Z	P	U	R	I	Z	O	L	H	G	C
Y	M	V	M	R	A	T	Y	C	A	I
F	A	R	F	A	L	L	A	D	L	M
U	D	E	Q	F	Y	T	P	E	L	M
Q	W	S	D	F	D	O	U	F	O	I
V	C	R	F	A	Y	R	A	I	D	A

8. .... a _ e

04. Gli articoli indeterminativi

4.3 **Un or un'? Put in the right article.**

1. .... elicottero
2. .... ufficio
3. .... ispettore
4. .... uniforme
5. .... aranciata

6. .... insalata
7. .... ambasciatore
8. .... automobile
9. .... arrosto
10. .... albero

4.4 **Un po' di geografia! Put in the indefinite article and say if the sentences are true or false.**

uno	una	uň	un'	una	un	una	un

	True	False
1. Genova è .... città del Centro Italia.	▨	▨
2. Il Lago di Garda è .... lago nel Sud Italia.	▨	▨
3. Capri è .... isola piccola.	▨	▨
4. Il Po è .... piccolo fiume.	▨	▨
5. Il Monte Rosa è .... montagna.	▨	▨
6. L'Adriatico è .... mare.	▨	▨
7. La Puglia è .... regione del Nord.	▨	▨
8. La Sicilia è .... stato.	▨	▨

4.5 **Complete the sentences with these nouns and the indefinite articles, as in the example.**

dottore	giornalista	ingegnere	impiegata	insegnante	operaio	barista	architetto

1. Damiano		un	dottore,	un	ospedale in città.
2. Anna		....	....	....	scuola di periferia.
3. Marco		....	....	....	bar molto elegante.
4. Teresa	**è**	....	....	....	banca americana.
5. Gianni		....	....	**lavora in**	cantiere.
6. Alessandro		....	....	....	studio del centro.
7. Tommaso		....	....	....	fabbrica di scarpe.
8. Monica		....	....	....	giornale di Roma.

4.6 **Put the indefinite articles in the red spaces .... and the definite articles in the blue spaces ....**

Questa sera c'è .... (1) festa a casa della professoressa Foroni. .... (2) invitati sono molti. Ci sono .... (3) colleghi della professoressa: .... (4) professore Bisonti con .... (5) figlia e .... (6) profes-soressa Corti con .... (7) marito. C'è anche .... (8) dottore dell'ospedale San Giacomo di Roma, con .... (9) cardiologa famosa. Ci sono .... (10) signori Bonassi con .... (11) figlio Massimo, ... (12) musicista Guzzoni con .... (13) moglie pittrice e .... (14) zio scultore.

edizioni Edilingua

05 I verbi *essere*, *avere*, *esserci*

ESSERE (TO BE)		AVERE (TO HAVE)	
io	**sono**	io	**ho**
tu	**sei**	tu	**hai**
lui/lei/Lei	**è**	lui/lei/Lei	**ha**
noi	**siamo**	noi	**abbiamo**
voi	**siete**	voi	**avete**
loro	**sono**	loro	**hanno**

Essere and avere are irregular verbs and used a great deal.

Marcello è uno studente di Medicina.
Maria ha molti amici.

We make essere and avere and all verbs interrogative by simply raising our voice at the end of the sentence.

Siete siciliani? _____
Hai il mio orologio? _____
Signorina Rossi, Lei è di Pavia? _____

We make essere and avere and all verbs negative by putting non before the verb.

Oggi non abbiamo fame.
Tu e Luisa non avete ragione.

C'è (singular) and ci sono (plural) are used to indicate that objects or people are in a specific place.

C'è una festa in piazza lunedì.
Ci sono molti ragazzi a scuola.

Important!

Here are some phrases and expressions with avere:
avere 10/20/30... anni;

Roberta ha dieci anni.

avere caldo, freddo, sete, fame, paura, fretta, ragione, torto, sonno;

Martino ha sempre caldo.
Damiano e Chiara hanno freddo.
I bambini hanno sete.
Avete fame, ragazze?
Hai paura dei film dell'orrore?
Signora Vecchietti, ha fretta?
Luisa ha torto o ragione?
Io ho sonno.

avere mal di pancia, mal di testa, mal di denti, mal di orecchi, mal di gola, la febbre/ l'influenza, la tosse, il raffreddore.

La piccola Maria ha mal di pancia.
Signor Rossi, ha mal di testa anche oggi?
Hai mal di denti?
Daniela e Simonetta hanno mal di orecchi.
Le bambine hanno mal di gola.
Avete la febbre alta?
Ho la tosse e il raffreddore.

EXERCISES

5.1 Complete the picture with **essere** and **avere**.

5.2 Choose the right verb.

1. -Tu e Giorgio .... una casa grande? -No, molto piccola.

2. -Marcella, ... un cane? -Sì, si chiama Fuffy.

3. Giuliana e Antonello .... una macchina nuova.

4. (io)................ tanti libri.

5. Alfredo .... una Ducati.

6. Professor Barigozzi, ... la macchina o chiamo un taxi?

7. Luca e Maddalena .... un piccolo coniglio.

8. Io e Marta non .... una casa in montagna.

> *avete – hanno*
> *hai – ha*
> *hanno – avete*
> *hanno – ho*
> *ha – abbiamo*
> *hai – ha*
> *hanno – abbiamo*
> *abbiamo – avete*

5.3 Un po' di geografia e arte! Complete the sentences with **essere**.

Marmolada,
Dolomiti, *Belluno*

1. Matilde e Lucio .... al mare a Cefalù in Sicilia.

2. (tu)................ a Torino per visitare il Museo Egizio?

3. Giancarlo .... sulle Dolomiti a sciare.

4. Maria .... a Ostuni, in Puglia.

5. Mercedes e io .... a Reggio Calabria per vedere i Bronzi di Riace.

6. (voi)................ sulla gondola per fare un bel giro della laguna veneziana.

7. (io)................ qui a Milano per visitare il Cenacolo di Leonardo da Vinci.

8. (loro)................ felici di essere in vacanza in Toscana.

5.4 Fill in the gaps with **essere** or **avere** and match the description to the right picture. Be careful: there's an extra picture!

A .... B .... C .... D ....

1) Anna .... di Milano ed .... una studentessa. .... ottimista e allegra.
   Anna .... una sorella e .... anche due animali: un gatto e un cane.
   La sorella di Anna .... sempre ammalata: .... il raffreddore e la tosse.

2) Salvatore .... di Catania ed .... un insegnante. .... molto estroverso.
   Salvatore .... tanti fratelli e sorelle.
   Salvatore .... sempre fame ed .... un po' grasso.

3) Gianni e Francesco .... fratelli e .... una casa molto grande con un bel giardino.
   Tutti e due .... molto simpatici e .... molti amici.

5.5 Observe the photo and complete the sentences with **c'è/ci sono** or **non c'è/non ci sono**.

1. .... un'auto.
2. .... un tavolo.
3. .... un vaso di fiori.
4. .... due sedie.
5. .... un telefono.

6. .... un letto.
7. .... un quadro.
8. .... un televisore.
9. .... due bambine.
10. .... due gattini.

5.6 Complete the sentences using the following phrases with **avere**, as in the examples in blue.

AVERE *freddo torto caldo sedici sete fame paura ragione fretta sonno*

1. Questa volta Antonio sbaglia, non ha ragione, ma .... decisamente ....
2. Maria guarda i film gialli, ma .... sempre ....
3. Gianni e Marco sciano senza guanti e senza berretto per questo ....
4. In estate, in Italia, le temperature sono alte e Marcella ....
5. Io non mangio da stamattina e .... molta .... e .... anche sete.
6. Lucio, ... anni?
7. Giancarlo è molto stanco e .... tanto ....
8. Siete di corsa, ... ?

05. I verbi essere, avere, esserci

5.7 Complete the sentences with **avere** and the following expressions.

mal di denti	mal di testa	il raffreddore	la tosse
l'influenza	mal di gola	mal di orecchi	mal di pancia

1. Daniele prende un'aspirina perché ....

2. Gino e Roberto usano sempre la sciarpa perché ....

3. Carla va dal dentista perché ....

4. I signori Girotti sono a letto da tre giorni perché ....

5. Luisa prende lo sciroppo perché ....

6. Gianni studia troppo e .... sempre ....

7. Francesco non va in piscina perché ....

8. Domenico e Lucio mangiano troppo e ....

edizioni Edilingua

01

1 Put the nouns in the table in the right column. (masculine and feminine nouns)

nave   cane   amica   letto   finestra   ponte   giornale   orologio   chiave   treno
vino   canzone   gatto   zia   cucina   pittrice   dottore   esame

feminine	masculine

Each correct answer is worth one point.
If you score less than 10, revise the grammar.

Result /18

2 Fill in using the singular or plural of these nouns. (singular and plural nouns)

singular	plural		singular	plural
....	padri		barca	....
problema	....		università	....
sport	....		....	studenti
lezione	....		albero	....
....	caffè		moglie	....
brindisi	....		maga	....
psicologo	....		....	uova
....	droghe		uomo	....
....	figli		....	radio
camicia	....		cuoco	....
....	tesi		ciliegia	....

Each correct answer is worth one point.
If you score less than 12, revise the grammar.

Result /22

3 **Choose the right noun.** (singular and plural nouns)

La famiglia Morettin vive nella (1) cittì/cittè/città di Udine, che si trova nel Friuli Venezia Giulia, una (2) regione/regiona/regioni del Nord Italia. La famiglia Morettin è composta di cinque (3) persona/personi/persone: mamma Marta, papà Mario, due bambine, Mara e Anna, e un (4) ragazza/ragazzo/ragazzi che si chiama Giovanni. Mara e Anna vanno ancora a (5) scuola/scuole/scuolu e nel tempo libero giocano a tennis, vanno in (6) piscine/piscina/piscino e scrivono e-mail alle amiche. Giovanni, invece, lavora come (7) tecnico/tecnicho/tecnica di computer in una delle banche della periferia. Nel suo tempo libero va nelle (8) discoteche/discoteca/discotece della zona o al (9) bars/bar/bari vicino a casa o in pizzeria con gli (10) amichi/amici/amice.

Each correct answer is worth one point.
If you score less than 6, revise the grammar.

Result
/10

4 **Un po' di cultura generale! Choose the right definite article.** (definite articles)

1. La/Le studentesse studiano all'Università Federico II di Napoli.
2. Oggi Maria visita il/lo museo della Scienza e della Tecnica e il/lo Duomo di Milano.
3. Giovanni compra le/gli mele, le/i arance e i/gli fagiolini al mercato di Campo de' Fiori.
4. La/Lo nave è nel porto di Savona.
5. La/Il professoressa legge il/la giornale di Napoli *Il Mattino*.
6. Il/Lo ponte degli Alpini si trova a Bassano del Grappa.
7. Ancona è il/lo capoluogo delle Marche.
8. Trieste è la/il città dello scrittore Italo Svevo.

Each correct answer is worth one point.
If you score less than 7, revise the grammar.

Result
/12

5 **Find the 6 errors.** (definite and indefinite articles)

1. Mi fa male lo dito. ....
2. Lo zio di Roberto è un abile calciatore. ....
3. C'è uno gatto in giardino. ....
4. Gabriella ha gl'occhi verdi. ....
5. Un'amico vero è un tesoro. ....
6. L'amica di Maria è inglese. ....
7. Paolo è un studente molto bravo. ....
8. Al mattino mangio sempre un'yogurt e un'arancia. ....

Each correct answer is worth one point.
If you score less than 5, revise the grammar.

Result
/8

6 **Un po' di geografia! Insert the words below and see if you can identify the city.** (singular and plural nouns, definite and indefinite articles)

la	moda	lo	il	gli	centro	cinema	una

È ....(1) città del Nord. È il ....(2) finanziario più importante d'Italia. ....(3) gente che vive qui è sempre di corsa. È famosa per la ....(4), infatti ....(5) abitanti di questa città sono spesso eleganti e ben vestiti. Ci sono molti locali, ristoranti, ...(6) e teatri. C'è anche ....(7) stadio di San Siro. ....(8) Duomo e la Scala sono conosciuti in tutto il mondo.

Che città è? M _ _ A_ O

Each correct answer is worth one point.
If you score less than 5, revise the grammar.

Result

_____ /8

7 **Un po' di geografia! Complete the text with the words below.** (singular and plural nouns, definite and indefinite articles)

un	una	un	romanzo	città	le	villa	gli

Il lago di Como

È ....(1) lago che si trova in Lombardia. Le ....(2) su questo lago sono Como e Lecco. A Lecco si trova ....(3) monumento dedicato ad Alessandro Manzoni, che ha ambientato in queste zone il suo ....(4) *I Promessi Sposi*. Questo lago ha ....(5) forma un po' strana; è stretto, lungo e non è molto grande. Agli americani e agli inglesi piace passare ....(6) vacanze qui. George Clooney ha una ....(7) antica su questo lago. A Cernobbio, c'è un importante convegno in settembre per ....(8) industriali italiani.

Each correct answer is worth one point.
If you score less than 5, revise the grammar.

Result

_____ /8

8 **Un po' di geografia! Choose the verb essere or esserci and guess the location.** (verb *essere* or *esserci*)

(1) È/C'è il capoluogo del Piemonte, (2) è/c'è la quarta città d'Italia. (3) C'è/È la famosa industria automobilistica FIAT della famiglia Agnelli, fondata nel 1899, e la Juventus (4) è/c'è una delle due squadre di calcio di questa città.
(5) Ci sono/Sono molti monumenti e musei, come il *Museo Egizio*, il *Palazzo Madama*, il *Palazzo Reale*, la *Cattedrale* rinascimentale del Quattrocento, la piccola *Chiesa di San Lorenzo* e la *Mole Antonelliana*.
Fuori dalla città su una collina a nord-est (6) c'è/è la *Basilica di Superga*. Dopo l'unità d'Italia (7) è/c'è la capitale d'Italia per un breve periodo, dal 1861 al 1864. In questa città (8) è/c'è l'università e la facoltà di Ingegneria (9) è/c'è molto famosa. Il suo nome antico (10) è/c'è *Julia Augusta Taurinorum*.

Che città è? T _ R _ _ _

(adattato dal sito www.sapere.it)

Each correct answer is worth one point.
If you score less than 6, revise the grammar.

Result

_____ /10

Test 1 (unità 1-5)

9 **Correct the errors in the verbs essere and avere in these sentences.** (verbs *essere* and *avere*)

1. Marco sono un buon amico. ....
2. Luisa ed io siamo spesso freddo. ....
3. Signora, sei felice oggi? ....
4. Mimmo ha siciliano. ....
5. La casa dei signori Rossi sono piccola. ....
6. Oggi noi siamo molta fretta! ....
7. Tu e Luigi siamo molto simpatici. ....
8. Io siamo italiana, di Livorno. ....

Each correct answer is worth one point.
If you score less than 5, revise the grammar.

Result
/8

10 **Fill in with the verb avere, essere, esserci and the missing vowels.** (*essere, avere, esserci*, definite articles, indefinite articles, singular and plural nouns)

Marina è di Potenza, è una studentessa del primo anno di Medicina a Bologna. Da poco vive a Bologna e scrive una cartolina alla mamma.

Cara mamm....(1),
come stai? Io sto bene e (essere) ....(2) molto contenta di essere qui a Bologna. L'appartamento è davvero
grande. (esserci) ....(3) due stanze da letto, una cucina, una sala e un bagno. Questo è un problem....(4), perché
siamo in quattro. E quattro donne! Sai che noi stiamo in
bagno a lungo. Io divido l....(5) stanza con Mariangela, che viene
da una piccola città della Campania. È una ragazz....(6)
molto gentile e generosa. Deve essere ricca, perché (avere) ....
..............(7) tanti vestiti: cappotti, scarpe e bors....(8). Ha anche una bella famiglia, (esserci) ....(9) la foto della sua
famiglia in camera. Ha due fratelli e un....(10) sorella. La
stanza è grande e c'è spazio per tutte e due. Ci sono due
finestre e un terrazz....(11).
Insomma, sono molto contenta di essere qui e di cominciare
l'universit....(12).
Tanti baci
Marina

Roberta Filippi

Via 25 aprile, 86

85100 – Potenza

Each correct answer is worth one point.
If you score less than 7, revise the grammar.

Result
/12

Total score /116

06

Gli aggettivi qualificativi

Qualifying adjectives specify or describe a quality or characteristic. They usually follow the noun, but sometimes they precede it.

Group 1 (4 endings)

SINGULAR		PLURAL	
masculine	feminine	masculine	feminine
o	a	i	e

There are many adjectives in this group and they have **four** different endings.	lo studente bravo gli studenti bravi la ragazza brava le ragazze brave

Group 2 (3 endings)

SINGULAR		PLURAL	
masculine	feminine	masculine	feminine
a	a	i	e

There are not many adjectives in this group and they have **three** different endings. Adjectives ending in -ista usually belong to this group (pessimista, ottimista etc.)	il signore ottimista i signori ottimisti la signora ottimista le signore ottimiste

Group 3 (2 endings)

SINGULAR		PLURAL	
masculine	feminine	masculine	feminine
e	e	i	i

There are many adjectives in this group and they have **two** different endings. Adjectives ending in -e belong to this group.	il film interessante i film interessanti la storia interessante le storie interessanti

06. Gli aggettivi qualificativi

Group 4 (1 ending: invariable)

SINGULAR		PLURAL	
masculine	feminine	masculine	feminine
a/u/e	a/u/e	a/u/e	a/u/e

There are a few adjectives in this group and they have only one ending, i.e. they are invariable. Some adjectives describing colour belong to this group: blu, rosa, viola, beige.	il pullover rosa la gonna rosa il cappotto blu la cravatta blu	i pullover rosa le gonne rosa i cappotti blu le cravatte blu

Adjectives ending in -co and -go

The plural of masculine adjectives ending in -co e -go is the same as for nouns ending in -co and -go. The plural of two-syllable adjectives ending in -co e -go is -chi and -ghi. The plural of adjectives of more than two syllables ending in -co e -go is -chi e -ghi, if a **consonant** precedes -co and -go. But the plural of adjectives of more than two syllables ending in -co and -go is -ci e -gi, if a **vowel** precedes -co e -go.	lungo stanco tedesco simpatico	lunghi stanchi tedeschi simpatici

Adjectives ending in -ca and -ga

The plural of feminine adjectives ending in -ca and -ga is -che and -ghe.	stanca larga	stanche larghe

EXERCISES

6.1 Find the adjectives and complete the table on the next page, as in the example.

Al bar

Signor Rossi: Buongiorno!
Cameriere: Buongiorno, mi dica.
Signor Rossi: Vorrei un caffè con un po' di latte.
Cameriere: Sì, certo, il latte lo preferisce caldo o freddo?
Signor Rossi: Caldo, grazie.

edizioni Edilingua

Cameriere:	E per Lei, signora?		

Cameriere: E per Lei, signora?

Signora Rossi: Io prendo un caffè d'orzo e un bicchiere di acqua gasata, perché ho anche sete.

Cameriere: Preferisce il caffè d'orzo nella tazza grande o piccola?

Signora Rossi: Tazza grande, grazie.

Cameriere: E voi bambini, cosa prendete?

Signora Rossi: Per loro può portare due aranciate piccole?

Cameriere: Va bene.

Signor Rossi: Ah! Senta, vorrei anche ordinare per i miei amici, che stanno parcheggiando la macchina. Può portare due aperitivi analcolici e un bicchiere di vino rosso, per favore?

Cameriere: Sì, certo.

Masculine		Feminine	
singular	plural	singular	plural
caldo			

.2 **Match the image with the correct adjective.**

In gennaio ci sono i saldi in tutti i negozi o grandi magazzini come *Upim*, *Coin* o *Rinascente*. Tutto costa meno. Michelangelo e Bianca decidono di andare alla *Rinascente* di Roma a fare un po' di shopping.

a. Michelangelo compra:

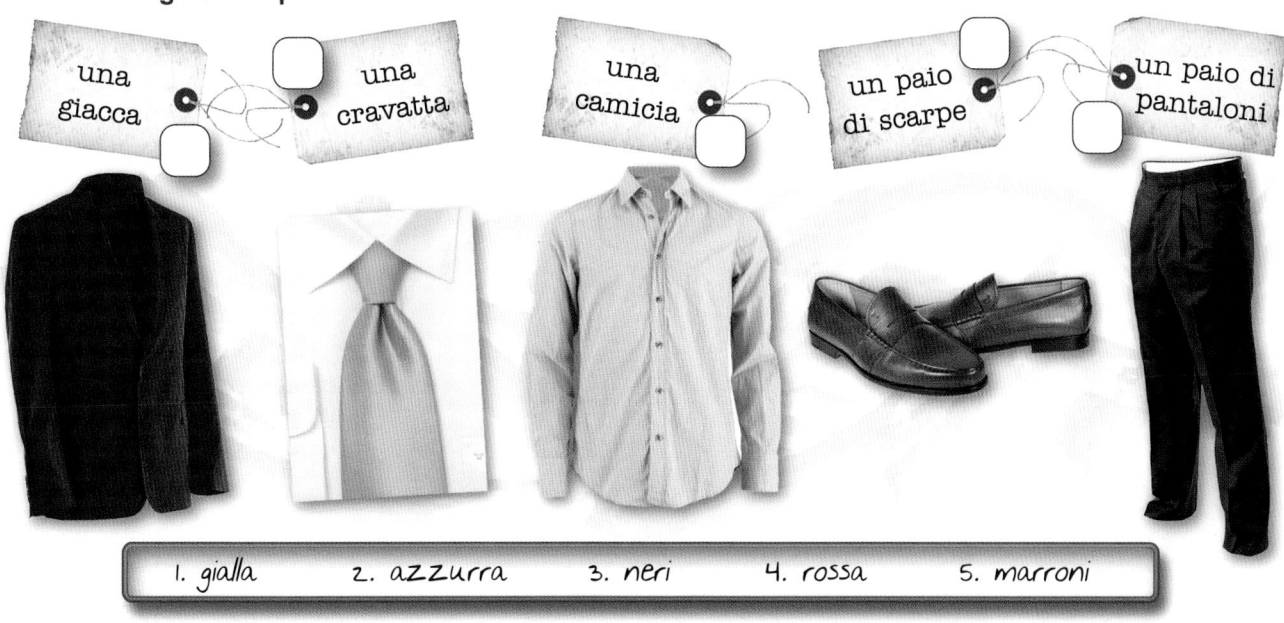

1. *gialla* 2. *azzurra* 3. *neri* 4. *rossa* 5. *marroni*

b. Bianca compra:

una gonna

una camicetta

un impermeabile

una sciarpa

un pullover

1. beige   2. nero   3. bianca   4. rossa   5. verde

6.3   **Un po' di cultura generale! Choose the correct adjective of nationality.**

italiano   giapponese   indiano   inglese   spagnola   svizzero   ungherese   russo

1. Nella paella .... ci sono verdure, pollo, zafferano, pesce e maiale.
2. Il riso con il pollo al curry è un piatto ....
3. Il gulasch è un piatto .... a base di carne.
4. Il sushi è molto di moda in Italia ed è un piatto .... con pesce crudo e riso.
5. Il cioccolato .... è conosciuto in tutto il mondo.
6. Gli spaghetti al ragù sono un primo piatto ....
7. Il caviale .... è molto costoso.
8. La colazione .... è a base di uova, pancetta, salsicce e pomodoro.

6.4   **Choose the correct adjective then match the characters with their pictures.**

1. **Francesca** ha 25 anni e fa la modella per un'agenzia americano/americana. È alto/alta e snella/snello. Ha i capelli biondi/bionde e lunghe/lunghi.

2. **Lorenzo** ha 15 anni. Ha i capelli scuri/scure e gli occhi verde/verdi. È alta/alto, magro/magra e molto simpatico/simpatica.

A ....   B ....

3. **Daniela** ha 36 anni e lavora in banca. È bassa/basso e magra/magro con i capelli castane/castani e corti/corte. Ha un viso sorridente/sorridento.

4. **Paolo** ha 50 anni. Lavora per una società tedesca/tedesco. È alto/alta e grassa/grasso. Ha i capelli neri/nere.

C ....

D ....

6.5 **Un po' di narrativa! Read the following passage and put in the missing vowels.**

Alberto Moravia (1907-1990) è un grande scrittore del Novecento che raggiunge il successo da giovanissimo con il romanzo *Gli indifferenti* (1929), un amaro quadro della vita borghese descritta con uno stile crudo e asciutto. Moravia scrive poi altri romanzi che descrivono la società italiana come *Le ambizioni sbagliate* (1935), *Agostino* (1944) e *La ciociara* (1957) e altri invece che descrivono la condizione umana come *La noia* (1960) e *Io e lui* (1971).

Sono una donna grand..... e bell...., forse troppo grand.....e, forse, troppo bell...., e ho un marito piccol....., molto piccol....., se paragonato a me quasi un nano. Quando la gente ci vede passare, la gigantessa e il nano, dice: "Eh, già le donne grand..... preferiscono gli uomini piccol..... e gli uomini piccol..... le donne grand...... Si sa, si ama sempre il contrario di se stessi". L'uomo che amo davvero è un artista e adesso non è qui. Lui potrebbe smentire il luogo comune delle donne grand..... che amano gli uomini piccol..... con la sua apparizione. È infatti smilz..... e longiline......

(*adattato da Alberto Moravia,* Opere, *edizioni Bompiani*)

06. Gli aggettivi qualificativi

	ARE	ERE	IRE	
	lavorare	**prendere**	**partire**	**capire**
io	**lavoro**	**prendo**	**parto**	**capisco**
tu	**lavori**	**prendi**	**parti**	**capisci**
lui/lei/Lei	**lavora**	**prende**	**parte**	**capisce**
noi	**lavoriamo**	**prendiamo**	**partiamo**	**capiamo**
voi	**lavorate**	**prendete**	**partite**	**capite**
loro	**lavorano**	**prendono**	**partono**	**capiscono**

Verbs are divided into three groups (-are, -ere, -ire) according to the ending of the infinitive form.

lavorare
prendere
partire / capire

STRUCTURE

The present indicative tense is formed by removing -are, -ere, -ire from the infinitive and adding various endings to the root.

Lavori molto nel tuo ufficio?
Ripeto la poesia.

Important!

Regular verbs with the infinitive in -ire are divided into two subgroups.
One subgroup (the largest) ends in -isc- while the other does not.

Careful!

The subgroup ending in -isc- only uses this root with io, tu, lui/lei/Lei and loro.
Here is a list of verbs that take -isc-:
capire, costruire, dimagrire, finire, ingrandire, impedire, obbedire, preferire, pulire, unire.

Here are some verbs that do not take -isc-:
aprire, divertire, dormire, fuggire, offrire, partire, scoprire, seguire, sentire, servire, soffrire, vestire.

Gli studenti (loro) non capiscono la lezione di biologia.
Preferisci (tu) il tè con il latte o con il limone?
Lorenzo (lui) finalmente pulisce la sua camera.
Finisco (io) questo lavoro subito!

Fino a che ora dormi domani?
Noi partiamo in aereo per Verona.

Careful!

Verbs in the first group ending in -care and -gare, like giocare and pagare, take -h-, but only with tu and noi.

Gioco, (tu) giochi, gioca, (noi) giochiamo, giocate, giocano	Noi non giochiamo a tennis.
Pago, (tu) paghi, paga, (noi) paghiamo, pagate, pagano	Paghi tu il conto oggi?
USE	
We use the present tense to express an action in the present.	

EXERCISES

7.1 Complete with the present tense of the verbs **amare**, **ripetere**, **sentire** and **finire**.

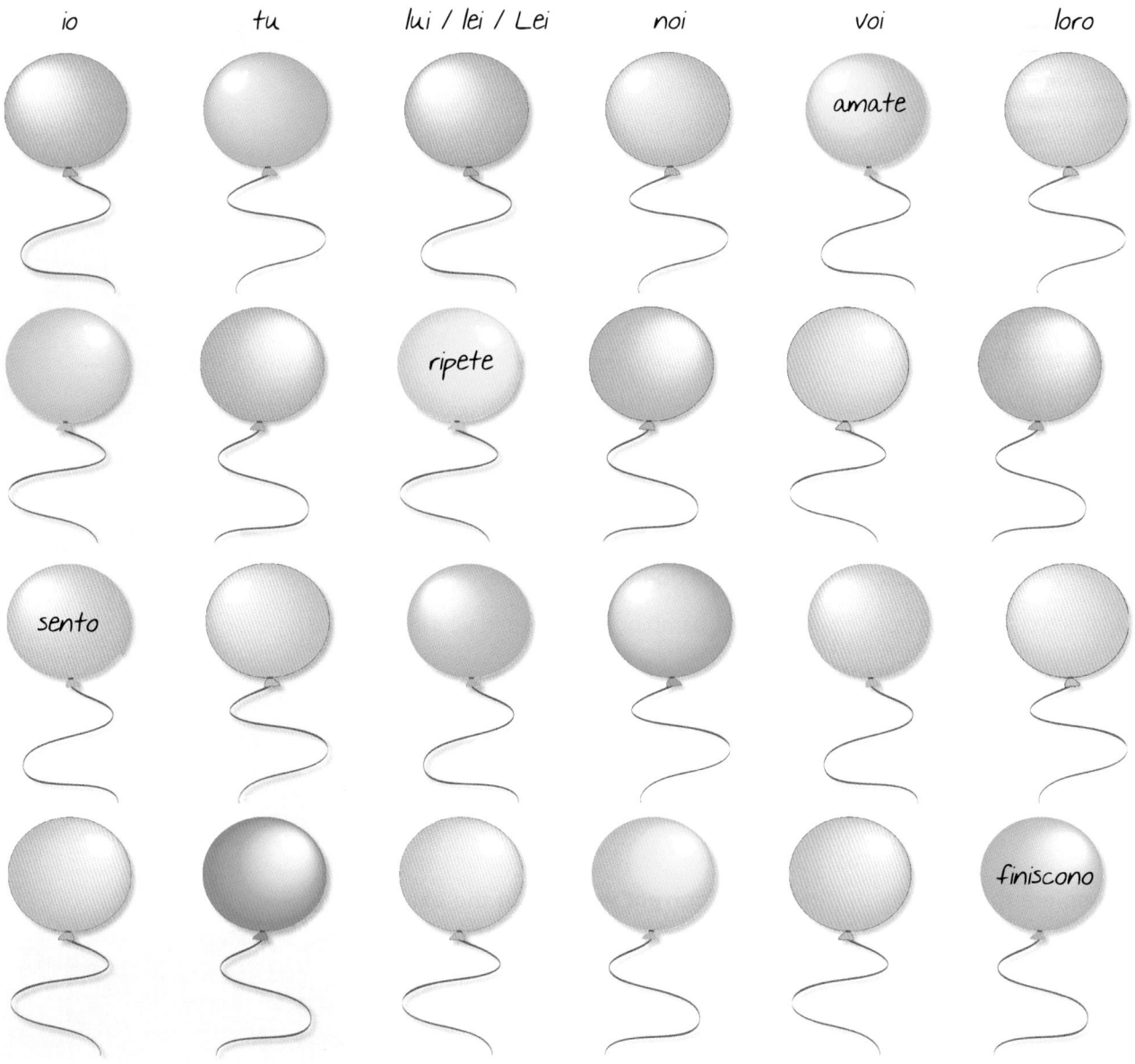

io	tu	lui / lei / Lei	noi	voi	loro
				amate	
		ripete			
sento					
					finiscono

07. Il presente indicativo dei verbi regolari

7.2 Choose the right verb.

1. Matteo .... la bicicletta in garage. *lava/lavo*

2. .... voi Francesco? *aspettate/aspettano*

3. Lorenzo e Mara .... bene l'inglese e il francese. *parliamo/parlano*

4. Noi .... davvero troppo per l'affitto di questo appartamento. *pagano/paghiamo*

5. Michele, ... troppe sigarette, non va bene. *fumi/fuma*

6. Scusi, quando .... lo spettacolo? *comincia/cominci*

7. (tu) .... spesso in giardino? *gioco/giochi*

8. Giorgio Armani .... la nuova collezione autunno-inverno. *presenta/presento*

7.3 Choose the right verb.

1. Giancarlo .... molto spesso.

2. Salvatore, ... Francesca?

3. Ragazze, ... troppi film dell'orrore in TV.

4. Io e Sandra .... in una villa in campagna.

5. Il negozio qui di fronte .... scarpe.

6. Ornella e Maria .... in ordine l'appartamento.

7. Giacomo .... l'autobus 24 per andare al lavoro.

8. Mamma, ... la finestra, per favore?

piange/piango/piangiamo
conoscete/conosco/conosci
guardano/guardate/guardo
vivono/viviamo/vivete
vendi/vendo/vende
mettiamo/mettono/mettete
prende/prendo/prendi
chiudo/chiude/chiudi

7.4 Correct the error in each sentence, as in the example.

1. Maria partisce alle 12.00 con l'Eurostar per Bari. *parte*

2. Giacomo e Marta dormiscono molto la domenica mattina. ....

3. Il film su Rai 2 fine troppo tardi. Quindi, bambini, è meglio andare a letto. ....

4. Gianni, ti divertisci al mare? ....

5. La colf è molta brava e pule con cura tutta la casa. ....

6. Marco sei stanco? Forse preferi restare a casa e non venire al concerto di Elisa? ....

7.5 Complete the table by putting in the correct verb, as in the example.

curare i malati - parlare il francese, il tedesco e l'inglese - usare il computer - incontrare molti clienti
vivere in campagna - viaggiare molto - assistere i passeggeri - allevare gli animali - indossare un'uniforme
lavorare in un ambulatorio - portare un camice bianco - lavorare molto all'aria aperta

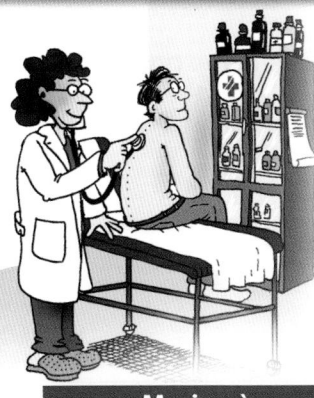  

Marina è una dottoressa	Giovanni è un agricoltore	Lucio è un manager	Simona è un'assistente di volo
cura i malati			

.6 **Put the verbs in the present indicative tense.**

1. Il mio papà .... tanti romanzi.
2. Io .... nuotare al mare e non in piscina.
3. Tu e Teresa, ... la TV di solito?
4. Scusi, ... la porta, per favore?
5. Io e Selena .... a tennis.
6. Paolo e Maria .... domani alle 3.
7. I malati in ospedale .... molto.
8. Marcella non .... il famoso cantante Andrea Bocelli.

guardare
giocare
leggere
aprire
preferire
conoscere
partire
soffrire

7.7 **Conjugate the verbs and find out what Marisa's job is.**

La mia giornata di lavoro

1. Io (*lavorare*) in un ufficio.
2. (*Iniziare*) a lavorare alle 9.15,
3. (*scrivere*) le lettere al computer e
4. (*prendere*) gli appuntamenti con i clienti.
5. Alle 13.00 (*mangiare*) un panino e
6. nella pausa pranzo (*leggere*) anche il giornale.
7. Alle 14.00 (*cominciare*) a lavorare di nuovo.
8. Alle 17.30 (*finire*) di lavorare.

Che lavoro fa Marisa? L' IM _ _ _ G _ _ A

....
....
....
....
....
....
....
....

07. Il presente indicativo dei verbi regolari

7.8 **Un po' di architettura!** Put the verbs in the present tense then put the sentences in the right order, as in the example.

La biografia di Renzo Piano

1. Renzo Piano è uno dei più famosi architetti italiani.

2. (*Nascere*) Nasce a Genova nel 1937.

3. Dal 1958 al 1964 (*lavorare*) .... come progettista.

4. (*Vincere*) .... il premio Compasso d'Oro nel 1981.

5. Nel 1995 (*ricevere*) .... il Praemium Imperiale per l'architettura.

6. (*Ristrutturare*) .... il centro Georges Pompidou nel 1983 e l'area del Lingotto di Torino nel 1985.

7. Nel 1989 (*essere*) .... primo al concorso per la realizzazione dell'aeroporto di Osaka e nel 1992 in quello per riedificare l'area della Postdamer Platz di Berlino.

8. Nel 1997 (*pubblicare*) .... il libro autobiografico *Diario di bordo*.

9. Nel 2000 (*progettare*) .... l'Auditorium della Musica a Roma.

10. Nel 1970 (*realizzare*) .... il padiglione italiano all'Esposizione Universale di Osaka.

11. Nel 1998 (*vincere*) .... il premio Pritzker.

1	2	3								

edizioni Edilingua

Irregular verbs ending in *-are*

	andare	dare	fare	stare
io	vado	do	faccio	sto
tu	vai	dai	fai	stai
lui/lei/Lei	va	dà	fa	sta
noi	andiamo	diamo	facciamo	stiamo
voi	andate	date	fate	state
loro	vanno	danno	fanno	stanno

Irregular verbs ending in *-ere*

	bere	rimanere	scegliere	sedere	tenere	togliere
io	bevo	rimango	scelgo	siedo	tengo	tolgo
tu	bevi	rimani	scegli	siedi	tieni	togli
lui/lei/Lei	beve	rimane	sceglie	siede	tiene	toglie
noi	beviamo	rimaniamo	scegliamo	sediamo	teniamo	togliamo
voi	bevete	rimanete	scegliete	sedete	tenete	togliete
loro	bevono	rimangono	scelgono	siedono	tengono	tolgono

Irregular verbs ending in *-ire*

	dire	morire	riuscire	salire	uscire	venire
io	dico	muoio	riesco	salgo	esco	vengo
tu	dici	muori	riesci	sali	esci	vieni
lui/lei/Lei	dice	muore	riesce	sale	esce	viene
noi	diciamo	moriamo	riusciamo	saliamo	usciamo	veniamo
voi	dite	morite	riuscite	salite	uscite	venite
loro	dicono	muoiono	riescono	salgono	escono	vengono

Modal verbs and the verb *sapere*

	volere	dovere	potere	sapere
io	voglio	devo	posso	so
tu	vuoi	devi	puoi	sai
lui/lei/Lei	vuole	deve	può	sa
noi	vogliamo	dobbiamo	possiamo	sappiamo
voi	volete	dovete	potete	sapete
loro	vogliono	devono	possono	sanno

STRUCTURE

Irregular verbs do not follow the rules of regular verbs and need to be learnt by heart.	Vado al bar il venerdì. Beviamo il latte ogni mattina. Dicono sempre la verità.
The modal verbs volere, dovere and potere are also irregular. These verbs are usually followed by an infinitive.	Vuoi *mangiare* la torta? Devo *studiare* molto. Possiamo *usare* il computer?
The verb sapere is also an irregular verb. It can be used on its own or with the infinitive.	So come arrivare a casa. Loretta sa *giocare* a tennis.

USE
of the modal verbs and of the verb *sapere*

We use volere when we wish to do or offer something.	Domani vogliamo (we wish to go to the cinema) *andare* al cinema. Vuoi un tè? (to offer something)
We use dovere when we need or have to do something.	Devono (they need or they have to do) *andare* a Milano per lavoro.
We use potere when we are able to do something or when we ask for permission to do something	Oggi Gianni può *giocare* a tennis. (he is able to play because he has time, he's fine, etc.) Posso *andare* al cinema? (I ask for permission to go to the cinema)
We use sapere on its own when it means "to know".	Sai (do you know) la storia della Francia del Settecento?
We use sapere + infinitive to say we know how to do something.	Sapete *suonare* il pianoforte? (can you ...?)

Ponte Vecchio, *Firenze*

edizioni Edilingua

EXERCISES

.1 Un po' di geografia! Complete the crossword with verbs in the present tense, find the three regions in the highlighted columns and say if they are in the north, centre or south of Italy.

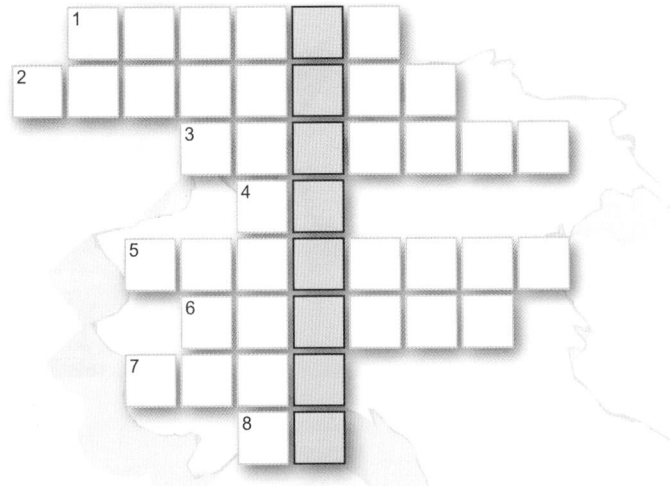

a. north   centre   south

1. io/riuscire
2. noi/fare
3. loro/togliere
4. lei/sapere
5. noi/dovere
6. voi/morire
7. tu/volere
8. lui/andare

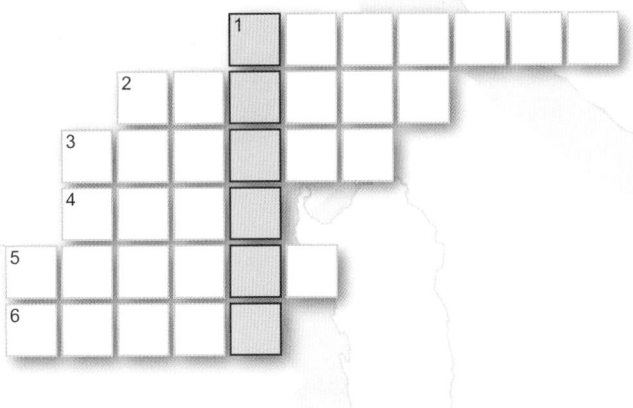

b. north   centre   south

1. loro/venire
2. tu/scegliere
3. loro/stare
4. lui/dovere
5. voi/salire
6. io/tenere

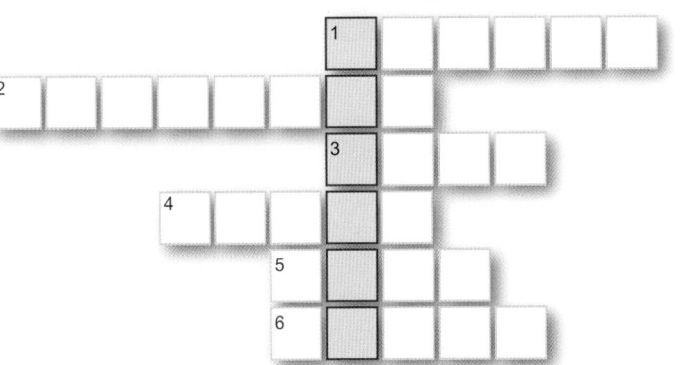

c. north   centre   south

1. voi/uscire
2. noi/volere
3. lei/bere
4. tu/morire
5. io/dire
6. loro/andare

08. Il presente indicativo dei verbi irregolari, dei verbi modali e del verbo *sapere*

8.2 **Choose the correct verb.**

1. Gli sposi non .... alle nozze i confetti rosa, ma bianchi.

   a) do   b) dai   c) danno

2. Luigi .... di casa alle 7 per andare a lavorare.

   a) esce   b) esci   c) esco

3. I bambini .... le scale in fretta.

   a) salgo   b) saliamo   c) salgono

4. L'insegnante .... agli studenti di studiare di più.

   a) dite   b) dicono   c) dice

5. Mario di solito .... vicino a Valeria.

   a) siedo   b) siedi   c) siede

6. Noi .... la macchina blu e voi?

   a) scegliamo   b) scegliete   c) sceglie

8.3 **Find the verbs and complete the table, as in the example.**

ossop   ogliov   onvode   os   tetepo   nnosa   levuo   vide

	volere	**potere**	**dovere**	**sapere**
io		posso		
tu				
lui/lei/Lei				
noi				
voi				
loro				

.4 Look at the pictures and the grid and complete the sentences with **sa/non sa + infinitive** or **sanno/non sanno + infinitive**, as in the example.

Mara è una ragazza molto socievole e ha tanti amici e amiche. Mara racconta cosa sanno/non sanno fare i suoi amici o le sue amiche.

	Francesca	Giovanni	Sabina	Michele
1. guidare la macchina	x	x	x	x
2. giocare a tennis	x	-	-	x
3. suonare la chitarra	-	x	-	-
4. cucinare l'arrosto	-	-	x	-
5. andare in moto	-	x	x	x
6. usare il computer	x	x	x	x

1. Francesca sa guidare la macchina, ma non sa andare in moto.

2. Michele .... la chitarra.

3. Michele e Francesca ....
   a tennis.

4. Sabina .... l'arrosto.

5. Giovanni e Michele .... la
   macchina e .... in moto.

6. Giovanni .... il computer.

3.5 **Sapere or potere? Choose the correct verb, as in the example.**

1. Lorenzo non *sa/può* andare alla festa di Laura, ha un altro impegno.

2. Babbo, posso/so uscire adesso?

3. Sai/Puoi che Marcella si sposa in settembre? Si sposa in Umbria, nel Duomo di Orvieto.

4. Sapete/Potete giocare a pallavolo? Volete giocare domani?

5. Oggi non possiamo/sappiamo lavorare, i computer non funzionano.

6. Sai/Puoi andare a cavallo? Vuoi imparare?

7. Giancarlo e Teresa possono/sanno pattinare sul ghiaccio. Sono molto bravi.

8. Stasera non so/posso andare al cinema con Gianna, ho mal di testa.

8.6 Un po' di cultura generale! Put the verbs in the present tense in the question or the answer, as in the example in blue.

> sapere   dovere   volere   potere   sapere
>
> volere   potere   rimanere   andare   volere

1. • Quest'anno, dove vanno in vacanza Marina e Tiziana?

   • Vanno al mare in Liguria, alle Cinque Terre.

2. • Gianna, quale poesia di Leopardi .... a memoria?

   • .... *L'infinito* e *Il passero solitario*.

3. • Andate a fare un giro in Garfagnana, domenica?

   • No, ... a casa.

4. • Gianni, ... venire con noi alla mostra su Boccioni?

   • Volentieri! A che ora (voi) .... andare?

5. • I tuoi genitori .... andare a Torino alla Fiera del Libro a maggio?

   • No, quest'anno .... lavorare.

6. • Gaia, dove .... andare a studiare Economia e Commercio?

   • .... studiare all'Università Bocconi di Milano.

Umberto Boccioni

8.7 Find the 4 errors and correct them!

1. Francesca non sa parlare il tedesco.   ....

2. Gianni, dici troppe bugie, non ti credo.   ....

3. Il Professor Buonamici non vieni alla conferenza di Storia antica.   ....

4. Per favore, date questo libro a Damiano?   ....

5. Non prendo l'ascensore e salo a piedi.   ....

6. Gianni, come va la vacanza? Rimangono ancora tanto al mare?   ....

7. Scusa, tieni questa borsa per un attimo?   ....

8. Quando fa freddo, la nonna non usce.   ....

io		
tu		
lui (m)	**lei** (f)	**Lei** (m / f)
noi		
voi		
loro		

In Italian the subject pronouns are not used much; they are often implicit, as you may have noticed.

We sometimes put the subject pronouns before the verb when we want to make a comparison or emphasise the subject.

Io tengo sempre in ordine la mia stanza, tu no.
Lei non viene al cinema e voi cosa fate?
Scusi, è Lei il Signor Farano?
Chi viene? Lui o lei?
Noi non capiamo la lezione e voi?
Loro sono sempre puntuali e voi sempre in ritardo.

Ciao Gianni, come stai? (*singular familiar form*)
Ciao ragazzi, come state? (*plural familiar form*)

The polite form is Lei/lei in the singular and usually voi in the plural, but in very formal situations loro can also be used.

These pronouns may also be implicit or used to make a comparison or emphasise the subject.

Even these pronouns can be implied or used to give importance to the subject or to make a contrast.

Buongiorno signorina Bianchi, come sta? (*singular polite form*)
Buongiorno signori, cosa preferite mangiare? (*plural polite form*)
Buongiorno signori, cosa preferiscono mangiare? (*plural polite form*)

EXERCISES

9.1 Forma confidenziale or forma di cortesia? Match the dialogues with the titles and say whether they are informal or polite.

> All'edicola   Una festa a casa di amici   Un incontro di lavoro

- Ciao.
- Ciao.
- Come ti chiami?
- Maria e tu?
- Francesco
- Sei di Bari?
- No, sono di Lecce, ma abito a Bari da cinque anni.
- Vuoi qualcosa da bere?
- Sì, grazie.
- Cosa preferisci?
- Prendo un'aranciata.
- Ecco qui!
- Grazie.

- Buongiorno dottoressa Riveda.
- Buongiorno signor Ghini.
- Piacere di rivederLa, come sta?
- Bene, grazie e Lei?
- Non c'è male.
- Prima di iniziare, posso offrirLe qualcosa?
- Sì, grazie.
- Cosa preferisce? Un caffè o un cappuccino o...?
- Un caffè ristretto, va benissimo.
- Vuole anche mangiare qualcosa?
- No, grazie.
- Chiamo subito il bar qui sotto...

- Buongiorno signor Lonfredini.
- Buongiorno signora Brambilla. Anche Lei a comprare il giornale?
- Eh, sì.
- Ma come sta? È da tanto tempo che non ci incontriamo.
- Non c'è male. Lo so, non esco molto d'inverno, fa troppo freddo. E Lei come sta?
- Bene, bene. Ho tanto da fare, sa mia figlia Matilde si sposa.
- Ah, bene! E quando?
- A luglio.
- Allora tanti auguri.
- Grazie e arrivederci.
- Arrivederci.

edizioni Edilingua

.2 **Complete with the subject pronouns.**

1. .... andiamo spesso al cinema, invece .... andate spesso a teatro, vero?

2. Oggi .... non ho molto lavoro, ..., invece, hai tante cose da fare.

3. Scusi, è .... la signorina Turioni? Perché c'è una telefonata da Parigi per una certa

   signorina Turioni, Turconi...

4. .... è russo e .... è turca.

5. .... sapete sciare molto bene, ... non sanno proprio sciare.

6. .... parlo il tedesco, ... non parli il tedesco ma parli molto bene il francese.

7. .... dormiamo a casa di Matilde e .... dove dormono?

8. • Come sta, signora Grassi? • Bene e ....?

.3 **Reconstruct the dialogue.**

| Ciao Gianni. | Ciao Francesca, | Bene, grazie e tu? | Cosa fai adesso? |

| come stai? | Benissimo, grazie! | Lavoro in un giornale. | Complimenti! |

1. ○ ....

2. ● ....

3. ○ ....

4. ● ....

5. ○ ....

6. ● ....

7. ○ ....

9.4 **Go back to Exercise 9.3 and repeat the dialogue, but this time between Signor Terenzi and Signora Biancotti.**

Inizia così:

1. ● *Buongiorno...*

2. ○ ....

3. ● ....

4. ○ ....

5. ● ....

6. ○ ....

7. ● ....

9.5 **Un po' di letteratura!** Read the passage then fill in the gaps with **lui** or **io**.

Questo è un brano di una famosa scrittrice, Natalia Ginzburg (1916-1991), conosciuta per il suo scrivere chiaro e semplice. Molte delle sue opere parlano della famiglia e di aspetti di vita quotidiana.

................(1) ha sempre caldo; ....(2) ho sempre freddo. [...]

................(3) sa parlare bene alcune lingue; ....(4) non ne parlo nessuna.

................(5) riesce a parlare, in qualche suo modo, anche le lingue che non sa.

................(6) ha un grande senso dell'orientamento, ...(7) nessuno. Nelle città straniere, dopo un giorno, ...(8) si muove leggero come una farfalla. ....(9) mi sperdo nella mia propria città. ....(10) odia chiedere indicazioni; quando andiamo per città sconosciute, in automobile, non vuole che chiediamo indicazioni e mi ordina di guardare la pianta topografica. ....(11) non so guardare le piante topografiche, m'imbroglio su quei cerchiolini rossi, e si arrabbia.

................(12) ama il teatro, la pittura, e la musica: soprattutto la musica. ....(13) non capisco niente di musica, m'importa poco della pittura, e m'annoio a teatro. Amo e capisco una cosa sola al mondo, ed è la poesia.

(*Natalia Ginzburg*, Le piccole virtù, *Einaudi, Torino*)

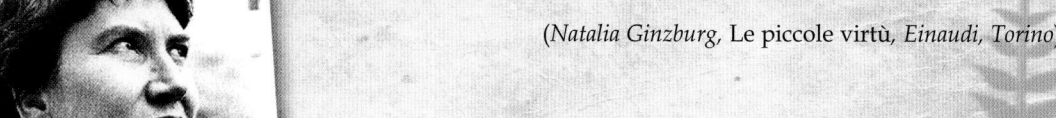

Demonstrative adjectives

SINGULAR		PLURAL	
masculine	feminine	masculine	feminine
questo	**questa**	**questi**	**queste**

SINGULAR		PLURAL	
masculine	feminine	masculine	feminine
quello (lo)		**quegli** (gli)	
quel (il)	**quella** (la)	**quei** (i)	**quelle** (le)
quell' (l')		**quegli** (gli)	

Demonstrative pronouns

SINGULAR		PLURAL	
masculine	feminine	masculine	feminine
questo	**questa**	**questi**	**queste**

SINGULAR		PLURAL	
masculine	feminine	masculine	feminine
quello	**quella**	**quelli**	**quelle**

Demonstrative adjectives and pronouns are used to indicate proximity to or distance from the speaker in space and in time of people, objects or animals.

Important!

Demonstrative adjectives always accompany a noun, while demonstrative pronouns are used on their own and replace a noun.

Questo libro è molto interessante.
La mia valigia è questa, non quella.

Demonstrative adjectives

Demonstrative adjectives precede the noun.

The adjective questo is variable, and has 4 different endings, like the ones in the 1st group of adjectives (-o, -a, -i, -e).
They are used to indicate people, objects or animals close to the speaker.

Questo libro è davvero bello!
Questa poltrona è molto vecchia ma comoda.
Questi ragazzi sono di tutte le nazionalità.
Queste studentesse studiano all'università.

Careful!

Questo and questa before a vowel may be written quest', but in modern Italian this form is used less and less.

Quest'albero ha circa settant'anni.
Quest'estate vado in vacanza in Grecia.

The adjective quello is used to indicate people, objects or animals far from the speaker. Quello has different forms depending on the noun that follows it.
The forms of quello are similar to those of the definite articles (*see table, page 51*).

Quello studente è americano.
Quel cane è di Maria.
Quella strada porta all'ospedale.
Quegli psicologi parlano del comportamento dei bambini.
Quei signori sono del Sud, di Bari.
Quelle finestre danno sul cortile interno.

We use quello/quegli with nouns beginning with x, y, z, s + consonant (sc, sp, st, sd...), i + vowel, gn, ps, pn.

Quel/quei is used with all other nouns that begin with a consonant.

Quell'/quegli is used with nouns that begin with a vowel.

Quell'albero fa molta ombra in giardino

Careful!

Quella before a vowel may be written quell'.

Quell'amica di Marcella lavora in una banca americana.

Demonstrative pronouns

The pronoun questo is the same as the adjective, and it has 4 endings (-o, -a, -i, -e).

- *Questa* borsa è di Maria?
- No, questa qui è di Maria.

The pronoun quello is not similar to the definite articles like the adjective, but only changes the ending.

- È tuo *quel* telefonino?
- No, il mio telefonino è quello sul divano.

There are 4 endings (-o, -a, -i, -e).

- *Quegli* occhiali sulla libreria sono i tuoi?
- No, i miei sono quelli sul tavolo.

Mi dai *quella* mela, perché questa non è buona?
Io non voglio *questi* stivali, voglio quelli là.

edizioni Edilingua

EXERCISES

.1 Find the demonstrative adjectives and put ✔ in the column to indicate proximity or distance in time or in space.

	Proximity		Distance	
	Space	Time	Space	Time
1. Questo inverno vado a sciare in Valle d'Aosta.	▢	▢	▢	▢
2. Quella casa appartiene ai signori Bianchi.	▢	▢	▢	▢
3. Uno di questi pomeriggi vuoi andare al lago?	▢	▢	▢	▢
4. Riesci a vedere quei gatti?	▢	▢	▢	▢
5. Queste ragazze sono giapponesi.	▢	▢	▢	▢
6. Questa macchina è una Fiat 500 del 1967.	▢	▢	▢	▢
7. Quell'estate siamo andati al mare in Toscana.	▢	▢	▢	▢
8. Quegli psicologi vengono dal Canada.	▢	▢	▢	▢

.2 Choose the right adjective.

Marina si trova in un negozio di abbigliamento. Come al solito è indecisa su cosa comprare e chiede alla commessa di provare tanti capi di abbigliamento. Leggi il dialogo per sapere cosa succede alla fine.

Marina: Scusi, posso provare (1)quella/quello giacca, (2)quegli/quei pantaloni e (3)questa/questo maglione qui?

Commessa: Sì, certamente.

Marina: No, però adesso che li guardo bene non mi piacciono. Preferisco provare (4)quello/quel cappotto e (5)quelle/quei camicie.
(Entra nel camerino e prova le camicie)

Commessa: Come vanno signora?

Marina: No, non mi stanno bene, ora provo il cappotto.

Commessa: Come Le sta il cappotto?

Marina: Non c'è male, però il colore non mi dona. Ho visto che avete anche capi per la palestra, posso provare (6)quei/quegli shorts e (7)questa/questo maglietta?
(Entra nel camerino e prova gli shorts e la maglietta)

Commessa: Come stanno?

Marina: Non sono convinta.

Commessa: Ha deciso cosa acquistare, signora?

Marina: No, mi dispiace, ma purtroppo non compro niente. *(Esce dal negozio)*

10. I dimostrativi

10.3 Look at the pictures and complete the sentences with the correct demonstrative adjective, as in the example in blue.

> quel – questi – questo – quei – questo – quella – queste – quegli – queste – quella

1. Quella borsa è blu.
2. .... pomodori sono maturi.
3. .... bicchiere è di cristallo.
4. .... dottore è nigeriano.
5. .... cappotti sono di pura lana.

6. .... scarpe sono di pelle.
7. .... cravatte sono blu.
8. .... pelliccia è ecologica.
9. .... zaino è pieno di libri.
10. .... studenti bevono una bibita.

10.4 Un po' di cultura generale! Insert the right demonstrative pronoun and link the sentences.

> quello   quelli   questi   questo   quello   quello   quello   questo

1. Di chi è questo quadro? Di Fiume?
2. Che bella Firenze! E questo è il famoso David?
3. Buongiorno, cerco un buon dizionario di italiano.
4. Che libri leggi in questo periodo?
5. Quale film di Fellini preferisci?

a) Io preferisco tutti .... premiati con l'Oscar.

b) Leggo .... due di Calvino che ho in mano e
   .... di Moravia, *Gli indifferenti*, che è in camera mia.

c) Sì, ma è una copia: devi vedere l'originale, ...
   che è nel Palazzo dell'Accademia.

d) Abbiamo molti buoni dizionari: per esempio ....
   qui o .... in vetrina.

e) No, il quadro di Fiume è .... lì in fondo alla
   sala. .... invece è un quadro di Guttuso.

   1. .... , 2. .... , 3. .... , 4. .... , 5. ....

.5 Complete the dialogue with the demonstrative adjectives and pronouns.

questo   quello   quella   questa   queste   quelli   questo   quelle   quei

Un agente immobiliare ha appuntamento a Posillipo, a Napoli, per mostrare un appartamento in vendita alla Signora Balzamo.

Agente: Buongiorno Signora!

Signora: Buongiorno!

Agente: Bene, eccoci qui per farLe vedere l'appartamento. *(Prendono l'ascensore)*
            Come sa l'appartamento si trova al quinto piano di ....(1) stabile di inizio anni
            '70. *(Entrano)* ....(2) è l'ingresso. Ampio e spazioso.

Signora: Sì, però è un po' buio.

Agente: Poi entriamo nel salone molto luminoso, con tre finestre. Poi qui a sinistra abbiamo la
            sala da pranzo e la cucina.

Signora: ....(3) sala da pranzo è davvero spaziosa! Ma la cucina è piccola.

Agente: Ecco qui c'è il bagno di servizio, mentre il bagno padronale è ....(4) là. L'ulti-
            ma porta in fondo al corridoio sulla destra.

Signora: Un bel bagno, tenuto molto bene.

Agente: Ecco, qui c'è il corridoio. ....(5) stanze, che vede alla mia sinistra e che adesso
            le mostro, sono due stanze da letto: la prima è una doppia e la seconda una singola.

Signora: Ho capito.

Agente: In fondo al corridoio abbiamo una seconda entrata. Anche ....(6) porta là è
            blindata come l'altra da cui siamo entrati. Tornando indietro abbiamo il bagno padro-
            nale e poi la stanza matrimoniale. In questa stanza ....(7) due finestre là in
            fondo danno sul giardino, quindi la stanza è molto silenziosa.

Signora: *(Di nuovo nel salone)* Senta, ...(8) quadri che sono nella stanza matrimoniale?

Agente: ....(9) devo portarli via.

Vesuvio, Napoli

0.6 Un po' di cultura generale! Find the 5 errors.

1. Questo libro parla della famiglia Agnelli, soprattutto di Gianni Agnelli.   ....

2. Quei borse sono di Prada, sono di vera pelle di coccodrillo.   ....

3. Quella computer dell'Olivetti è veramente vecchio, è ora di cambiarlo!   ....

4. Questa commedia, *La Locandiera* di Carlo Goldoni, è bella e divertente.   ....

5. Quello vino rosso piemontese, il Barolo mi sembra, è davvero buono e
   si abbina bene con queste arrosto.   ....
   ....

6. Quegli scaffali sono pieni di libri di storici famosi come Villari e Spadolini, ...
   mentre questi librerie hanno libri di letteratura.   ....

10. I dimostrativi

1 **Read the passage and fill in the gaps with the missing vowel, as in the example in blue. Then put the adjectives in the right place. Be careful of the opposites!** (adjective and noun agreement)

> introvers....   chius....   taciturn....   pessimist....   avar....   seri....   impazient....

Damiano è il marito di Daniela da cinque anni. Damiano è molto diverso da Daniela. Daniela è estroversa, chiaccheron.... (1) e apert.... (2). È generos.... (3) con tutti ed è sempre ottimist.... (4). È anche molto pazient.... (5) con le figlie Anna, Marta e Nora. Damiano invece è ....(6), ...(7), ...(8) e ....(9). È ....(10), soprattutto con la moglie, ed è sempre ....(11). Poi con le figlie è veramente ....(12)!

Each correct answer is worth one point.
If you score less than 7, revise the grammar.

Result /12

2 **Un po' di cultura generale! Match the two columns and complete the sentences with the nationalities below.** (adjective and noun agreement)

russo   australiana   americano   spagnola   olandese
francese   brasiliano   inglese   italiana   greco

1. La Ferrari è una	a) università	
2. Cambridge è un'	b) monumento	
3. Il Texas è uno	c) museo	
4. La Torre Eiffel è un	d) tempio	
5. Il Samba è un	e) stato	
6. Il Real Madrid è una	f) macchina	
7. Il Bolscioi è un	g) teatro	
8. Il Van Gogh Museum è un	h) squadra di calcio	
9. Il Partenone è un	i) città	
10. Sydney è una	l) ballo	

Each correct answer is worth one point.
If you score less than 11, revise the grammar.

Result /20

3 **Insert the correct verb then make sentences.** (present indicative tense of regular verbs)

pulisci   dormo   ascoltate   scrivi   preferiscono   abitano   obbedisce   mangiano

1. Maddalena e Paolo sono molto golosi, ...	a) mai, è proprio un monello!
	b) andare al cinema e non a teatro.
2. Ragazzi, che tipo di musica ....,	c) sempre vicino a Villa Borghese?
3. Sono sempre stanco e la domenica	d) fino a tardi.
4. Gli amici di Elena	e) tu la lettera alla zia Matilde per il suo compleanno?
5. Francesca e Lucio	
6. Anna, ...	f) la tua stanza?
7. Il bambino di Antonio non	g) molti dolci.
8. Gianni sei sempre il solito disordinato, quando	h) rock o pop?

Each correct answer is worth one point.
If you score less than 9, revise the grammar.

Result
/16

4 **Un po' di musica leggera! Conjugate the verbs, which are in any order, in the present.** (present indicative tense of regular and irregular verbs)

Eros Ramazzotti

........................(1) da una famiglia povera della periferia di Roma e non ha la possibilità di andare a studiare musica al conservatorio. È molto famoso non solo in Italia ma anche all'estero. ....(2) il Festival di Sanremo due volte. I dischi di questo cantante sono sempre ai primi posti nelle classifiche dei dischi più venduti. Il suo CD "Eros" ....(3) nel 1998, è una compilation delle sue canzoni più famose. ....(4) delle canzoni di questo CD con altri cantanti famosi come Tina Turner e Andrea Bocelli. ....(5) Michelle Hunziker nel 1999 e ha una bambina, che si chiama Aurora, come una sua canzone. ....(6) ad abitare in una villa molto lussuosa a Inverigo, vicino a Milano. ....(7) vivere in campagna e non ama le grandi città. Nel 2003 si separa dalla moglie e adesso ....(8) da solo a Milano per stare vicino ad Aurora. ....(9) parte della nazionale cantanti, una squadra che ....(10) per raccogliere soldi da dare in beneficenza.

vincere

uscire

vivere

cantare

giocare

preferire

sposare

fare

andare

venire

Each correct answer is worth one point.
If you score less than 6, revise the grammar.

Result
/10

Test 2 (unità 6-10)

5   **Un po' di attualità! Conjugate the verbs in the present tense.** (regular, irregular and modal verbs)

I clandestini in Italia

Negli ultimi anni molti stranieri entrano in Italia come clandestini, cioè in modo illegale, senza rispettare le leggi. Per entrare in Italia in modo legale, rispettando le leggi, gli stranieri (*dovere*) ....(1) avere il passaporto.

Gli stranieri extracomunitari, che (*venire*) ....(2) da paesi molto poveri e che non fanno parte dell'Unione Europea, per rimanere in Italia per un periodo limitato devono avere il permesso di soggiorno. Possono avere il permesso di soggiorno solo gli stranieri che hanno un lavoro fisso. Invece, i clandestini (*entrare*) ....(3) in Italia senza il controllo della polizia e senza permesso. Per entrare in Italia, in questo modo illegale, (*pagare*) ....(4) molti soldi a chi organizza il "viaggio". Molti clandestini (*partire*) ....(5) dall'Africa, attraversano il mare Mediterraneo e (*arrivare*) ....(6) in Sicilia o in altre isole vicino alla Sicilia. (*viaggiare*) ....(7) su navi molto vecchie o su piccole barche. Spesso, durante il viaggio, i clandestini (*morire*) ....(8), sia perché le navi o le barche, molto vecchie e poco sicure, (*affondare*) ....(9), sia perché non hanno nulla da mangiare e da bere. Il viaggio è lungo e difficile e (*fare*) ....(10) freddo. Così arrivano in Italia barche piene di clandestini malati e sofferenti. Spesso i poliziotti italiani li (*salvare*) ....(11) dalla morte, li curano e li (*ospitare*) ....(12) in centri speciali per poi rimandarli nei loro paesi d'origine.

(adattato da www.due parole.it)

Each correct answer is worth one point.   *Result*
If you score less than 7, revise the grammar.   /12

6   **Fill in with subject pronouns and link the sentences.** (subject pronouns)

1. Questa volta paghiamo ....,
2. Vuoi andare .... oggi in ospedale a trovare la nonna o vado ....?
3. Viene anche .... al meeting, Dottor Pinoli?
4. Ewa e Josè di dove sono?
5. Francesca e Andrea, siete ....?
6. Chi ha chiamato il preside? Anna e Mara?

> 1. ...., 2. ...., 3. ...., 4. ...., 5. ...., 6. ....

a) No, non sono state ....
b) Sì, siamo ....
c) .... è polacca e .... è brasiliano.
d) Sì, vengo anch'................
e) di solito pagate sempre ....
f) Oggi non posso, vai ....!

Each correct answer is worth one point.   *Result*
If you score less than 10, revise the grammar.   /18

7 **Fill in with the appropriate demonstrative adjective or pronoun.** (demonstrative adjectives and pronouns)

> quel   quello   questo   quelle   questo   questo   questi   questo
> quello   questi   quelle   questi   quel   questi

Simona è di ritorno dall'estero. Infatti negli ultimi dieci anni ha lavorato in diversi paesi del mondo. Marcella, una delle sue più care amiche, va a trovarla e le chiede da dove vengono tutti gli oggetti e i mobili che Simona ha a casa sua.

Simona: Ciao Marcella, sono proprio contenta di vederti.

Marcella: Anch'io, dopo tanto tempo e che bella casa che hai!

Simona: Ho tanti oggetti, mobili, quadri che provengono da tutti i posti dove ho lavorato.

Marcella: Vedo, vedo. Senti, ma .... (1) quadro laggiù è proprio bello, che colori!

Simona: Quale, ... (2) con le lanterne rosse?

Marcella: Sì .... (3) lì.

Simona: .... (4) quadro insieme a quella lampada rossa vengono dalla Cina.

Marcella: Veramente stupendo! Senti... .... (5) divano, ... (6) tappeto e ....

(7) cuscini arancioni?

Simona: .... (8) divano e .... (9) tappeto vengono dal Giappone, mentre ....

....(10) cuscini arancioni sono un regalo di un mio amico tailandese.

Marcella: Sono un po' curiosa, ma posso chiederti dove hai comprato .... (11) sedie e

.... (12) specchi?

Simona: Sono belli, vero?

.... (13) sedie e

.... (14) spec-

chi sono davvero dei pezzi d'antiquariato e mi sono particolarmente cari perché vengono dall'India.

Each correct answer is worth one point. If you score less than 8, revise the grammar.

Result

/14

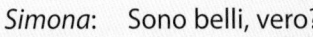

Test 2 (unità 6-10)

8 **Un po' di sport! Put the words below in the right place.** (demonstrative adjectives and pronouns, regular verbs, adjectives)

Lo sport italiano è sempre più donna

grande	questo	queste	innalza	italiano
femminile	arriva	generazionale	lascia	questi

Lo sport italiano è sempre più ....(1). Dopo la vittoria del tennis femminile nella Federation Cup ....(2) anche la vittoria ai mondiali di fioretto femminile.

Il fioretto italiano femminile è ormai una certezza per lo sport nazionale e la tripletta di ....(3) Mondiali non fa che confermare l'idea che lo sport è sempre più donna.

L'Italia della scherma femminile ha un podio tutto italiano grazie alla ....(4) Valentina Vezzali, questa volta solo medaglia di bronzo, Elisa Di Francisca, oro e Arianna Errigo, argento.

Valentina Vezzali ....(5) la vittoria finale alle due colleghe più giovani, segno di un ricambio ....(6), utilissimo alla scherma

italiana anche nei prossimi anni.

«È una grande campionessa. La rivalità è normale, ...(7) è uno sport individuale e ognuno vuole vincere: fuori dalla pedana però c'è grande stima per la Vezzali, per tutti i sacrifici che ha fatto, per l'età che ha». ....(8) le parole delle colleghe.

Non solo tennis e scherma però. Anche Giorgia Bronzini, campionessa del mondo di ciclismo in linea a Melbourne, ...(9) il colore rosa dello sport italiano.

Insomma, un periodo di grande interesse per lo sport ....(10)... Girl Power!

(*liberamente adattato da www.donna10.it*)

Each correct answer is worth one point.
If you score less than 6, revise the grammar.

Result
/10

Total score **/112**

edizioni Edilingua

Possessive adjectives and pronouns

SINGULAR		PLURAL	
masculine	feminine	masculine	feminine
il mio	la mia	i miei	le mie
il tuo	la tua	i tuoi	le tue
il suo	la sua	i suoi	le sue
il nostro	la nostra	i nostri	le nostre
il vostro	la vostra	i vostri	le vostre
il loro	la loro	i loro	le loro

Possessive adjectives and pronouns are used for an object or an animal belonging to someone, or for one person's relationship with another person.

Important!

The adjectives are always accompany a noun, while the pronouns stand alone and replace the noun.

POSSESSIVE ADJECTIVES

Mio, tuo, suo, nostro and vostro are variable. They have 4 different endings, like the adjectives in the 1st group (-o, -a, -i, -e).
Like all adjectives, the possessives always agree with the noun they refer to.
Possessive adjectives are nearly always preceded by definite articles.
Possessive adjectives usually precede nouns.

I miei libri sono nella cartella.
Una mia amica lavora a Strasburgo.
La tua macchina è parcheggiata sotto casa.
Il suo appartamento è nel centro di Roma.
Le nostre biciclette sono in cortile.
I vostri cappotti sono nell'armadio.
La loro villa è in stile Liberty.

Careful!

The possessive adjective loro is invariable!

Il loro (di Gianna e Francesca) amico francese è davvero simpatico.
La loro (di Tommaso e Letizia) vicina di casa non è molto disponibile.
I loro esami di matematica (di Paolo e Lucia) sono molto difficili.
Le loro biciclette (di Mario e Damiano) sono davvero moderne.

POSSESSIVE PRONOUNS

The possessive pronouns have the same form as the adjectives.

These pronouns are variable and have 4 different endings (-o, -a, -i, -e). Possessive pronouns are nearly always preceded by the definite article.

Il mio insegnante di filosofia è molto severo e il tuo?
Le mie amiche sono tutte di Torino e le tue?

Careful!

The possessive adjective loro is invariable!

- Sono questi i vostri libri? ■ No, sono i loro.
- È questa la tua macchina? ■ No, è la loro.

Important!

I tuoi and i miei sometimes indicate parents or other close family members.

- I tuoi come stanno? ■ Mio padre sta bene, ma mia madre ha dei piccoli disturbi.

Careful!

The names of family members in the singular (madre, padre, sorella, fratello, figlio, figlia, zia, zio, cugina, cugino, nonno, nonna, nipote, etc.) are not usually preceded by the definite article.

Mia madre si chiama Anna.
Nostro zio vive in Sicilia.
Vostra sorella è davvero antipatica.
Mio figlio è proprio maleducato.
Sua nonna è molto anziana e malata.
Tuo nipote è molto bello.

However, the definite article is used with:
1. Names of family members in the plural (sorelle, fratelli, figlie, figli, etc.);
2. Names of family members qualified by another adjective or phrase;
3. Names of family members with suffixes (cuginetto/a, sorellina, fratellino, etc.);
4. The colloquial forms mamma, papà and babbo;
5. The possessive adjective loro (singular and plural).

Le mie cugine partono lunedì per Londra.
I suoi cugini vengono domenica.
Il nostro zio preferito arriva domani.
La mia cara nonna abita non distante da qui.
La mia cuginetta Franca è molto carina.
Quando nasce il tuo fratellino?
Quando tornano il tuo papà e la tua mamma?
I loro zii vanno a Firenze o a Venezia?
La loro sorella è molto carina.

EXERCISES

11.1 Complete with the correct possessive adjective.

Io	.... libro	la mia gatta	.... orologi	.... bambole
Tu	il tuo computer	.... casa	.... quadri	.... enciclopedie
Lui	.... bonsai	.... valigia	i suoi soldatini	.... chiavi
Lei	il suo specchio	.... borsa	.... trucchi	.... biciclette
Noi	.... CD	.... università	i nostri amici	.... sedie
Voi	.... tavolo	la vostra macchina	.... giornali	.... aranciate
Loro	.... cane	.... vacanza	.... vasi di fiori	le loro riviste

.2 Un po' di cultura! Choose the right adjective and guess the name of the city.

(1) La sua/Il suo fama è grande in tutto il mondo e anche (2) il suo/la sua piazza centrale, dove c'è una famosa basilica, è conosciuta in tutto il mondo. (3) Le sue/La sua università "Ca' Foscari" è molto prestigiosa. (4) I suoi/Le sue vie sono molto strette e si chiamano calli e (5) le sue/i suoi piazze campi o campielli. (6) Le sue/I suoi gondole sono care agli innamorati di tutto il mondo. (7) Il suo/La sua spiaggia è molto famosa e si chiama il Lido. (8) I suoi/Le sue ponti più famosi sono Il Ponte dei Sospiri e Rialto. (9) La sua/Il suo simbolo è un leone d'oro. (10) Il suo/La sua canale più famoso è il Canal Grande.

Che città è? V_ _ _ _ _ _

.3 Choose the right possessive adjective.

la tua   i vostri   i vostri   il suo   la sua   il suo   la sua
    il tuo   la sua   i miei   il mio   le vostre   la mia

Il preside della facoltà di Architettura invita, come tutti gli anni, per Natale, i professori della facoltà e alcuni degli studenti più meritevoli del primo, secondo e terzo anno. Quando è ora di andare via il preside e sua moglie aiutano gli invitati a prendere le loro borse, i loro cappotti ecc.

Preside:	Viviana, ecco ....(1) giubbotto e ....(2) borsa.
Viviana:	Grazie, questa è ....(3) borsa, ma per dire la verità ....(4) giubbotto è nero, non blu.
Moglie:	Ragazzi, ecco ....(5) giacche a vento e ....(6) cappelli. Ci sono anche i guanti da prendere. Poi ci sono ....(7) zaini, mamma mia come sono pesanti!
Sergio:	Grazie mille! Sono pesanti, perché ci sono tanti libri. ...Mi scusi, ma questi non sono ....(8) guanti.
Preside:	Professoressa Foroni, ecco ....(9) cappotto e ....(10) sciarpa. L'aiuto a mettersi il cappotto.
Prof. Foroni:	La ringrazio, molto gentile.
Moglie:	Professor Gorni, ecco ....(11) giacca e non dimentichi l'ombrello.
Prof. Gorni:	Per carità! Come potrei, è un regalo.
Moglie:	Professoressa Marini, ecco ....(12) pelliccia e ....(13) foulard, davvero bello! Complimenti! Lei è sempre elegante.

11. I possessivi

11.4 Fill in the possessive adjectives and articles (where needed), then link the sentences.

1. .... amiche (di Maria) inglesi telefonano
2. .... cuginetti (di Giancarlo) vanno
3. .... zio di Roma (di Damiano e Gina) ha una Porsche,
4. .... mamma (di Chiara) è di Malcesine,
5. .... padre (di Antonio) è anziano e malandato,
6. .... sorella (di Carlo e Letizia) va al liceo classico "Carducci" e studia tanto:

a) è proprio una "secchiona".
b) sul Lago di Garda.
c) ha anche un po' di artrosi.
d) alla scuola elementare "Giovanni Pascoli".
e) spesso da Oxford.
f) deve essere davvero ricco!

11.5 Put in the correct possessive adjectives and pronouns.

la mia   la tua   il mio   il tuo   la sua   i miei   i vostri   i vostri   i nostri   i nostri

1. Io prendo .... macchina, tu prendi ....
2. È questa .... borsa, signora Mandelli?
3. .... tornano tra poco da un viaggio in Umbria.
4. ● Giuseppe, è questo .... libro? ● Sì, è ....
5. Abbiamo due fratelli. .... fratelli vanno all'università e ....?
6. ● Ragazzi, sono questi .... sci?
   ● No, non sono ....

11.6 Complete the passage with possessive adjectives and articles (where needed).

Matteo è un alunno di prima media. Ecco il tema sulla sua famiglia!

Tema: Descrivi la tua famiglia

.................(1) famiglia è composta da cinque persone e Fuffy, ...(2) cane. ....(3) papà è molto alto e magro, simpatico e disordinato. Fa l'architetto e lavora a casa. ....(4) macchina e ....(5) studio sono sempre in disordine e spesso non trova le cose che gli servono. ....(6) mamma, invece, non è molto alta, è magra, un po' chiusa e molto ordinata. Lavora part-time in un ufficio. ....(7) sorellina Simona ha sette anni e fa la seconda elementare. È molto simpatica e vivace e vuole sempre giocare con me, ma io sono grande. ....(8) fratellastro Giancarlo è figlio di ....(9) padre e di Laura, ...(10) prima moglie. Vive con noi da quando è piccolo. Ha diciannove anni, è abbastanza alto, un po' grasso e va all'università. Pratica tanti sport, ma ....(11) sport preferito è la pallavolo. Poi ci sono io, Matteo, ho undici anni e faccio la prima media. Sono alto e magro come ....(12) papà. Sono un po' chiuso come ....(13) mamma. Ho tanti amici e ....(14) migliore amico si chiama Francesco. Poi c'è ....(15) cane Fuffy, che ....(16) fratelli mi hanno regalato per ....(17) compleanno. È vivace e buono, però non vuole mai stare nella ....(18) cuccia. Ho davvero una bella famiglia. Sono davvero fortunato!

edizioni Edilingua

	SINGULAR	PLURAL
1st person	**mi**	**ci**
2nd person	**ti**	**vi**
3rd person masculine	**lo**	**li**
3rd person feminine	**la**	**le**
3rd person (polite form m & f)	**La/la**	

The direct object pronouns lo/la/La, li/le, mi, ti, ci, vi, are used to replace the names of people, objects or animals.

■ Scusi, dov'è il Ponte Vecchio?
■ È lì, lo vede?

● Daniela, guardi la TV?
● No, ora non la guardo.

Signora Rossi, La/la chiamo lunedì?

■ Ragazzi, quando fate i compiti?
■ Li facciamo stasera.

● Bruno, hai le sigarette?
● No, non le ho.

Direct object pronouns usually precede the verb and answer the questions *who?* and *what?*

Bruna, dove sei? Ti sento ma non ti vedo.

■ Mario, chi ti porta alla stazione?
■ Mi porta Dario.

● Lucia e Tina, i vostri amici vi cercano da due ore.
● Ci cercano, davvero?

When the verb is in the infinitive and preceded by a modal verb, the direct object pronoun is joined to the infinitive or precedes the modal verb.

■ Teresa, chiudi la finestra per favore?
■ No, voglio lasciarla aperta.
■ No, la voglio lasciare aperta.

The pronoun lo can also replace a whole phrase or sentence.

● Chiara viene al cinema domani sera?
● Non lo so.

Careful!

Before words beginning with a vowel, the third person singular pronouns lo, la, La may take the apostrophe and become l'/l'/L'. But the plurals li and le never change!

■ Quando accompagni Laura a Roma?
■ L'accompagno domani.

● Ma Gaia ama Luca?
● Sì, l'ama molto.

■ Aggiustate voi le biciclette?
■ Sì, le aggiustiamo noi.

● Ammiri Mara e Luigi?
● Sì, li ammiro molto.

EXERCISES

12.1 Read the dialogue, underline the 8 direct object pronouns, then fill in the table with the nouns they replace, as in the example.

Francesca, come ogni martedì, va a comprare al mercato il pesce fresco. Eccola che parla con il pescivendolo.

Pescivendolo:	Buongiorno signora.
Francesca:	Buongiorno.
Pescivendolo:	Cosa desidera comprare oggi?
Francesca:	Vorrei delle seppie.
Pescivendolo:	Mi dispiace, oggi non le abbiamo. Però abbiamo i calamari, sono molto freschi.
Francesca:	No, grazie non li prendo, perché non li so cucinare.
Pescivendolo:	Posso consigliare allora delle cozze da fare gratinate o per gli spaghetti alla marinara?
Francesca:	Sì, buona idea... le prendo. Faccia un chilo abbondante. Poi cos'altro potrei prendere?
Pescivendolo:	Abbiamo del pesce spada favoloso, che si può fare alla griglia o alla livornese.
Francesca:	Va bene, lo prendo. Facciamo mezzo chilo, saranno tre o quattro fette, credo.
Pescivendolo:	Poi ho le sogliole, le ho vendute tutte tranne una. Si può fare impanata o alla mugnaia.
Francesca:	Ok! Mi ha convinto! La prendo per mio marito e la faccio impanata con una spruzzatina di limone.

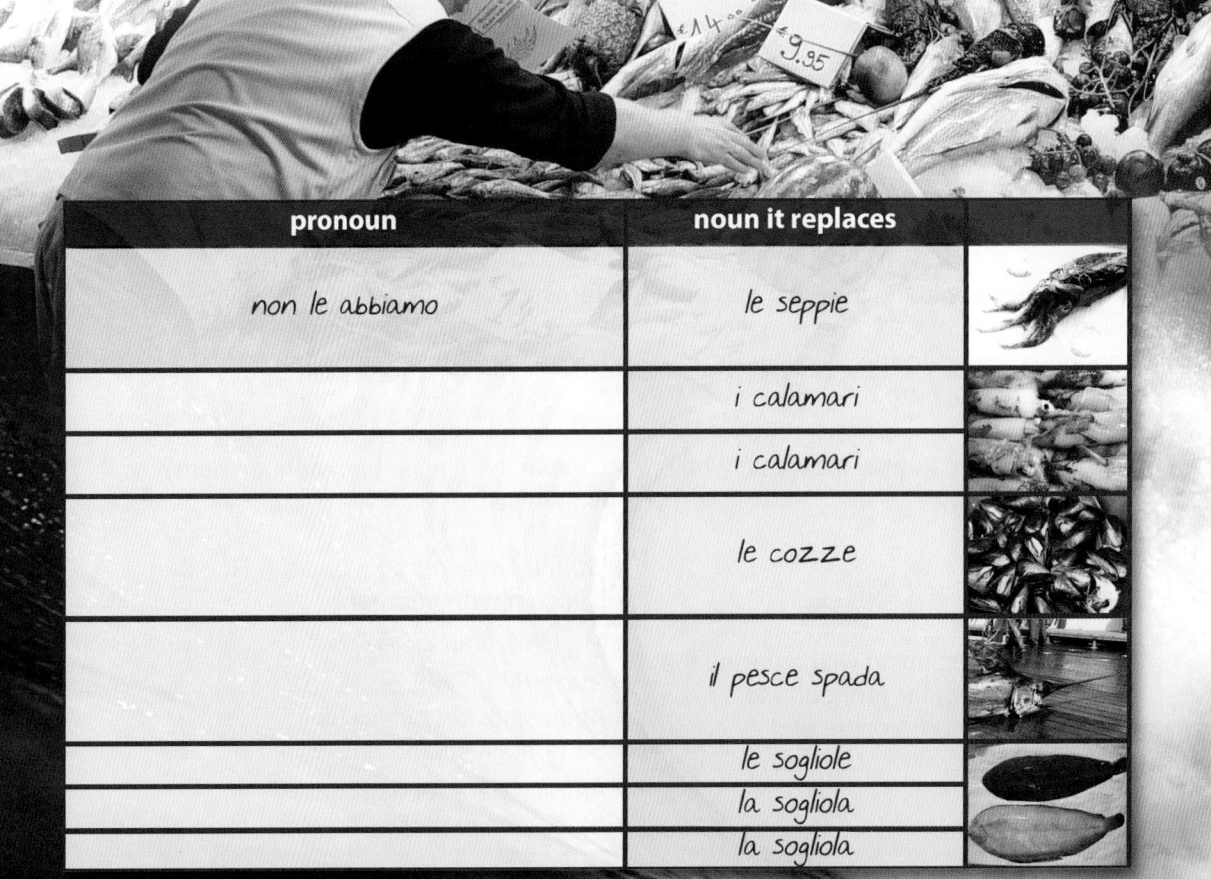

pronoun	noun it replaces	
non le abbiamo	le seppie	
	i calamari	
	i calamari	
	le cozze	
	il pesce spada	
	le sogliole	
	la sogliola	
	la sogliola	

.2 Join the phrases then find the objects in the picture and write the corresponding number on them, as in the example.

Per che cosa usiamo...

1. il coltello grande?
2. i bicchieri?
3. la padella?
4. la moka?
5. il vassoio?
6. lo scolapasta?
7. i piatti?
8. la pentola a pressione?

a) La usiamo per cucinare più rapidamente.
b) Lo usiamo per tagliare il pane.
c) La usiamo per fare il caffè.
d) Lo usiamo per scolare la pasta.
e) Lo usiamo per servire il tè o il caffè.
f) Li usiamo per servire il cibo.
g) La usiamo per cucinare la bistecca.
h) Li usiamo per bere.

.3 Complete the sentences with the right pronoun.

1. Scrivo le lettere e .... do alla mamma da spedire.   a) le   b) li   c) la
2. La casa è sporca, devo pulir.................   a) lo   b) le   c) la
3. Gli amici di Giancarlo sono antipatici, non .... voglio invitare.   a) li   b) le   c) lo
4. Devo incontrare Carla, ma adesso non posso chiamar.................   a) lo   b) la   c) li
5. ● Sai se Gianni parte oggi o domani? ● Mi dispiace, non .... so.   a) la   b) le   c) lo
6. ● Posso accendere lo stereo, mamma? ● Puoi accender.................   a) le   b) lo   c) la
7. Preparo il secondo e i contorni per domenica e poi .... congelo.   a) li   b) le   c) lo
8. L'esame di biologia .... faccio dopodomani, anche se non so niente.   a) la   b) li   c) lo

12. I pronomi diretti

12.4 Choose the right pronoun then link the questions to the answers.

1. Mamma, il babbo mi/ti accompagna a scuola?
2. Marco, ci/vi vieni a prendere alle otto e poi andiamo a casa di Tommaso?
3. Ciao, è un po' di tempo che non vi/ti vedo all'università, come state?
4. Allora, ti/ci passo a prendere stasera alle 9?
5. Gianni, Ilaria ti/vi ama molto?
6. Senti, quando ci/vi chiami?

a) Sì, mi/ci ama veramente.
b) Ho molto da fare, ma appena posso vi/ti chiamo.
c) Possiamo fare un po' più tardi, alle 10?
d) Bene! Strano, però, siamo sempre in biblioteca a studiare.
e) Sì, verso le otto, otto e mezza.
f) Sì, ti/ci aspetta di sotto in macchina.

12.5 Answer the questions, then find the right direct object pronouns and the name of the shop.

In Italia ci sono molti centri commerciali e iper-mercati. I negozi di una volta stanno scom-parendo, però nelle piccole città e nei paesi alcuni negozi resistono ancora!

1. Dove compri la carne?

   .... compro in ....

2. Dove compri il pane?

   .... compro in ....

3. Dove compri il salame e il prosciutto?

   .... compro in ....

4. Dove compri le mele e le arance?

   .... compro nel negozio di ....

5. Dove compri le penne e i quaderni?

   .... compro in ....

6. Dove compri i giornali?

   .... compro all'..................................... .

12.6 Complete the dialogue with the direct object pronouns mi (2), ci, vi, lo (2).

Tiziana: Ciao, come va la vita?

Roberto: Bene grazie, stai aspettando un taxi? ....(1) vuoi un passaggio?

Tiziana: No, grazie. Mio marito ....(2) viene a prendere tra qualche minuto. Sai, andiamo dai miei per un aperitivo e poi fuori a cena per festeggiare la mia promozione.

Roberto: Promozione?

Tiziana: Ah, non ....(3) sai? Sono diventata dirigente e pensa che ....(4) hanno premia-to dopo vent'anni di lavoro. Non sono stata la sola, insieme a Paolo e Marisa ....(5) man-deranno a New York per un corso di formazione.

Roberto: ....(6) mandano a New York? Che bello! Beati voi.

13 I verbi riflessivi (presente indicativo)

	ARE	ERE	IRE
	lavarsi	**mettersi**	**vestirsi**
io	mi lavo	mi metto	mi vesto
tu	ti lavi	ti metti	ti vesti
lui/lei/Lei	si lava	si mette	si veste
noi	ci laviamo	ci mettiamo	ci vestiamo
voi	vi lavate	vi mettete	vi vestite
loro	si lavano	si mettono	si vestono

STRUCTURE

There are different types of reflexive verbs. In this unit, by reflexive verbs we mean verbs preceded by the reflexive pronouns (mi, ti, si, ci, vi, si).
Many transitive verbs have a reflexive form: (lavare - lavarsi, mettere - mettersi, vestire - vestirsi). Reflexive verbs are conjugated like other verbs and are preceded by a reflexive pronoun.

Io lavo la mela.
Io mi lavo.
Gianni mette la penna nell'astuccio.
Gianni si mette a letto.
Luisa e Paola vestono la bambola.
Luisa e Paola si vestono.

USE

Reflexive verbs are used when the action carried out by the subject is performed on the same subject, or when the action is closely linked to the subject, or when there is a reciprocal action involving both subjects.

Io mi asciugo.
Io mi asciugo le mani.
Giacomo si beve un bel bicchiere di vino e si mangia un bel panino.
Paolo e Luisa si amano (Paul loves Luisa and Luisa loves Paul).

SOME REFLEXIVE VERBS

addormentarsi	conoscersi	incontrarsi con	prepararsi	sentirsi
alzarsi	dimenticarsi di	innamorarsi di	pulirsi	spogliarsi
amarsi	diplomarsi	interessarsi di	radersi	sposarsi (con)
ammalarsi	divertirsi	lamentarsi di	ricordarsi di	svegliarsi
annoiarsi	farsi (male, il bagno)	lavarsi	rifiutarsi	svolgersi
arrabbiarsi	ferirsi	laurearsi	rilassarsi	trovarsi
asciugarsi	fermarsi	mettersi (a)	riposarsi	truccarsi
baciarsi	fidanzarsi con	pentirsi di	rivolgersi a	vedersi
bagnarsi	fidarsi di	pettinarsi	rompersi	vergognarsi
chiamarsi	impossessarsi di	preoccuparsi di	salutarsi	vestirsi

EXERCISES

13.1 **Complete with the missing verbs.**

io	tu	lui / lei / Lei	noi	voi	loro
....	ti lavi	....	ci laviamo	....	....
mi metto	....	....	....	....	si mettono
....	....	si veste	....	vi vestite	....

13.2 **Complete the postcard using the verbs below.**

ci divertiamo   si veste   ci riposiamo   si alza   ci vediamo   si sveglia   ci annoiamo

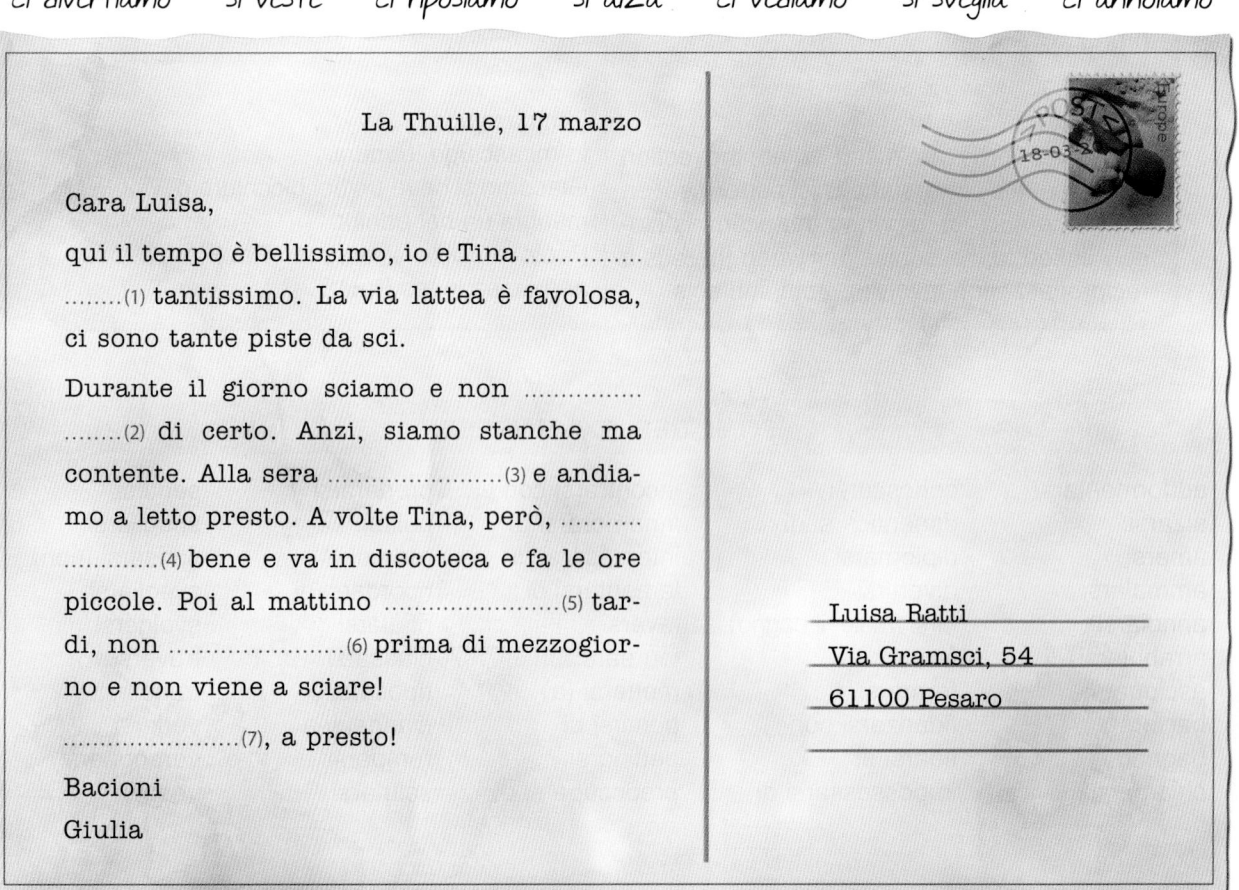

La Thuille, 17 marzo

Cara Luisa,

qui il tempo è bellissimo, io e Tina ....
........(1) tantissimo. La via lattea è favolosa,
ci sono tante piste da sci.

Durante il giorno sciamo e non ....
........(2) di certo. Anzi, siamo stanche ma
contente. Alla sera ....(3) e andiamo a letto presto. A volte Tina, però, ...
.............(4) bene e va in discoteca e fa le ore
piccole. Poi al mattino ....(5) tardi, non ....(6) prima di mezzogiorno e non viene a sciare!

......................(7), a presto!

Bacioni
Giulia

Luisa Ratti
Via Gramsci, 54
61100 Pesaro

edizioni Edilingua

.3 Conjugate the verbs and find out what Teresa does on Sunday mornings.

Teresa è una ragazzina di dodici anni e racconta la sua tipica domenica mattina.

1. (*svegliarsi*) di solito alle 9-9.30   *Mi sveglio, di solito, alle 9-9.30 ...*

2. (*alzarsi*) dopo mezz'ora circa   ....

3. (*farsi*) il bagno   ....

4. (*lavarsi*) i capelli   ....

5. (*asciugarsi*) i capelli con il phon   ....

6. (*vestirsi*)   ....

7. (*fare*) colazione   ....

8. (*lavarsi*) i denti   ....

9. (*mettersi*) il cappotto   ....

10. (*andare*) a Messa con la mamma.   ....

.4 Go back to Exercise 13.3 and write about Teresa's typical Sunday morning.

Teresa si sveglia di solito alle 9-9.30 ...

....

....

....

....

....

....

....

....

....

....

....

....

....

....

13. I verbi riflessivi (presente indicativo)

13.5 Complete the story with the verbs below. Careful: there are two extra verbs!

amarsi	fidanzarsi	lasciarsi	innamorarsi	lamentarsi
rimettersi	rilassarsi	conoscersi	sposarsi	incontrarsi

La storia d'amore di Lucia e Giuseppe

Giuseppe e Lucia sono due colleghi di lavoro. ....(1) due anni fa, quando Lucia inizia a lavorare per la ditta dove lavora Giuseppe. Diventano subito amici e ....(2) spesso fuori dall'orario di lavoro per andare al cinema o a teatro. ....(3), ...(4), ma spesso litigano anche se ....(5) molto. ....(6) per alcuni mesi ma poi ....(7) insieme. Dopo un anno di convivenza ....(8). Certo il matrimonio non è sempre facile, ma tra alti e bassi la loro storia d'amore continua.

13.6 Un po' di teatro! Conjugate the verbs and find the author of this famous play.

Questa famosa commedia ....(1) *Non ti pago* e ....(2) a Napoli. Il protagonista Ferdinando Quagliolo eredita la gestione di un "banco lotto", botteghino dove si ricevono le puntate di denaro sui numeri. L'impiegato del "banco lotto", Procopio Bertolini e la figlia di Quagliolo, Stella, ...(3) e vogliono sposarsi. Ferdinando Quagliolo, però è contrario a questa relazione. A Ferdinando Quagliolo non piace Bertolini perché è molto fortunato e vince sempre. Bertolini, infatti, vince al lotto un'alta somma e dichiara che i numeri vincenti li ha avuti dal padre di Quagliolo in sogno. Quagliolo dice che c'è stato un errore e i contrasti tra i due aumentano. Quagliolo ....(4) del biglietto vincente e ....(5) di pagare la vincita.

Quagliolo ....(6) anche all'avvocato e al prete per chiedere aiuto. Alla fine tutto finisce bene: Procopio sposa Stella e così la vincita rimane in famiglia.

intitolarsi
svolgersi
innamorarsi
impossessarsi
rifiutarsi
rivolgersi

E _ _ ARDO DE F _ _ _ PPO

	ARE		ERE		IRE	
	lavorare		**prendere**		**partire**	
io	**sto**	**lavorando**	**sto**	**prendendo**	**sto**	**partendo**
tu	**stai**	**lavorando**	**stai**	**prendendo**	**stai**	**partendo**
lui/lei/Lei	**sta**	**lavorando**	**sta**	**prendendo**	**sta**	**partendo**
noi	**stiamo**	**lavorando**	**stiamo**	**prendendo**	**stiamo**	**partendo**
voi	**state**	**lavorando**	**state**	**prendendo**	**state**	**partendo**
loro	**stanno**	**lavorando**	**stanno**	**prendendo**	**stanno**	**partendo**

The forms stare + gerund

STRUCTURE

For these verb forms the present tense is used of the verb stare + gerund of the second verb. The gerund endings for the three groups of verbs are as follows:

-are   -ando
-ere   -endo
-ire   -endo

lavorare   lavorando
prendere   prendendo
partire   partendo

Important!

There are very few verbs that have an irregular gerund:
bere - bevendo
dire - dicendo
fare - facendo

USE

The form stare + gerund, called the present progressive, is used to describe an action that is taking place as we speak (right now).

- Martina che cosa stai facendo?
- Sto studiando, sto ripetendo la lezione e sto anche sentendo la radio.

Important!

This form is never used with the verb essere or the modal verbs.

Sto essendo (**NO!**), Sto volendo (**NO!**), Sto potendo (**NO!**), Sto dovendo (**NO!**)

The forms stare per + infinitive

STRUCTURE

For this form we use the present of the verb stare + per + infinitive of the verb.

La lezione di matematica sta per finire.
Le vacanze estive stanno per iniziare.

USE	
The form stare per + infinitive is used for an action that is imminent or will happen soon (very near future).	Un po' di pazienza, le pizze stanno per arrivare. Il treno sta per partire. Carla prendi l'ombrello perché sta per piovere.

EXERCISES

14.1 Find the 7 verbs in the gerund and give the infinitive, as in the example.

Gerundio	Infinito
aprendo	aprire
....	....
....	....
....	....
....	....
....	....
....	....

S	D	L	A	V	O	R	A	N	D	O
A	F	E	L	Z	Y	D	U	O	M	R
P	P	G	F	R	A	G	I	N	L	D
R	O	G	T	R	S	I	G	D	C	I
E	G	E	T	O	P	O	L	O	S	N
N	H	N	I	D	V	C	R	R	S	A
D	V	D	P	E	M	A	I	M	U	N
O	B	O	U	I	E	N	B	E	C	D
E	Q	U	O	M	N	D	P	N	B	O
B	E	V	E	N	D	O	A	D	D	E
H	C	G	T	I	T	E	B	O	F	I
P	A	R	T	E	N	D	O	C	H	I
S	A	L	P	B	E	R	N	E	G	O

14.2 Che cosa sta/stanno facendo? Use the verbs below and find the people in the picture on the next page.

Alla biblioteca dell'università

leggere   scrivere   studiare   prendere   parlare   inviare   controllare   bere

1. Marco e Anna .... per l'esame di filosofia.

2. Gianna .... *La Stampa*.

3. Vincenzo .... un libro di geografia dallo scaffale.

4. Marina .... un sms al suo ragazzo.

5. Antonello e Giulio .... gli errori dell'esame scritto di statistica.

6. Lorenzo .... una coca cola.

7. Martina .... una cartolina al suo amico tedesco.

8. Tommaso e Marcello .... sotto voce.

edizioni Edilingua

4.3 Conjugate the verbs below in the present simple or present progressive and match the sentences to the pictures.

A

B

C

| riposare | lavorare | leggere | sentirsi |

1. Il Dottor Rossi .... in un ospedale. Oggi però è a casa perché non .... bene. In questo momento .... a letto e .... una rivista.

| fare | cantare | innaffiare |

2. La signora Menotti .... la casalinga. In questo momento .... le piante e .... la sua canzone preferita.

14. Le forme stare + gerundio e stare per + infinito

| essere | ridere | scherzare | essere |

3. Marco .... uno studente del primo anno dell'istituto tecnico. Adesso sono le dieci di mattina e invece di essere a scuola .... al parco. In questo preciso momento .... e .... con i suoi amici.

14.4 **Che cosa sta/stanno per fare? Complete the sentences with stare per + infinitive. Careful: there are two extra verbs!**

1. Un ciclista .... dalla bicicletta.

2. Una signora .... le piante sul balcone.

3. Un signore seduto su una panchina .... *Il Resto del Carlino.*

4. Un gatto .... un topo.

5. Una ragazza .... sull'autobus.

6. Un ragazzo .... alla sua amica con il cellulare.

> salire
> prendere
> cadere
> leggere
> innaffiare
> telefonare
> bere
> scrivere

14.5 **Put these verbs in the present progressive (stare + gerund).**

Come cambia la vita delle donne italiane?

Secondo una recente indagine Istat relativa agli ultimi dieci anni, le figlie, come i figli, restano più a lungo nella casa dei genitori prima di iniziare una vita autonoma. La percentuale di donne con meno di 30 anni che vive con la famiglia di origine (*crescere*) .... (1) continuamente e di più rispetto alla percentuale relativa agli uomini. Le giovani (25-29 anni) che abitano con i genitori sono passate dal 36,8% al 50,4%; quelle di 30-34 anni sono passate dal 12,2% al 19,2%. Le figlie occupate, però, che continuano a vivere con mamma e papà sono il 44,1% contro il 55,4% degli uomini. (*Aumentare*) .... (2) anche le donne che hanno un titolo di studio uguale o più elevato del partner (dal 73,7% al 75,9%). Si conferma la tendenza al ribasso per il tasso di natalità, infatti, il numero medio di figli per donna (*diminuire*) .... (3) e ha raggiunto 1,43 per le donne nate nel 1965, mentre (*elevarsi*) .... (4) continuamente l'età media delle donne al primo figlio, che è oltre i 27 anni.

Il tasso di occupazione femminile (*alzarsi*) .... (5) continuamente (1.296.000 di nuovi posti di lavoro contro i 275.000 di quelli maschili).

(liberamente adattato dal sito www.corriere.it)

edizioni Edilingua

Simple prepositions

a	in	da	su	tra/fra	per	di	con

Articulated prepositions

	+ il	+ lo	+ la	+ l'	+ i	+ gli	+ le
a	al	allo	alla	all'	ai	agli	alle
in	nel	nello	nella	nell'	nei	negli	nelle
da	dal	dallo	dalla	dall'	dai	dagli	dalle
su	sul	sullo	sulla	sull'	sui	sugli	sulle
di	del	dello	della	dell'	dei	degli	delle

Prepositions are used to link two words or groups of words.

There are 9 simple prepositions: a, in, da, su, tra/fra, per, di, con.

Tra/fra have the same meaning.

There are many articulated prepositions, which are formed using simple prepositions and definite articles: al, nello, dalla, sull', dei, etc.

Careful!

Articulated prepositions are never used with per, tra/fra and they are rarely used with the preposition con (colla, colle, coi, ...). In these cases the preposition is not elided with the definite article: per il, tra/fra il, con il, and so on.

Prepositions of place

 Dove?

Dove? (vado, sono, sto, resto, rimango, salgo) a, in, da, su, tra/fra are used to indicate position and/or movement of objects or people. **USE** **a** (*without the article*) is used with: 1. names of towns/cities and small islands;	Rimani a Torino martedì? Lucio va in vacanza a Pantelleria.

Careful!

A Cuba, a Creta (large islands)

2. some nouns indicating public and priva-
   te places: a scuola, a casa, a teatro.

a (*with the article*) with:
1. some nouns indicating public premises: | Gianni tutte le domeniche va allo stadio.
   al cinema, allo stadio, al bar, al ristoran- | Dobbiamo andare alla stazione a prendere
   te, alla stazione, alla posta; | Luisa.

2. nouns indicating exact and specific places: | Loretta lavora al teatro *San Carlo*.
   al teatro *Manzoni*, alla scuola di Lucia.

in (*without the article*) with:
1. names of continents, nations and regions | Chio vive in Asia.
   (in the singular) and large islands; | Lorenza va in vacanza in Francia.

Careful!

Quest'estate lavoro in Puglia.
Resto in Sardegna ancora una settimana.

Nel Veneto is used more than **in** Veneto.

2. nouns indicating public or work places
   and shops (in the singular):
   a) in ufficio, in classe, in banca, in chie- | Lorenzo lavora ancora in banca?
      sa, in albergo,
   b) in discoteca (nouns ending in -teca), | Non mi piace andare in paninoteca.
   c) in pizzeria (nouns ending in -ia); | Lavinia va in salumeria.

3. nouns indicating rooms (in camera, in cu- | ▪ Gianni sei in camera tua?
   cina, in soggiorno); | ▪ No, sono in cucina.

4. particular phrases of place: in montagna, | Vivo in periferia, non in centro.
   in campagna, in periferia, in centro.

Careful!: al mare

in (*with the article*) with:
1. names of nations and regions in the plu- | Marco va negli Stati Uniti quest'estate.
   ral (gli Stati Uniti, le Marche); | Mia zia Anna vive nelle Marche.

2. nouns indicating specific places: nell'uffi- | Lavoro nello studio di mio padre.
   cio del preside, nell'albergo di Gianni, nel-
   la chiesa di S. Francesco, nella pizzeria di
   Salvatore etc.

da (*without the article*) with: names of people (da Marco, da Filomena) and personal pronouns (da te, da voi etc.).	Ci vediamo da Luigi domani sera. Vieni a pranzo da me domenica?
da (*with the article*) with: professional people (dal dentista, dall'avvocato, dal parrucchiere).	Domani vado dal dottore.
su (*with the article*) with: 1. names of mountains, volcanoes, rivers;	Domani andiamo sul Cervino. Fate una gita sull'Etna? Voglio fare la mini-crociera sul Po.
2. many common nouns: sul balcone, sulla sedia;	Perché non vai sul balcone al fresco?
3. nouns indicating transport: sull'autobus, sul treno, sull'aereo, sul pullman, sul tram.	Nonna, ti aiuto a salire sull'autobus?
tra/fra (*with or without the article*) with: many common nouns, particularly public places and premises.	La banca è tra/fra la posta e la biblioteca. Via dei Condotti è tra Piazza di Spagna e Piazza del Parlamento.

Da dove?

Da dove? (vengo, torno, arrivo, esco, parto, scendo) da is used to indicate movement, origin or provenance. **USE** **da** is usually used (*without the article*) with: nomi di città, piccole isole.	Elisabetta torna da Palermo. Il direttore arriva da Capri domani.
da (*with the article*) with: 1. names of continents, nations, regions and large islands or groups of islands;	Nelson viene dall'Africa. Ingrid torna dalla Germania stasera. Roberta parte dalla Calabria giovedì. Giacomo ritorna presto dalla Corsica. Tu e Paolo quando tornate dalle Tremiti?
 **Careful!** Da Cuba, Da Creta (large islands)	
2. many nouns indicating public and private places, transport, etc. (dall'ufficio, dalla banca, dal treno, dall'aereo, dal tram, dal treno).	Di solito, Tina esce tardi dall'ufficio.
 **Careful!** di is also used to indicate the place of origin.	Io sono di Bologna (sono nato a Bologna).

15. Le preposizioni e le espressioni di luogo e di tempo

Per dove?

Per dove? (parto; prendo il treno, l'autobus, il pullman, l'aereo, il traghetto; passo per etc.) per is used for movement towards a destination or for transit. **USE** **per** (*without the article*) is usually used with: names of towns/cities and small islands. **per** (*with the article*) is used with: 1. names of continents, nations, regions, large islands and groups of islands.  **Careful!** Per Cuba, Per Creta (large islands) 2. many nouns indicating place: giardino, prato, città, parco.	 Bice passa per Roma. Fabio prende il traghetto per Ischia. Parto per l'Africa domani. Tina parte per la Spagna sabato. Vai in Umbria e passi per la Toscana? Andrea prende la nave per la Sicilia. Quando parti per le Azzorre? Andrea passa per il parco per andare a casa.

Prepositions of time

 ### Quando?

Quando? (vado, torno, vengo) **USE** **a** (*without the article*) for: 1. times of the day (a mezzogiorno, a mezzanotte); 2. festivities (a Pasqua, a Natale, a Ferragosto, a Capodanno); 3. months (*see also* in). **a** (*with the article*) for: 1. times (alle nove, alle sei meno un quarto); 2. parts of the day: al mattino, al pomeriggio, alla sera (*see also* di). **in** (*without the article*) for: months and seasons.	 A mezzogiorno finisco di studiare. A Natale Loretta rimane a casa. A luglio vado al mare. Alle 8.30 Donatella incomincia a lavorare. Al mattino faccio sempre una passeggiata. In primavera la natura rinasce. In agosto le scuole italiane sono chiuse.

in (*with the article*) for: years and centuries.	Nel 1980 c'è stato un terremoto in Irpinia. Guglielmo Marconi è vissuto nel XX secolo.
di (*with the article*) for: parts of the day: di notte, di mattina, di pome- riggio, di sera.	Il nonno, di mattina, legge sempre il giornale. Non mangio mai molto di sera.
da ... a (*with or without the article*): to indicate a very specific period of time.	Marco e Lino disegnano dalle nove alle dieci. L'albergo è aperto da marzo a maggio.
fra/tra (*with or without the article*): to indicate a moment in time between now and the future or a period of time in the fu- ture.	Marisa arriva tra/fra venti minuti. Paolo e Luigi arriveranno tra le cinque e le sei.

Per quanto tempo?

Per quanto tempo? (lavoro, studio, dormo, mi diverto) **USE**	
per (*with or without the article*): to indicate duration of the action in the past or in the future (per can also be omitted).	Ha giocato a tennis per un'ora. Lavoro ancora (per) due settimane e poi vado in vacanza.

Da quanto tempo?

Da quanto tempo? (lavoro, studio, dormo, mi diverto) **USE**	
da (*with or without the article*): to indicate a period of time that began in the past and is still in progress (continuing in the present).	Viaggio da due ore. Laura studia da questa mattina.

Prepositions indicating possession

Di chi? Di che cosa? di is used to indicate possession and belon- ging or to specify and describe a noun.	

15. Le preposizioni e le espressioni di luogo e di tempo

USE

di (*without the article*) with: names of people.	Il libro di Maria è quello giallo.
di (*with the article*) with: common nouns.	La cuccia del cane è sporca. Il libro della professoressa è interessante.

Prepositions used for transport

Come? (vado, torno, arrivo, vengo)

in (*without the article*) is used to indicate the type of transport:
in treno, in macchina, in aereo, in autobus, in pullman, in tram, in moto, in metropolitana, in bicicletta, in traghetto, in nave, in vaporetto.

Andiamo al cinema in tram o in metropolitana?
Giancarlo viene in treno o in aereo?

Careful!

con (*with the article*) can also be used in general or in particular when we specify the time, destination, possessor, etc.:
con il treno, con la macchina, con l'aereo, con l'autobus, con il pullman, con il tram, con la moto, con la metropolitana, con la bicicletta, con il traghetto, con la nave, con il vaporetto.

Parti con il treno delle 22?
Vado a Urbania con il pullman per Urbino.
Torniamo con la macchina di Loredana?

Prepositions with indefinite quantities (partitive article)

Che cosa? (compro, ho)

di (always used *with the article*) to indicate indefinite quantities: del, dello, della, dell', dei, degli, delle + noun.

Hai del pane?
Vuoi delle arance?
Compriamo della carne?

Important!

These articulated prepositions are used for the plural of un, uno, una, un' (partitive).

Ho un amico americano. ➡ Ho degli amici americani.

edizioni Edilingua

EXERCISES

.1 Complete the table with simple or articulated prepositions of place or time. When you find articulated prepositions give the simple preposition and the definite article that form them, as in the example.

> Marisa racconta che cosa fa nel tempo libero in inverno e in estate.
>
> In inverno di solito durante il weekend vado a sciare. Mi piace molto sciare e di solito vado a Pontresina in Svizzera. Se rimango in città durante il weekend, mi piace andare in piscina a nuotare. Alla sera vado al cinema o in pizzeria. Dal lunedì al venerdì invece rimango a casa e di sera di solito leggo molto e qualche volta guardo la TV.

Place	Time
al (a+il)	

.2 Un po' di geografia! **In or a?** Find the right preposition and say whether the sentences are true or false, as in the example.

	True	False
1. A Capri ci sono tre Faraglioni.	✔	☐
2. .... Italia abitano circa 60 milioni di persone.	☐	☐
3. Il Colosseo si trova .... Firenze.	☐	☐
4. L'Italia è un'isola e si trova .... Africa.	☐	☐
5. .... Venezia si svolge un famoso Carnevale.	☐	☐
6. .... Campania non c'è il mare.	☐	☐
7. La città di Torino si trova .... Piemonte.	☐	☐
8. .... Sardegna ci sono spiagge e paesaggi incantevoli.	☐	☐

5.3 Choose the right preposition (simple or articulated).

1. Il gatto sale .... albero.
   a) sull'   b) dall'   c) nell'   d) all'

2. Di solito preferisco andare a lavorare .... autobus.
   a) in   b) per l'   c) dell'   d) nell'

3. Giovanni sta scendendo .... treno.
   a) sul   b) nel   c) dal   d) per il

4. Giancarlo è .... salumeria a comprare il prosciutto crudo.
   a) dalla   b) per la   c) in   d) con la

15. Le preposizioni e le espressioni di luogo e di tempo

5. La mamma va a fare la spesa .... macchina.

    a) in   b) dalla   c) per la   d) alla

6. Oggi Damiano parte .... treno delle dieci di sera.

    a) sul   b) con il   c) nel   d) a

Il Castello di Miramare, *Trieste*

15.4 **Dove vai? Match the prepositions with the right noun then answer.**

Vado

1.	in	Stati Uniti
2.	all'	Umbria
3.	negli	piscina
4.	a	farmacia
5.	al	mercato
6.	dal	Trieste
7.	in	Upim
8.	in	zoo
9.	da	Teresa
10.	allo	giornalaio

15.5 **Fra/tra or per? Find the right preposition of place (adding the article where necessary) then link the questions to the answers.**

1. Quando parte Martina .... campagna?

2. Scusi, dov'è la posta?

3. Luisa, quando vieni a trovarci?

4. Scusi, mi può dire dove posso prendere il pullman .... Alghero?

5. Scusi, dove devo scendere .... Duomo?

a) Va in campagna venerdì sera.

b) Deve scendere alla quinta fermata, ... San Babila e Cordusio.

c) È più avanti sulla sinistra, ... banca e la macelleria.

d) La prossima volta che vado a Reggio Calabria passo .... Napoli e vi vengo a trovare.

e) Mi dispiace, non lo so, non sono di qui.

Alghero (Sassari) *Sardegna*

1........., 2........., 3........., 4........., 5.........

15.6 **Dove ci incontriamo? Use the right preposition of place (adding the article where necessary) before these shops/places.**

Ci incontriamo

1. .... biblioteca

2. .... bar

3. .... Corsica

4. .... mio zio

5. .... "Luigi", il ristorante in piazza

edizioni Edilingua

Ci incontriamo   6. .... Marche

7. .... fermata della metropolitana

8. .... centro

9. .... Spagna

10. .... fruttivendolo

.7   Un po' di cultura! Complete with the prepositions in, a, da, di, using the article if necessary.

1. Sei .... albergo *Hilton*, vicino alla stazione Centrale o vicino alla stazione Garibaldi?

2. Domani vieni .... ristorante *San Domenico*, vicino a Imola?

3. Franco va tutte le domeniche .... stadio .... San Siro.

4. Per andare .... stazione Termini .... Vaticano, Luisa prende l'autobus 64.

5. Franco ha una brutta malattia, ma domani va a farsi visitare .... famoso oncologo Veronesi.

6. L'appuntamento con Marisa è per le sei .... pizzeria, mi sembra .... Rino, il famoso pizzaiolo vincitore .... premi a livello europeo.

7. Di solito vado .... montagna .... Cervinia, ... campagna .... Umbria e .... mare .... Elba.

8. Lunedì c'è la *Madama Butterfly* di Puccini .... teatro *La Fenice* .... Venezia.

.8   Complete with the prepositions of time a, da, in, per, tra, using the article if necessary.

1. Conosci il detto "Natale con i tuoi, Pasqua con chi vuoi"? .... Natale, quindi, sto con tutta la mia famiglia.

2. Devo chiamare Tommaso .... oggi e domani, dopo è troppo tardi.

3. Luisa lavora in quest'ufficio .... dieci anni, è stanca e vuole cambiare lavoro.

4. .... 8 .... 9 di solito vado a lezione di pilates e mi diverto un sacco.

5. Venite a trovarci .... 7 e le 9, ok?

6. Dobbiamo lavorare ancora .... due ore e poi ci riposiamo.

7. I Signori Sedoni non abitano più qui .... molti anni.

8. Noi andiamo in vacanza .... estate, precisamente .... luglio.

I trulli di Alberobello (Bari), *Puglia*

15. Le preposizioni e le espressioni di luogo e di tempo

15.9 Un po' di attualità! Complete with the correct prepositions, using the article if necessary: of place in the purple spaces ...., of time in the blue spaces .... and of possession in the red spaces ....

La legge contro il fumo

(1)............. Italia (2)............. 10 gennaio 2005 i fumatori non possono più fumare (3)............. locali pubblici chiusi. Infatti, (4)............. 10 gennaio 2005 è in vigore una norma che serve a proteggere la salute (5)............. non fumatori. Secondo questa norma i fumatori non devono fumare (6)............. posto (7)............. lavoro e (8)............. svago, pubblici e privati. In pratica i fumatori non possono più fumare (9)............. scuole, (10)............. uffici, (11)............. biblioteche, (12)............. ospedali, (13)............. treni e (14)............. taxi, (15)............. metropolitana, (16)............. sale d'attesa (17)............. aeroporti e (18)............. stazioni ferroviarie, (19)............. bar, (20)............. ristoranti, (21)............. negozi, (22)............. discoteche, (23)............. sale da gioco, (24)............. cinema e (25).......... teatri. I fumatori possono fumare solo (26)............. locali chiusi riservati apposta per loro. Però questi locali devono rispettare precise norme previste dalla legge.

(adattato da www.dueparole.it)

15.10 Che cosa mangiano? Look at the table and complete the sentences. In the blue gaps .... fill in the prepositions indicating indefinite quantity and in the red gaps .... fill in what Giovanni, Simone and Franco are eating.

Giovanni, Simone e Franco sono vecchi amici d'infanzia che dopo molti anni si ritrovano al ristorante per passare qualche ora insieme e ricordare i bei tempi.

	antipasti		primi piatti	secondi piatti		
	prosciutto e melone	bruschetta	tortellini al ragù	fegato alla veneziana	arrosto di vitello	cozze alla marinara
Giovanni	✔	✔		✔		
Simone	✔	✔				✔
Franco			✔		✔	

	contorni			dessert		
	spinaci al burro	patate arrosto	insalata mista	macedonia	crème caramel	panna cotta
Giovanni	✔			✔		
Simone			✔		✔	
Franco		✔				✔

Giovanni e Simone mangiano per antipasto (1)................... .... e

(2)................... .... Da bere ordinano (3)................... vino rosso e

(4)................... vino bianco e (5)................... acqua minerale liscia e gasata. Franco ordina per

primo (6)................... .... Per secondo e contorno Giovanni pren-

de (7)................... .... e (8)................... ....

..................., Simone (9)................... .... e (10)...................

.... e Franco, invece, (11)................... ....

.... e (12)................... .... Per dessert Giovanni mangia

(13)................... ...., Simone (14)................... ....

.... e infine Franco (15)................... .... Alla fine del

pasto poi bevono tutti e tre un bel caffè, espresso naturalmente.

1 Other prepositions and expressions of place and time

Place

accanto (a)	Il cane è accanto alla poltrona.
davanti (a)	La signora è davanti allo specchio.
dentro	Il regalo è dentro la scatola.
dietro	Il giardino è dietro la casa.
di fianco (a)	Maria è seduta di fianco a Lucia.
di fronte (a)	Il cinema è di fronte al bar.
fino (a)	Lei va dritto fino al semaforo.
fuori (di/da)	Il bambino è fuori di casa.
lontano (da)	Torino è lontano da Bari.
lungo	Passeggio lungo il fiume.
sotto	Le scarpe sono sotto il letto.
sopra	La valigia è sopra l'armadio.
vicino (a)	Bergamo è vicino a Brescia.

Time

dopo	Dopo la lezione di storia vado a casa.
durante	Durante il film mangio le patatine.
fino (a)	Fino a lunedì lavoro a Pescara.
mentre	Mentre pulisco, tu guardi la TV.
prima (di)	Prima della partita vado a bere un'aranciata.

EXERCISES

15.1.1 Look at the picture and complete the passage with prepositions or expressions of place, as in the example.

accanto a — fino a — di fronte a — sotto — lungo — vicino a — dietro — lontano da

Questo è un piccolo paese del Sud Italia. È estate, fa molto caldo, non c'è nessuno in giro, però, alla fermata dell'autobus, nella piazza principale, ci sono tre persone che aspettano l'autobus. C'è un ragazzo (1)................... una signora e un signore in piedi è (2)................... un albero. (3) Vicino alla fermata ci sono delle aiuole con dei fiori. (4)................... la fermata c'è un parco dove dei ragazzi giocano a calcio. Un po' più in là, (5)................... fermata c'è un campanile. Nella piazza, (6)................... fermata, ci sono alcuni locali: un bar e una pasticceria. In questa piazza finisce anche via Garibaldi, camminando (7)................... questa via (8)................... semaforo si possono guardare le vetrine dei negozi.

15.1.2 Choose the right preposition or expression of time.

1. Martina va spesso in piscina .... la settimana.
2. .... mangiare, devo prendere una medicina.
3. .... cena, alle 21.30, vado ad una festa nel mio club privato di golf.
4. Io cammino un po' nel parco, ... tu leggi il giornale seduto sulla panchina.
5. Luglio e agosto, ... inizio settembre sono in ferie e così mi riposo un po' o forse faccio qualche viaggio.

durante

fino a

dopo

prima di

mentre

Look at the picture and make sentences by adding the right preposition or expression of place, as in the example.

| sopra | sotto | dentro | fuori da | tra | di fianco a |

1. aereo / volare / casa = Un aereo vola sopra la casa.

2. gatto / dormire / albero = ...

3. bicicletta / essere / garage = ...

4. cane / essere seduto / macchina blu = ...

5. casa / essere / due alberi = ...

6. macchina rossa e macchina blu / essere parcheggiata / garage = ...

....

1 **Complete with the possessive adjective or possessive pronoun and the article where necessary.**
(possessive adjectives and pronouns)

Ufficio oggetti smarriti della stazione ferroviaria di Bologna

Signora: Ho perso ....(1) ombrello ieri.

Signore: Anch'io ho perso ....(2). È abbastanza normale, tante persone perdono ....(3) ombrelli ogni giorno e vengono qui a cercarli.

Impiegato: Signora, ...(4) di che colore è? È da donna?

Signora: No, veramente non è ....(5), ma di ....(6) marito. Quindi è da uomo, pieghevole, nero con il manico di legno scuro.

Impiegato: Un ombrello molto comune, ne ho tanti come ....(7). Vediamo un po'... È questo?

Signora: Sì, è proprio questo l'ombrello di ....(8) marito.

Impiegato: Signore, ...(9) com'è?

Signore: Chiaro, a quadri e molto elegante.

Impiegato: Forse, ho in mente ....(10) ombrello, è un ombrello particolare... dovrebbe essere nel secondo ripiano. È questo?

Signore: Sì, ecco ....(11) ombrello!

Ragazza: Ieri ho dimenticato ....(12) valigia nei bagni vicino alla biglietteria. Si tratta di una valigia rossa, piccola, un po' vecchia. Ci tengo molto, è un regalo di ....(13) nonna. Lo so che è difficile ritrovarla... però, non si sa mai.

Impiegato: Ieri una signora mi ha portato una valigia che corrisponde alla descrizione della ....(14). Vado a vedere.

(Dopo qualche minuto)
Ho trovato questa, non so se è ....(15).

Ragazza: No, purtroppo non è questa.

Impiegato: Mi dispiace.

Each correct answer is worth one point.   *Result*
If you score less than 9, revise the grammar.   ___/15

2 **Complete with the possessive adjective and reflexive verbs below. Careful: the articles are already there!** (reflexive verbs and possessive adjectives)

> rilassarsi   lamentarsi   chiamarsi   preoccuparsi
> ricordarsi   trovarsi   vedersi

1. I bambini oggi in Italia hanno sempre più difficoltà. Molti sociologi e psicologi studiano le ....(1) insicurezze e fragilità. A volte i genitori ....(2) davvero tanto.

2. ....(3) fratello abita qui a Milano. Vive da solo, ...(4) Matteo e domani ....(5) perché è il ....(6) compleanno.

3. Hai una gatta e un cane, vero? Ma non ....(7) il ....(8) nome.

                                                    edizioni Edilingua

4. Leggo molti romanzi. I ....(9) autori preferiti sono tanti, ma tra tutti la ....(10) autrice preferita è sicuramente Dacia Maraini e in particolare il romanzo *Bagheria*. ....(11) molto quando leggo i ....(12) libri.

5. Abitiamo e lavoriamo in campagna. La ....(13) casa è circondata dal verde. I ....(14) figli ....(15) bene qui, a contatto con la natura.

6. Giovanna studia all'Università di Camerino. ....(16) sempre del ....(17) appartamento e delle ....(18) compagne d'appartamento. È proprio una noiosa!

Each correct answer is worth one point.
If you score less than 10, revise the grammar.

Result
/18

3 **Following the example, put the prepositions of place in the** blue spaces .... **and conjugate the verbs in the present indicative or present progressive in the** red spaces .... (preposition of place, present progressive and present indicative)

> tornare   scendere   salire   andare   lasciare
> uscire   passeggiare   parcheggiare

Gianni sta uscendo da casa sua, Laura, sua cugina ....(1) la macchina ....(2) garage, anche se di solito ....(3) la macchina ....(4) strada. Una signora ....(5) ....(6) parco.
Un gatto ....(7) ....(8) un albero e un altro ....(9). Un signore e una bambina ....(10) ....(11) chiesa. Una bambina ....(12) ....(13) casa ....(14) scuola.

Each correct answer is worth one point.
If you score less than 8, revise the grammar.

Result
/14

4 **Un po' di arte e cultura! Add the prepositions of place da, a, in and of possession di with the article where necessary. Look at the map and find the underground lines that John needs to take: MM1, MM2 o MM3?** (prepositions of place and possession)

John è americano, si trova a Milano per visitare la città e comprare dei regali. Vuole prendere la metropolitana, ma non sa bene che linea deve prendere, per questo chiede delle indicazioni.

John: Scusi, vorrei andare a corso Buenos Aires, mi hanno detto che ci sono molti negozi. Mi sa dire che linea devo prendere?

Passante: Dunque... qui siamo ....(1) stazione ....(2) Porta Garibaldi. Sì, allora, deve prendere la linea
.... e scendere ....(3) quarta fermata, ...(4) Loreto. Corso Buenos Aires va ....(5) Piazza Loreto ....(6) Porta Venezia.

John: Grazie mille, è stato davvero gentile.
              (Dopo due ore)

John: Scusi, mi sa dire come andare ....(7) Chiesa ....(8) Santa Maria ....(9) Grazie per visitare il Cenacolo?

Passante: Sì! Allora... dunque, noi siamo ....(10) Porta Venezia, Lei può prendere quindi la linea ....

e scendere ....(11) sesta fermata a Cadorna. Poi lì può chiedere. Tra l'altro vicino a Cadorna, c'è la Basilica ....(12) Sant'Ambrogio, dedicata al patrono ....(13) città e il Castello Sforzesco, dove si trova l'opera non finita ....(14) Michelangelo, conosciuta come la Pietà Rondanini.

John: Grazie mille, quante informazioni interessanti!

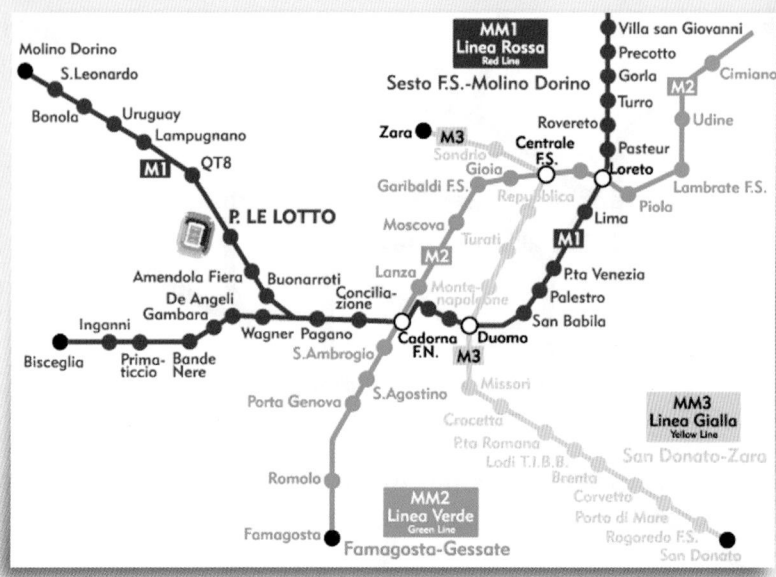

Each correct answer is worth one point.
If you score less than 8, revise the grammar.

Result
/14

---

5   **Un po' di cultura! Add the correct simple or articulated prepositions.** (prepositions of place, time, possession and means of transport)

Le vacanze degli italiani

Agosto è il mese preferito dagli italiani per andare in vacanza. ....(1) agosto i bambini non vanno ....(2) scuola, gli impiegati non vanno ....(3) ufficio e gli operai non vanno ....(4) fabbrica. Di solito, gli italiani si spostano ....(5) macchina e ....(6) treno. Ad agosto c'è sempre molto traffico ....(7) autostrade. Ma dove vanno in vacanza gli italiani? La maggior parte va naturalmente ....(8) mare, ma molti amano andare ....(9) montagna e recentemente si è diffusa la moda dell'agriturismo. Molti sono coloro che trascorrono le vacanze ....(10) campagna ospiti ....(11) casa di contadini o alloggiati presso vecchi casali ristrutturati. Qui possono partecipare ....(12) vita di campagna e aiutare i proprietari nella raccolta ....(13) frutta o nella cura ....(14) animali.

Each correct answer is worth one point.
If you score less than 8, revise the grammar.

Result
/14

---

6   **Complete with the form stare per + infinitive of the verbs below and in the red spaces** .... **with the prepositions in, vicino alle, sotto i, tra, sul.** (stare per + infinitive, prepositions)

| mangiare | uscire | attraversare | piovere | partire | finire | iniziare | andare |

1. ● Mamma, papà, mi aiutate a fare i compiti?

   ● Ci dispiace, non possiamo, ...

2. Sbrigati Marcello! Sei sempre in ritardo. Il treno ....

3. È rosso! Devi fermarti. Non li vedi i bambini? Sono sul marciapiede, ... strisce pedonali e .... la strada.

4. Il cielo è nuvoloso. ...., meglio andare a ripararsi .... portici.

5. La cena è pronta. (*driin...*) Oh... questo telefono! Gianni, rispondi tu? Ci cercano sempre quando
....

6. • Non lo vedi il film in TV, Marta?
   • No, veramente .... a letto, sono davvero stanca.

7. Eccoci alla finale di Coppa del Mondo .... Brasile e Italia. Venite, la partita ....
....

8. Che bello! Tra poco andiamo .... vacanza, l'anno scolastico ....!

Each correct answer is worth one point.   *Result*
If you score less than 7, revise the grammar.   /12

---

7   **Un po' di opera lirica! Add the direct object pronouns.** (direct object pronouns: *lo, la, le, li*)

Turandot

Il nome di questa opera è quello dell'eroina di una novella persiana che ha notevole successo nella lette-ratura e nella musica occidentale. Questa eroina è una principessa un po' crudele. Molti uomini innamora-ti ....(1) vogliono sposare, ma prima devono risolvere degli indovinelli, chi non ....(2) risolve viene punito con la morte. Alla fine, anche se non con molta gioia, la principessa sposa chi le risposte ....(3) indovina. Gozzi scrive la fiaba teatrale in cinque atti. Sullo stesso tema Goethe scrive un'edizione teatrale e Brecht un dramma. Le rappresentazioni teatrali sono tante in tutta Europa. L'opera ....(4) compone Puccini e il libretto, tratto dalla fiaba teatrale di Gozzi, ...(5) scrivono Adami e Simoni. Puccini, però, muore prima di finir...............(6) e non riesce a comporre il finale del III atto. Infatti, le ultime due scene ....(7) mette in musica Alfano. Questa opera ....(8) dirige, per la prima volta al Teatro alla Scala di Milano, il maestro Arturo Toscanini il 25 aprile del 1926.

(liberamente adattato da www.sapere.it)

Each correct answer is worth one point.   *Result*
If you score less than 5, revise the grammar.   /8

---

8   **Add the direct object pronouns.** (direct object pronouns: *lo, la, li, le, mi, ti, ci, vi*)

I genitori di Simonetta sono fuori città per il fine settimana e Simonetta pensa subito di organizzare una festic-ciola a casa sua con i suoi compagni di liceo. Sta controllando con Lucia la lista delle cose che servono.

Simonetta:	Da bere: aranciata, Coca cola e Sprite. Chi ....(1) compra?
Lucia:	Forse ....(2) compra Antonio. ....(3) chiama più tardi sul telefonino per dirmi se ci pensa davvero lui.
Simonetta:	Pizzette e salatini?
Lucia:	...............(4) prendiamo io e Francesco in rosticceria.
Simonetta:	Ah, sì... è vero, mi ha detto che ....(5) passa a prendere alle 4. Le patatine e le olive?
Lucia:	...............(6) compra Daniela al supermercato.
Simonetta:	La torta?
Lucia:	Forse ....(7) fa Teresa, se ha tempo, però, più no che sì. Se Francesco ....(8) accom-pagna, possiamo prenderla in pasticceria, così compriamo anche i pasticcini.
Simonetta:	Porti anche l'ultimo CD di Ligabue? Io non ce ....(9) ho!

Lucia: Va bene ....(10) porto io.
           (Driiin suona il telefonino)
Francesco: Ciao Lucia, sono Francesco, ma Simonetta è lì con te?
Lucia: Sì, perché?
Francesco: Perché è da due ore che ....(11) cerco. Perché non ....(12) avete chiamato?

Each correct answer is worth one point.   *Result*
If you score less than 7, revise the grammar.   /12

9 **Look at the pictures (bisturi, calcolatrice, detersivi, forbici, pennello, stoffa, test, toga) and complete the sentences with the correct direct object pronoun (lo, la , li, le).** (direct object pronouns: *lo, la, li, le*)

1. Il ragioniere .... tiene in ufficio per fare i conti.

2. Il pittore .... usa per dipingere.

3. Il giardiniere .... usa per tagliare i fiori.

4. Il sarto .... compra per fare i vestiti.

5. Il chirurgo .... usa per operare.

6. L'avvocato .... indossa per i processi.

7. L'insegnante .... corregge per dare i voti.

8. La colf .... usa per pulire la casa.

Each correct answer is worth one point.   *Result*
If you score less than 5, revise the grammar.   /8

10 **Un po' di cucina! Put ✔ to indicate the correct preposition.** (partitive article)

a. Per preparare questo primo piatto devi avere:

	del	dello	della	dell'	dei	degli	delle
riso							
funghi							
vino bianco							
cipolla							
brodo							
parmigiano grattugiato							
olio							
burro							

Ingredienti (per 4 persone): 300 gr. di riso, 150 gr. di funghi, un bicchiere di vino bianco, mezza cipolla, un litro di brodo, parmigiano grattugiato, olio, 50 gr. di burro.

Risotto ai funghi

b. Per preparare questo contorno/antipasto devi avere:

	del	dello	della	dell'	dei	degli	delle
patate							
piselli							
zucchine							
carote							
sale							
olio							
maionese							

Ingredienti (per 4 persone): 300 gr. di patate, 100 gr. di piselli, 200 gr. di zucchine, 200 gr. di carote, sale, olio, 300 gr. di maionese.

Insalata russa

Each correct answer is worth one point.
If you score less than 9, revise the grammar.

Result
_____ /15

Total score   /130

si mangia	(regular and irregular verbs)
si va	
si è pigri	(verbs *essere/diventare* +adjectives/plural nouns)
si diventa cattivi	
si è giornalisti	
ci si lamenta	(reflexive verbs)

Impersonal verbs are used to express actions in general that involve many people, not a specific person.

A Carnevale si ride e si balla.
(La gente ride e balla a Carnevale)
Oggi non si vola.
(Nessuno vola oggi)
In Italia, di solito, si va al mare d'estate.
(In Italia, la gente va al mare d'estate)

Impersonals are also used to express opinion, judgement, order or criticism in a less harsh or severe way.

Qui si chiacchiera o si studia?
(Non dovete chiacchierare ma studiare)

Verbs in general
The impersonal verb is formed by:
si + verb in the 3rd person singular;

Si mangia male in questo ristorante.

si + *essere/diventare* in the 3rd person singular + adjective/plural masculine noun.

Quando si è infermieri, si lavora anche di notte.
Quando si lavora troppo, si *diventa* irritabili.

Reflexive verbs
The impersonal of reflexive verbs is formed by:
ci + si + verb in the 3rd person singular.

In Gran Bretagna ci si lamenta spesso del tempo.

Important!

Impersonal verbs
Impersonal verbs can only be used in the 3rd person singular. Impersonal verbs and phrases often refer to weather, heat and cold.

nevicare,
piovere,
fare caldo, fare freddo, fare bello, fare bel/cattivo tempo.

Secondo le previsioni meteorologiche domani nevica!
Fa caldo oggi, non pensi?

EXERCISES

.1 **Forma personale o impersonale? Read the sentences and put ✔ in the appropriate column.**

	Pers.	Impers.
1. Damiano e Lucia vanno al cinema il sabato sera.	▨	▨
2. Oggi scrivo finalmente una lettera alla nonna.	▨	▨
3. Se si è operai, si ha una vita davvero dura.	▨	▨
4. In inverno si va spesso a teatro la domenica pomeriggio.	▨	▨
5. Si dorme qui o si chiacchiera?!	▨	▨
6. A scuola si impara a leggere e a scrivere.	▨	▨
7. Quando si è davvero stanchi, è meglio riposare.	▨	▨
8. Marina legge molti romanzi d'avventura.	▨	▨

.2 **Un po' di usi e costumi! Put the verbs in the impersonal and say whether, in your opinion, the sentences are true or false.**

		True	False
	1. di solito, non (*mangiare*) .... male.	☐	☐
	2. raramente (*parlare*) .... di calcio.	☐	☐
	3. (*leggere*) .... poco.	☐	☐
	4. (*fumare*) .... in tutti i locali pubblici.	☐	☐
In Italia...	5. spesso (*andare*) .... in vacanza ad agosto.	☐	☐
	6. (*guidare*) .... a destra.	☐	☐
	7. (*iniziare*) .... ad andare a scuola a 8 anni.	☐	☐
	8. (*finire*) .... la scuola superiore a 18 o 19 anni.	☐	☐

.3 **Un po' di arte! Change the verbs in italics from the personal to impersonal form and trace the route on the map that Marina and Roberto will take.**

Marina e Roberto sono a Napoli per visitare la città e vogliono andare a visitare il Museo Archeologico Nazionale. Chiedono al portiere dell'albergo indicazioni per andarci.

Marina: Buongiorno.

Portiere: Buongiorno.

Marina: Senta, vorremmo andare al Museo Archeologico Nazionale, ci hanno detto che è molto bello e che ci sono molti tesori romani provenienti da Pompei ed Ercolano: come vasi, affreschi e mosaici. C'è anche la Galleria Farnese con famose e pregiate sculture.

Portiere: Sì, sì è vero! Il Museo Archeologico Nazionale è uno dei più importanti del mondo. Allora,

(*uscite*) ....(1) da qui e (*girate*) ....(2) a sinistra dove c'è la fermata

dell'autobus, (*salite*) ....(3) sull'autobus n. 54 e (*scendete*) ....(4)

alla terza fermata. Altrimenti, se (*avete*) ....(5) vo-glia di camminare, visto che oggi è una bella giornata, (*potete*) ....(6) andare a piedi. Per andare a piedi (*uscite*) ....(7) da qui e (*girate*) ....(8) a sinistra, (*andate*) .... (9) dirit-to per Via Tribunali e (*svoltate*) ....(10) alla quar-ta strada sulla destra, che è via Santa Maria di Costantinopoli. (*Continuate*) ....(11) lungo questa via e (*arrivate*) .... (12) in fondo, il museo è lì di fronte.

16.4 Che cosa si fa in montagna, al mare o in campagna? Put the verbs in the impersonal and the phrases in the correct square.

nuotare   pattinare sul ghiaccio   passeggiare nel verde   andare a scalare
sciare   camminare sulla spiaggia   andare a cavallo   giocare con le racchette

montagna

mare

campagna

16.5 Put the verbs in the impersonal and link the sentences.

1. Quando (*andare*) .... in chiesa,
2. Se (*mangiare*) .... poco,
3. Se non (*studiare*) .... a scuola,
4. Quando (*viaggiare*) ....,
5. Quando (*essere malato*) ....,
6. Quando (*essere tollerante*) ....,

a) (*spendere*) .... molto.
b) di solito, (*pregare*) ....
c) (*ripetere*) .... l'anno.
d) (*andare*) .... dal medico.
e) (*diventare debole*) ....
f) (*andare*) .... d'accordo più facilmente con le persone.

.6 Complete the sentences with the verbs in the impersonal, as in the example.

> *divertirsi*   *abituarsi*   *annoiarsi*   *ammalarsi*   *alzarsi*   *asciugarsi*   *coprirsi*

1. D'estate in vacanza la sera (*uscire*) si esce e ci si diverte molto.

2. Se (*essere*) .... italiani e (*vivere*) .... in Gran Bretagna con il tempo ....
   .... al clima inglese.

3. Se (*andare*) .... a ballare sempre nella stessa discoteca o a bere sempre nello stesso
   bar, ...

4. Quando (*essere*) .... in vacanza, ... tardi.

5. Se non .... bene dopo la doccia, (*potere*) .... prendere il raffreddore.

6. D'inverno se non .... bene, ...

.7 Un po' di geografia e arte! Put the verbs in the impersonal and find the region where these cities are located.

Se (*venire*) si viene dall'autostrada A1 da Firenze, (*uscire*) ....(1) al casello di Orvieto. (*Fermarsi*) ....(2) di solito in questa città per visitare il Duomo, una tra le cattedrali romanico-gotiche più grandi d'Italia, che risale al 1290. Da Orvieto (*immettersi*) ....(3) sulla Statale 317 e (*dirigersi*) ....(4) verso nord; (*passare*) ....(5) per Marsciano e (*arrivare*) ....(6) a Perugia. Perugia è il capoluogo di questa regione ed è famosa per la sua Università per Stranieri. Il suo centro storico si concentra intorno a Corso Vannucci, che prende il nome dal pittore locale Pietro Vannucci, detto il Perugino. A nord c'è piazza IV Novembre con la Fontana Maggiore e il Duomo poco lontano. Sul Corso Vannucci si trova anche il Palazzo dei Priori, che merita una visita. Da Perugia (*immettersi*) ....(7) sulla Statale 75 e (*giungere*) ....(8) ad Assisi. Questa bella cittadina medievale è la patria di San Francesco (c.a. 1181-1226). Il sepolcro del santo, che è il patrono d'Italia, si trova nella Basilica di San Francesco con bellissimi affreschi di Giotto e di Lorenzetti. Un'altra basilica importante da visitare è la Basilica di Santa Chiara.

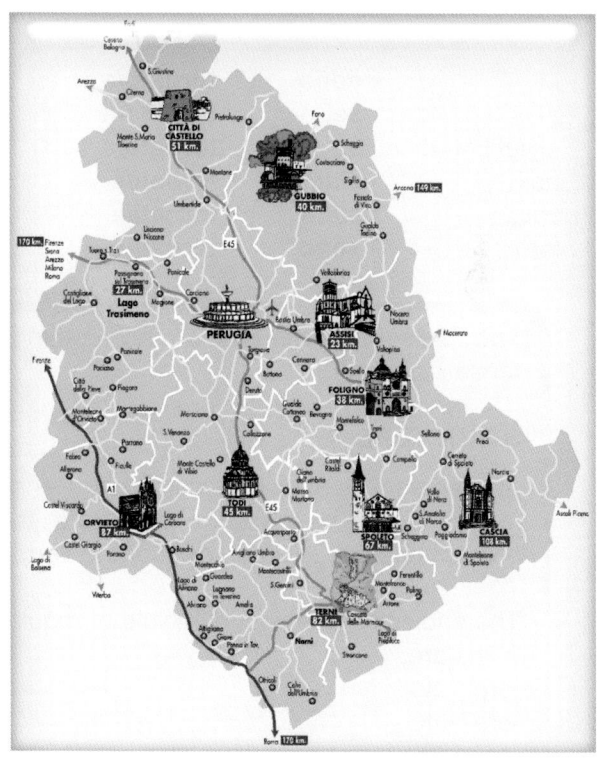

Che regione è? UM _ R _ _

16. La forma impersonale

Verbs with *avere*

	ARE		ERE		IRE	
	lavorare	**lavorato**	**credere**	**creduto**	**capire**	**capito**
io	ho	lavorato	ho	creduto	ho	capito
tu	hai	lavorato	hai	creduto	hai	capito
lui/lei/Lei	ha	lavorato	ha	creduto	ha	capito
noi	abbiamo	lavorato	abbiamo	creduto	abbiamo	capito
voi	avete	lavorato	avete	creduto	avete	capito
loro	hanno	lavorato	hanno	creduto	hanno	capito

Verbs with *essere*

	ARE		ERE		IRE	
	tornare	**tornato**	**cadere**	**caduto**	**partire**	**partito**
io	sono	tornato/a	sono	caduto/a	sono	partito/a
tu	sei	tornato/a	sei	caduto/a	sei	partito/a
lui/lei/Lei	è	tornato/a	è	caduto/a	è	partito/a
noi	siamo	tornati/e	siamo	caduti/e	siamo	partiti/e
voi	siete	tornati/e	siete	caduti/e	siete	partiti/e
loro	sono	tornati/e	sono	caduti/e	sono	partiti/e

The **present perfect** is a very common tense in Italian.

STRUCTURE

The present perfect is a compound tense formed by the verb essere or avere in the present and the past participle of the verb.

The endings of the past participle of regular verbs are:
-are -ato
-ere -uto
-ire -ito

lavorare	lavorato	tornare	tornato
credere	creduto	cadere	caduto
capire	capito	partire	partito

The past participle of verbs with avere does not usually change. The ending is -o.

Ho lavorat**o** troppo oggi.
Abbiamo studiat**o** la storia dell'antica Grecia.

The past participle of verbs with essere does change. The participle has 4 endings, like the adjectives of the first group: -o, -a, -i, -e.

Giancarlo è andat**o** in piscina.
Marta è andat**a** in piscina.
Giancarlo e Pietro sono andat**i** in piscina.
Marta e Anna sono andat**e** in piscina.
Giancarlo e Anna sono andat**i** in piscina.

edizioni Edilingua

Many verbs have an irregular past participle (*see list, pages 102-103*).

The verb avere is used with:
1. the verb *avere*;

Io ho avuto il raffreddore il mese scorso.

2. all transitive verbs (transitive verbs are those that answer the questions *what?* and *who?*);

Ieri sera ho visto un bel film alla TV.
Ieri sera ho visto (*what?*) un bel film alla TV.

3. some intransitive verbs:
   dormire, viaggiare, camminare, passeggiare.

Abbiamo dormito tutta la mattina.
Sabato scorso ho viaggiato molto.
Ieri hanno camminato due ore intere.
Mario e Lucia hanno passeggiato nel parco.

The verb essere is used with:
1. the verb *essere*;

Sei sempre stato molto carino con me.

2. many intransitive verbs (those that answer questions with *where?, when?, how?*, but not *what?* or *who?*). Many of these verbs are:
a) verbs of movement:
   andare, venire, tornare, uscire, partire, arrivare;

Domenica sono stata a casa.
Domenica sono stata (*where?*) a casa.
L'incidente è accaduto (*when?*) all'improvviso.

Sono partita lunedì.

b) verbs of state:
   stare, rimanere, restare;

Siamo rimaste a Bologna lo scorso weekend.

c) verbs of change:
   divenire, diventare, nascere, morire, invecchiare;

Il nonno è invecchiato negli ultimi anni.

3. many impersonal verbs (*sembrare, avvenire, accadere, ...*) or verbs used as an impersonal (*piacere*);

A Mara è accaduta una cosa strana due giorni fa.

4. all reflexive verbs (*lavarsi, vestirsi, baciarsi* etc.).

Luciana si è bagnata tutta ieri sera.
Dino e Lina si sono incontrati al bar ieri mattina.

USE

The present perfect is usually used to express actions or events in the past:
1. completed recently or some time ago.

Ieri Laura ha disegnato tutto il giorno.

In this case expressions of time are usually used:
ieri, l'altro ieri, un secondo fa, tre minuti fa, quattro giorni fa, cinque mesi fa, sei anni fa, nel 20... etc.;

Nel 2000 sono andata a Roma.

2. completed recently or some time ago with current relevance. In this case the following adverbs are used, which are usually placed between the two parts of the verb: *mai*, *sempre*, *appena*, *ancora*, *già*.	I bambini hanno *appena* finito di mangiare. Oggi Luigi mi ha *già* telefonato dieci volte. Gino e Lina sono *sempre* andati a sciare per Natale. Non ho *mai* fumato. Gianni e Maria non sono *ancora* andati in vacanza.

Some verbs with irregular past participles

Infinitive	Past participle	Example
accendere	acceso	Hai acceso la luce?
aprire	aperto	Hanno aperto un nuovo locale qui vicino.
bere	bevuto	Avete già bevuto il caffè?
chiedere	chiesto	Gianna ha chiesto un'informazione.
chiudere	chiuso	Hai chiuso la porta a chiave?
correre	corso	Ho corso per prendere il treno.
cuocere	cotto	Marcello ha cotto gli spaghetti al dente.
decidere	deciso	Abbiamo deciso di partire presto.
dipingere	dipinto	Leonardo ha dipinto la *Gioconda*.
dire	detto	Non so se Lucia mi ha detto la verità.
dividere	diviso	Mamma, hai diviso bene le caramelle?
essere	stato	Ieri sono stata veramente male.
fare	fatto	La zia ha fatto un dolce al cioccolato.
leggere	letto	Tina e Lory hanno letto molti libri di storia.
mettere	messo	Il babbo ha messo a letto i bambini.
morire	morto	Il direttore della banca è morto ieri.
nascere	nato	Sergio è nato a Macerata.
nascondere	nascosto	Dove hai nascosto il mio regalo?
offendere	offeso	Perché avete offeso così la signora?
offrire	offerto	Gino e Lucio hanno offerto da bere a tutti.
perdere	perso	Damiano ha perso le chiavi di casa.
piacere	piaciuto	La commedia mi è piaciuta molto.
piangere	pianto	Simona era triste e ha pianto tutta la sera.
prendere	preso	Ieri ho preso il metrò per andare al lavoro.
ridere	riso	Il film era divertente e ho riso molto.
rimanere	rimasto	Siete rimasti a lungo al mare?
risolvere	risolto	Lucia, hai risolto il tuo problema?
rispondere	risposto	Ho risposto bene a tutte le domande.
scegliere	scelto	Giacomo ha scelto di vivere in campagna.
scrivere	scritto	Avete scritto una cartolina alla nonna?
spegnere	spento	Hai spento il televisore?
stare	stato	Ma dove sei stato tutto il giorno? A casa?
succedere	successo	È successo un brutto incidente poco fa.

edizioni Edilingua

togliere	tolto	Hai tolto gli spinaci dal fuoco?
tradurre	tradotto	Daniela ha tradotto un libro dal francese.
uccidere	ucciso	Un cacciatore ha ucciso una volpe.
vedere	visto	Ho visto un bel film lo scorso sabato.
venire	venuto	Lorena non è venuta a trovarci.
vincere	vinto	La Juventus ha vinto contro l'Inter 3-1.
vivere	vissuto	Mario ha vissuto molto all'estero.

The present perfect of unusual verbs

Some verbs are unusual and can take **essere** (if they are intransitive) or **avere** (if they are transitive).	Ho salito le scale in fretta. (transitive) Sono salito sull'aereo. (intransitive)
The most common verbs in this group are: cambiare, cominciare, continuare, finire, passare, salire, scendere.	Maria ha cominciato le lezioni di pianoforte. (transitive) Finalmente è cominciata l'estate! (intransitive)

EXERCISES

7.1 Find the verbs in the present perfect and complete the table giving the infinitive, as in the example.

Mattia, dieci anni, scrive un tema su una gita domenicale fatta insieme alla sua famiglia. Leggi il tema scritto da Mattia.

Tema: Una gita domenicale

Una domenica pomeriggio sono andato con il mio papà, la mia mamma, le mie sorelle Loretta e Daniela alla Basilica di Monte Berico. Siamo partiti da Soave alle 9.00 e siamo arrivati a Vicenza alle 10.00. Abbiamo fatto una bella passeggiata. Poi siamo andati a Messa a pregare per mia sorella Daniela, che è sposata con Gianni, ma è sempre triste perché non ha bambini.

Non so dire cosa è successo. Forse non abbiamo pregato bene, forse non ci siamo capiti con la Madonna, sta di fatto che adesso aspetta un bambino l'altra mia sorella, Loretta, che non è neanche sposata.

Present perfect	Infinitive
sono andato	andare

17. Il passato prossimo

17.2 Un po' di geografia! Find the past participles of the regular verbs listed, fill them in horizontally and find the names of two Italian rivers in the vertical squares highlighted.

a.

1
2
3
4
5

1. visitare
2. vendere
3. preferire
4. mangiare
5. sentire

b.

1
2
3
4
5
6

1. capire
2. restare
3. spolverare
4. ricevere
5. entrare
6. credere

17.3 Find the irregular past participles then write the infinitive, as in the example.

	Past participle	Infinitive
1.	scritto	scrivere
2.	....	....
3.	....	....
4.	....	....
5.	....	....
6.	....	....
7.	....	....
8.	....	....

toscrit
nutove
sutovis
tona
cesoac
torimas
tolet
tovube

17.4 Go back to Exercises 17.2 and 17.3. Put the past participles you found in the right circle: essere or avere?

Essere

restato

Avere

visitato

edizioni Edilingua

.5 **Put the verbs in the present perfect and match the questions to the answers. Be careful of the unusual verbs and the position of the adverbs.**

1. Alberto, hai già mangiato? ....
2. Sei mai andato a sciare in Francia? ....
3. Anna e Marta sono già tornate dall'asilo? ....
4. A che punto sei arrivato con il tema? ....
5. Hai mai provato la cucina indiana? ....
6. Pino, ti aspetto da un'ora! ....
7. Il film è già incominciato? ....
8. Ieri hai preso l'ascensore per andare da Maria? ....

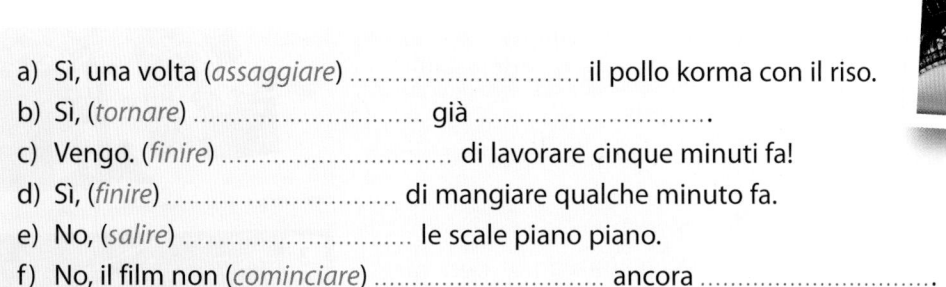

a) Sì, una volta (*assaggiare*) .... il pollo korma con il riso.
b) Sì, (*tornare*) .... già ....
c) Vengo. (*finire*) .... di lavorare cinque minuti fa!
d) Sì, (*finire*) .... di mangiare qualche minuto fa.
e) No, (*salire*) .... le scale piano piano.
f) No, il film non (*cominciare*) .... ancora ....
g) Sono indietro, (*cominciare*) .... appena .... a scriverlo.
h) No, (*andare*) .... sempre in Austria.

.6 **What has Marcella done (✔) or not done (–)? Write sentences with the verb in the present perfect, as in the examples.**

Marcella fa la casalinga e ha sempre molto da fare. Ecco la lista:

1. Marcella è già andata in banca.

2. Non ha ancora telefonato al dentista.

3. ....
....
4. ....
....
5. ....
....
6. ....
....
7. ....
....
8. ....
....

Ricordati di...
andare in banca ✔
telefonare al dentista –
dare da mangiare al cane ✔
portare la macchina dal meccanico ✔
comprare la pasta di pane per la pizza –
pagare le bollette del telefono e gas ✔
innaffiare le piante ✔
scrivere la lettera all'amministratore –

17. Il passato prossimo

17.7 Put the verbs in the present perfect and match the sentence to the right picture then say what Paolo did last summer.

Paolo ha 45 anni ed è separato con due figli: Laura di 10 anni e Alessandro di 12 anni. L'anno scorso in agosto è andato in campeggio al mare, in Liguria, con i suoi figli e con la sua nuova compagna, Giulia.

a. Paolo con i figli Laura e Alessandro (*decidere*) .... di partire presto al mattino per andare in vacanza.

b. Dopo aver sistemato tutto (*andare*) .... al ristorante a mangiare del buon pesce.

c. Finalmente (*lasciare*) .... la città verso le sette del mattino.

d. Dopo un'ora (*andare*) .... a prendere Giulia a casa sua.

e. (*Montare*) .... la tenda.

f. (*Trovare*) .... un bel campeggio, ben attrezzato.

g. Laura e Alessandro (*prendere*) .... i loro giochi e i libri da leggere.

h. Dopo due ore (*arrivare*) .... al mare in Liguria.

1		2	
3		4	
5		6	
7		8	

edizioni Edilingua

.8 **Write sentences using the present perfect then tell the story about Antonio and Giorgio.**

Antonio e Giorgio hanno fatto la stessa università. Ecco che cosa è successo loro dopo la laurea:

Nel luglio del 2006 Antonio e Giorgio si sono laureati in Ingegneria meccanica al Politecnico di Torino.

....

....

....

....

....

	luglio 2006	gennaio 2007	estate 2008	novembre 2009	gennaio 2011
Antonio	laurearsi in Inge-gneria meccani-ca al Politecnico di Torino	partire per fare un Master alla Columbia University	conoscere Mary e poco dopo spo-sarsi	trovare lavoro alla General Motors a Detroit	nascere la sua prima figlia, Nancy
Giorgio	laurearsi in Ingegneria meccanica al Politecnico di Torino	fare uno stage alla Magneti Marelli vicino a Milano	iniziare a lavorare alla Fiat di Torino	incontrare Antonella a casa di amici e poco dopo sposarsi	separarsi e divorziare

.9 **Un po' di musica leggera! Put the verbs in the present perfect then reorganise Mina's story.**

Mina

Tra gli ultimi album della superdiva italiana ricordia-mo: *Bula Bula, Mina n° 0, Napoli secondo estratto, Cremona, Veleno* e *Questa Vida Loca.*
Tra le canzoni più famose cantate da Mina ricordiamo *Insieme, Il cielo in una stan-za, Parole parole, Grande grande grande, Neve, Un'e-state fa.*
Mina scrive anche articoli per *la Stampa* di Torino e per la rivista *Vanity Fair.*

A   *decidere*
Nel 1978 Mina ....(1) di non cantare più in pubblico.
Da più di vent'anni vive a Lugano, in Svizzera, dove lavora e incide molti dischi.

B   *partecipare*   *diventare*   *iniziare*   *cantare*
Mina ....(2) a cantare nel 1958, in un locale di Marina di Pietrasanta, in Toscana. Nel 1959 ....(3) al program-ma televisivo *Il Musichiere*, dove ....(4) la canzone *Nessuno*, grazie alla quale ....(5) famosa.

       incidere   *interpretare*   *continuare*
C   *contribuire*   *tenere*   *rendere*   *cantare*
Da allora Mina ....(6) a lavorare in televisione, ...(7) concerti e ....(8) molti dischi. ....(9) e ....(10) a rendere famose can-zoni scritte da molti autori italiani e stranieri. Per esempio ....(11) famosa la canzone di Fabrizio De Andrè *La canzone di*

17. Il passato prossimo

Marinella. Mina ....(12) anche molte canzoni di Mogol, Lucio Battisti, Gino Paoli, Riccardo Cocciante, Franco Califano, Adriano Celentano ecc.

D   *nascere*

Mina è una grande cantante italiana di musica leggera, è molto famosa in Italia e all'estero. È una delle poche cantanti europee a essersi avvicinata alle grandi voci del jazz. Il vero nome di Mina è Maria Mazzini. ....(13) a Busto Arsizio, in provincia di Varese, in Lombardia.

(adattato da www.dueparole.it)

1. .....   2. .....   3. .....   4. .....

17.10   **Un po' di cultura e arte! Read the advertisement of this travel agency and complete, on the next page, Loretta's story with verbs in the present perfect in the blue spaces .... and other information in the red spaces ....**

ITALVIAGGI s.r.l.

Gita in Emilia-Romagna

Ore 7.30   **Partenza da Milano** MM Cascina Gobba linea verde.

Ore 8.30   **Arrivo a Castell'Arquato**. Immerso nelle colline tra Fidenza e Piacenza, è uno dei paesi più caratteristici a sud del Po. Colazione in un bar della centrale Piazza Matteotti.

Ore 9.15   **Visita a Palazzo Pretorio** (XIII sec.), l'edificio medievale più rappresentativo in Piazza Matteotti; visita all'imponente **Rocca Viscontea** (XIV sec.) nella piazza del Municipio.

Ore 10.30 **Partenza per Parma**, città famosa non solo per i suoi prodotti gastronomici (Parmigiano Reggiano e Prosciutto di Parma), ma anche ricca di magnifici dipinti e sculture e bei palazzi medievali.

Ore 11.00 **Arrivo a Parma**. Visita al Duomo, uno dei più belli dell'Italia settentrionale. Nella cupola è rappresentata l'*Assunzione* del Correggio; visita al vicino Battistero; visita alla Chiesa di San Giovanni Evangelista, a destra del Duomo, con affreschi del Correggio.

Ore 13.30 **Pranzo** in uno dei tipici ristoranti della zona.

Ore 15.30 **Visita** ad un'azienda locale famosa per la produzione di Parmigiano Reggiano e Prosciutto di Parma, dove si potranno comprare questi prodotti a prezzi di produzione.

Ore 17.00 **Partenza per Milano**.

Ore 19.00 **Arrivo a Milano** a MM Cascina Gobba linea verde.

Loretta racconta alle sue colleghe la gita che ha fatto domenica con la sua mamma in Emilia.

Ieri io e la mia mamma abbiamo fatto una bellissima gita in Emilia. (1)............................ alle 7.30 e dopo circa un'ora (2)............................ a Castell'Arquato, un paese molto carino tra (3)............................ e Piacenza. Qui (4)............................ colazione e poi (5)............................ Palazzo Pretorio, un palazzo medievale in Piazza Matteotti. Alle 10.30 circa (6)............................ per Parma. Siamo arrivate verso le 11.00, (7)............................ il Duomo, dove si trovano degli affreschi del (8)............................, e la Chiesa di San Giovanni Evangelista.

Poi, verso l'una e mezza, (9)............................ a pranzare in un ristorante tipico della zona. La mia mamma (10)............................ un antipasto a base di salumi, prosciutto di Parma, naturalmente, salami e formaggi, e un primo, le tagliatelle all'uovo con il ragù. Io invece (11)............................ un primo, le lasagne, e poi un secondo, arista di maiale con patate arrosto. (12)............................ dei vini rossi locali come il Lambrusco e il Sangiovese. Un pranzo veramente eccezionale!

Nel pomeriggio (13)............................ a visitare (14)............................ della zona, che è famosa per la produzione di Parmigiano Reggiano e (15)............................. La mia mamma (16)............................ tre chili di Parmigiano Reggiano, un po' per noi e un po' da regalare. Verso le cinque (17)............................ per Milano e (18)............................ alle sette di sera. Guardate, una gita davvero bella!

.1 The present perfect and the direct object pronouns

When using **avere** in the present perfect the participle usually ends in -o.	Gianni **ha acceso** la radio. I ragazzi **hanno lavato** la macchina.
Careful!  When the present perfect is preceded by the object pronouns **lo, la, li, le**, the ending of the past participle always changes. There are 4 endings: -o, -a, -i, -e.	• Quando hai visto Marcello? • L'ho vist**o** ieri. • Quando hai visto Sara? • L'ho vist**a** ieri. • Quando hai visto Dino e Pino? • Li ho vist**i** ieri. • Quando hai visto Lucia e Pina? • Le ho vist**e** ieri.
Important!  When the present perfect is preceded by the object pronouns **mi, ti, ci, vi**, the ending of the participle is -o or -o, -a, -i, -e.	Gianni vi ha incontrat**o** ieri al cinema? Gianni vi ha incontrat**e** ieri al cinema? Luisa, ti ha accompagnat**o** il babbo? Luisa, ti ha accompagnat**a** il babbo?

17. Il passato prossimo

EXERCISES

17.1.1 Un po' di cultura! Choose the right answer and guess the profession of these Italian celebrities.

compositore ☐   regista ☐   chef ☐   giornalista ☐   scrittrice ☐   cantante ☐

1. Hai visto l'ultimo film di Gianni Amelio?

   a) Sì, l'ho vista ieri.   **b)** Sì, l'ho visto ieri.   **c)** Sì, le ho viste ieri.

2. Hai letto gli ultimi articoli di Paolo Mieli sulla politica italiana?

   a) Sì, l'ho letto.   **b)** Sì, l'ho letta.   **c)** Sì, li ho letti.

3. Hai visitato la casa natale di Verdi a Roncole?

   a) Sì, li ho visitati.   **b)** Sì, l'ho visitata.   **c)** Sì, le ho visitate.

4. Hai prenotato in libreria la biografia di Oriana Fallaci?

   a) Sì, l'ho prenotata.   **b)** Sì, l'ho prenotato.   **c)** Sì, le ho prenotate.

5. Hai provato le ultime ricette di Gualtiero Marchesi?

   a) Sì, le ho provate.   **b)** Sì, l'ho provato.   **c)** Sì, li ho provati.

6. Hai comprato l'ultimo CD di Andrea Bocelli?

   a) Sì, l'ho comprata.   **b)** Sì, le ho comprate.   **c)** Sì, l'ho comprato.

Andrea Bocelli

17.1.2 Add the missing vowel to the object pronouns and present perfect verbs. Be careful because sometimes you need the apostrophe not the vowel!

> *Andrea deve partire per Roma per fare l'esame da magistrato, esame molto difficile con un numero molto basso di promossi. Andrea è di solito un tipo distratto e oggi è anche molto nervoso. La sua fidanzata, Marcella, lo aiuta a preparare la valigia.*

Marcella: Hai preso l'astuccio con schiuma da barba, rasoio, dentifricio, spazzolino...

Andrea: Sì, sì, la schiuma da barba l..... ho pres.....(1), il rasoio l..... ho pres.....(2), il dentifricio e lo spazzolino l..... ho pres.....(3).

Marcella: La giacca e i pantaloni neri?

Andrea: La giacca l..... ho mess.....(4) in valigia prima e i pantaloni neri l..... ho piegat.....(5), sono qui.

Marcella: La camicia nuova del compleanno e le cravatte?

Andrea: Allora la camicia l..... ho lasciat.....(6) nell'altra stanza, vado a prenderla. Le cravatte l..... ho piegat.....(7) prima e l..... ho mess.....(8) nel portacravatte.

Marcella: Le scarpe e le calze?

Andrea: Le scarpe l..... ho pulit.....(9) e l..... ho mess.....(10) in valigia insieme alle calze.

Marcella: I tuoi appunti, i tuoi libri...?

Andrea: L..... ho già preparat.....(11) e l..... ho mess.....(12) nella mia ventiquattrore.

    edizioni Edilingua

.3 **Use the object pronoun and the present perfect, as in the example.**

Il Dottor Guglielmini è via per lavoro e lascia una nota alla sua segretaria. La sua segretaria controlla se ha fatto tutto e scrive...

A: Sig.ra Rossi
Da: Guglielmini

Fissare la data del meeting con gli agenti.

Scrivere al computer le lettere che ho lasciato sulla mia scrivania.

Mandare il fax all'ingegner Dossena.

Riordinare i file nuovi.

Prendere appuntamento con la Dott.ssa Casoli.

Inviare un'email di conferma all'ingegner Fioravanti.

Preparare le buste con i dépliant per la Dott.ssa Castellari.

Prenotare l'aereo per il viaggio di venerdì prossimo.

Il meeting l'ho fissato, le lettere...

7.2 **The present perfect with modal verbs** ●●●●

Avere or essere are also used for the present perfect of modal verbs. Avere is used when the infinitive of the verb takes *avere* in the present perfect; essere is used when the infinitive of the verb takes *essere* in the present perfect.	Stefano e Tina **hanno** mangiato tutta la torta. Stefano e Tina **hanno** dovuto mangiare tutta la minestra.
	Paola e Luisa **sono** andate via prima. Paola e Luisa **sono** dovute andare via prima.
	Cinzia non **ha** studiato la lezione di storia. Cinzia non **ha** voluto studiare la lezione.
	Pina **è** restata fino alla fine della riunione. Pina **è** voluta restare fino alla fine.
	Gianna, **hai** suonato la chitarra? Gianna, **hai** potuto suonare la chitarra?
	Sofia e Dante, **siete** andati al cinema? Sofia e Dante, **siete** potuti andare al cinema?

Important! ●●●•• In spoken Italian *avere* is used more than *essere*.	Gina non ha potuto partire ieri. (*spoken Italian*) Gina non è potuta partire ieri. Giancarlo e Anna hanno dovuto rimanere a casa. (*spoken Italian*) Giancarlo e Anna sono dovuti rimanere a casa.

EXERCISES

17.2.1 Add the missing vowels and the verb **essere** or **avere** then link the sentences.

1. Marcella, perché ieri …………… tornat….. a casa tardi dall'università? C'era una conferenza?

2. La mamma di Gina non si …………… sentit….. bene;

3. Il nostro cliente …………… pres….. un taxi

4. Serena, …………… andat….. alla festa di compleanno di Michele?

5. Andrea, …………… fatt….. un grosso errore di valutazione

6. Giovanni e Francesco, perché non …………… arrivat….. puntuali?

a) perché il dottor Rognoni non …………… potut….. accompagnarlo all'aeroporto.

b) No, non …………… volut….. andare per non incontrare il mio ex fidanzato.

c) Non …………… potut….. arrivare in orario perché …………… pers….. il treno.

d) quindi Gina …………… dovut….. uscire prima dal lavoro e andare a casa.

e) No. Non c'era una conferenza. …………… dovut….. finire un lavoro.

f) perché non mi …………… volut….. ascoltare.

17.2.2 Un po' di cultura e attualità! Put these sentences in the past.

1. Giancarlo vuole andare alla mostra su Leonardo da Vinci.

2. Devo lavorare e quindi non posso andare al convegno dello scienziato Zichichi.

3. Puoi andare a teatro lunedì a vedere *Sei personaggi in cerca d'autore* di Pirandello?

4. Dovete studiare anche durante il fine settimana o potete andare a Bormio a sciare?

5. Maria e Giovanni vogliono vedere il film *Non ti muovere* del regista Castellitto, tratto dall'omonimo libro scritto dalla Mazzantini, moglie del regista.

Penèlope Cruz e Sergio Castellitto in una scena di *Non ti muovere*

edizioni Edilingua

I pronomi indiretti

	SINGULAR	PLURAL
1st person	**mi** (a me)	**ci** (a noi)
2nd person	**ti** (a te)	**vi** (a voi)
3rd person masculine	**gli** (a lui)	**gli/loro** (a loro)
3rd person feminine	**le** (a lei)	**gli/loro** (a loro)
3rd person (polite form m & f)	**Le** (a Lei)	

The indirect object pronouns mi, ti, gli/le/Le, ci, vi, gli/loro are used to substitute people, objects or animals introduced by the preposition a (indirect object).

Scrivo una lettera (direct object) a Maria (indirect object) ➡ Le scrivo una lettera.

Lucia ha pagato il biglietto (direct object) del cinema a Marco (indirect object) ➡ Lucia gli ha pagato il biglietto del cinema.

The indirect object pronouns usually precede the verb and answer the questions *to whom? to what?*

With many verbs the indirect object can be used, as can the indirect object pronouns and the direct object (*who? what?*).

There are few verbs that only take the indirect object and the indirect object pronouns.

- Che cosa ti piace fare la domenica?
- Mi piace andare in discoteca.
- Quando telefoni a Franco?
- Gli telefono domani.
- Quando scrivi a Gianna?
- Le scrivo una lettera al più presto.

Domani, mi serve la macchina per andare dal medico.
Ci interessa sapere tutto.
Vi sembra interessante questo film?

With an infinitive verb preceded by a modal verb the indirect object pronoun is usually joined to the infinitive or placed before the modal verb.

Devo dirgli di andare dal mio medico.
Gli devo dire di andare dal mio medico.

Careful!

Loro is less used than gli and follows the verb.

- Hai scritto a Gianni e Luisa?
- Sì, gli ho scritto.
- Sì, ho scritto loro.

Careful!

Indirect object pronouns never take an apostrophe.

Le ho raccontato la storia di Paolo e Francesca.
L'ho raccontato la storia di Paolo e Francesca (**NO!**).

Some verbs that take the indirect and direct object pronouns

chiedere	domandare	mostrare	regalare
comprare	fare	portare	scegliere
consigliare	insegnare	prendere	scrivere
dare	leggere	preparare	spedire
dire	mettere	raccontare	

Some verbs that take only the indirect object pronoun

assomigliare	interessare	rimanere	succedere
bastare	parlare	rispondere	telefonare
credere	piacere	sembrare	volere bene
dispiacere	restare	servire (avere bisogno di)	

EXERCISES

18.1 Complete the sentences with the indirect object pronouns.

1. A me   Paola .... ha detto molte bugie.
2. Ai suoi amici   Paola .... ha detto molte bugie.
3. A te   Paola .... ha detto molte bugie.
4. A voi   Paola .... ha detto molte bugie.
5. A Donatella   Paola .... ha detto molte bugie.
6. A Giuseppe   Paola .... ha detto molte bugie.
7. A Lei, Signora Rossi,   Paola .... ha detto molte bugie.
8. A noi   Paola .... ha detto molte bugie.

18.2 Choose the correct indirect object pronoun and rewrite the sentences, as in the example. Careful: one sentence can be rewritten with both the pronouns.

1. Mando il pacco a Carlo.   **A** gli   **B** le   *Gli mando il pacco.*
2. Voglio dare a Damiano una bella lezione.   **A** gli   **B** le   ....
3. A Maria non dispiace aspettare un attimo. **A** gli   **B** le   ....
4. Ai ragazzi restano dieci giorni per studiare per l'esame.   **A** gli   **B** loro   ....
5. Ai signori Rossoni non piacciono gli scherzi.   **A** gli   **B** le   ....
6. Devo restituire 30 euro a Francesca.   **A** gli   **B** le   ....
7. Ho letto il riassunto a Dina e a Giacomo. **A** gli   **B** le   ....
8. Non ho potuto prestare la bicicletta a Lorenzo.   **A** gli   **B** le   ....

18.3 Choose the right sentence.

1. **A** Non vi possiamo dare l'auto, serve a Marta.   **B** Non ci possiamo dare l'auto, serve a Marta.
2. **A** Mi ho portato i libri per studiare.   **B** Ti ho portato i libri per studiare.
3. **A** Buonasera signore, cosa Le posso servire?   **B** Buonasera signore, cosa gli posso servire?

                    edizioni Edilingua

4. **A** Quando mi hai telefonato?   **B** Quando ti hai telefonato?

5. **A** • Cosa le hai detto l'altra sera? • A chi? A Maria?   **B** • Cosa gli hai detto l'altra sera? • A chi? A Maria?

6. **A** Ci avete portato la cartina della città?   **B** Vi avete portato la cartina della città?

---

4   **Read the email and add the correct indirect object pronouns.**

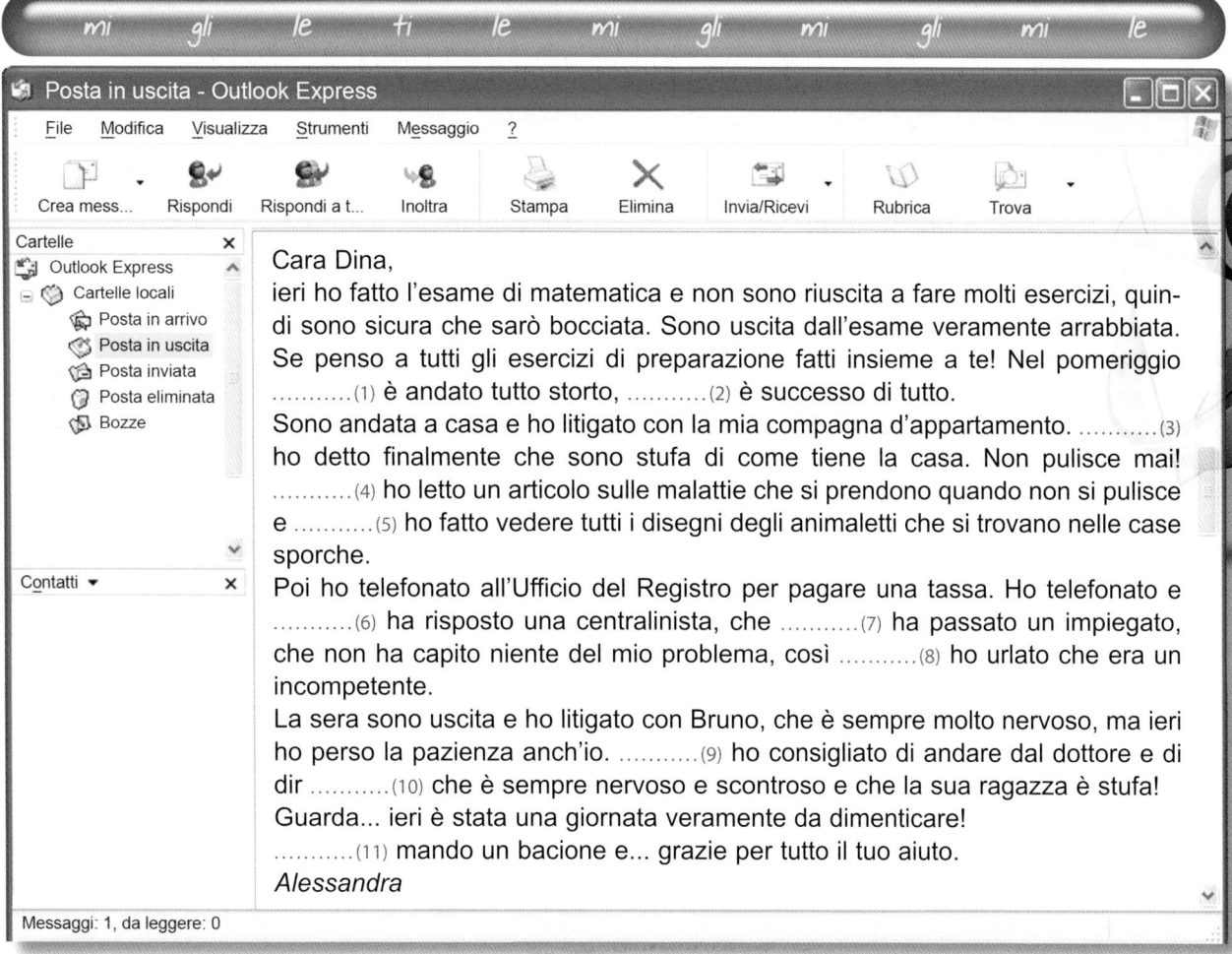

mi   gli   le   ti   le   mi   gli   mi   gli   mi   le

Posta in uscita - Outlook Express

File   Modifica   Visualizza   Strumenti   Messaggio   ?

Crea mess...   Rispondi   Rispondi a t...   Inoltra   Stampa   Elimina   Invia/Ricevi   Rubrica   Trova

Cartelle
- Outlook Express
  - Cartelle locali
    - Posta in arrivo
    - Posta in uscita
    - Posta inviata
    - Posta eliminata
    - Bozze

Contatti

Cara Dina,
ieri ho fatto l'esame di matematica e non sono riuscita a fare molti esercizi, quindi sono sicura che sarò bocciata. Sono uscita dall'esame veramente arrabbiata. Se penso a tutti gli esercizi di preparazione fatti insieme a te! Nel pomeriggio ....(1) è andato tutto storto, ...(2) è successo di tutto.
Sono andata a casa e ho litigato con la mia compagna d'appartamento. ....(3) ho detto finalmente che sono stufa di come tiene la casa. Non pulisce mai! ....(4) ho letto un articolo sulle malattie che si prendono quando non si pulisce e ....(5) ho fatto vedere tutti i disegni degli animaletti che si trovano nelle case sporche.
Poi ho telefonato all'Ufficio del Registro per pagare una tassa. Ho telefonato e ....(6) ha risposto una centralinista, che ....(7) ha passato un impiegato, che non ha capito niente del mio problema, così ....(8) ho urlato che era un incompetente.
La sera sono uscita e ho litigato con Bruno, che è sempre molto nervoso, ma ieri ho perso la pazienza anch'io. ....(9) ho consigliato di andare dal dottore e di dir ....(10) che è sempre nervoso e scontroso e che la sua ragazza è stufa!
Guarda... ieri è stata una giornata veramente da dimenticare!
..........(11) mando un bacione e... grazie per tutto il tuo aiuto.
Alessandra

Messaggi: 1, da leggere: 0

.5   **Add the correct indirect object pronouns and match the questions to the answers.**

1. Gina, hai chiesto scusa alla mamma?

2. .... è piaciuta la commedia, ragazzi?

3. Gianni, cosa .... serve per appendere il quadro?

4. Signora Rossi, ... porto un caffè?

5. A Ettore interessa la letteratura inglese?

6. Lino, ieri Luciana e Marcella .... hanno raccontato la verità sull'incidente?

7. Come .... sembra il vestito, Loretta?

8. .... bastano 40 € per la pizza, ragazze?

a) No, non .... interessa.

b) Sì, ... bastano.

c) Sì, ... ho chiesto scusa ieri sera.

d) .... servono un chiodo e un martello.

e) No, non .... è piaciuta.

f) No, grazie non .... va adesso.

g) .... sembra bello, un bel rosso!

h) Sì, ma io non .... ho creduto.

19   L'imperfetto indicativo

	ARE	ERE	IRE
	lavorare	**prendere**	**capire**
io	**lavoravo**	**prendevo**	**capivo**
tu	**lavoravi**	**prendevi**	**capivi**
lui/lei/Lei	**lavorava**	**prendeva**	**capiva**
noi	**lavoravamo**	**prendevamo**	**capivamo**
voi	**lavoravate**	**prendevate**	**capivate**
loro	**lavoravano**	**prendevano**	**capivano**

essere	bere	dire	fare	tradurre	opporre
ero	**bevevo**	**dicevo**	**facevo**	**traducevo**	**opponevo**
eri	**bevevi**	**dicevi**	**facevi**	**traducevi**	**opponevi**
era	**beveva**	**diceva**	**faceva**	**traduceva**	**opponeva**
eravamo	**bevevamo**	**dicevamo**	**facevamo**	**traducevamo**	**opponevamo**
eravate	**bevevate**	**dicevate**	**facevate**	**traducevate**	**opponevate**
erano	**bevevano**	**dicevano**	**facevano**	**traducevano**	**opponevano**

STRUCTURE

The imperfect is a simple tense. The various endings are added to the first part of the verb, which does not change.

Antonio studiava e guardava la televisione.

Most verbs are regular, so there are few irregular verbs.

Lucia non credeva mai a quello che le dicevo.

USE

The imperfect is usually used for actions or events in the past that express or describe:

1. habit and repetition;

Tutte le mattine mi alzavo alle otto.

2. contemporaneous action and/or continuity that takes place in a period of time that is not defined or limited;

Mentre Mara lavava i piatti, Lucia studiava. Paolo leggeva, quando è arrivata a casa Lina (see *"L'imperfetto e il passato prossimo"*, page 120).

3. physical appearance or state of mind of a person (verbs most frequently used: *essere, avere, amare, credere, desiderare, pensare, ricordare, sperare*); places and situations;

Era alta, bella, intelligente. Indossava un bel cappotto e quella sera aveva un elegante cappello in testa.
La neve scendeva e imbiancava le montagne.

edizioni Edilingua

4. age, weather, time and times of the day.	Quando **avevo** sei anni, **andavo** sempre in piscina. **Erano** le otto del mattino e **faceva** già molto caldo.	

The imperfect is also used:

1. as a polite form instead of the present indicative or conditional;

Signorina, **volevo** (instead of **voglio** or **vorrei**) chiederLe un favore.

2. with the forms **stare per** + infinitive and **stare** + gerund. The gerund may substitute the imperfect to better express an action in progress in the past.

Stavo per finire di lavorare, quando è squillato il telefono.
Stavano studiando (**Studiavano**) in biblioteca, quando il preside è venuto a chiamarli.

The imperfect is usually used with adverbs or expressions of time that indicate protracted or repeated time such as:
mentre, quando, sempre, spesso, di solito, a volte, certe volte, tutti i giorni/mesi/gli anni, tutte le settimane, ogni giorno/settimana/mese/anno etc.

Noi **andavamo** sempre al mare d'estate.
Quando è entrata Flavia **parlavo** al telefono.
Prendevamo il treno ogni giorno alle 6.

EXERCISES

.1 **Un po' di letteratura!** Find the verbs in the imperfect and add the infinitive, as in the example.

Michela Murgia (1972), una scrittrice italiana piena di vitalità e legata alla sua terra, la Sardegna. I suoi testi, diretti e precisi, hanno uno stile giovane e moderno. Tra le sue opere ricordiamo *Il mondo deve sapere*, il diario di un mese di lavoro in un *call center*, dove racconta la precarietà, riuscendo anche a far ridere. Fino alle lacrime. Dal libro è stato tratto il film *Tutta la vita davanti* diretto da Paolo Virzì. Per l'Einaudi pubblica *Viaggio in Sardegna*, una guida narrativa per perdersi in Sardegna, e *Accabadora* con il quale vince il premio Campiello.

La maestra aveva i capelli di un biondo giovane che sfiorava appena le spalle; non se li copriva mai neanche quando andava in chiesa, dove la sua testa chiara spiccava tra le altre come un papavero nel grano. Nonostante questo, non si poteva trovare niente di maligno da dire sul suo conto, se non che per essere una continentale non era molto più alta della media del paese; ma se era una bionda, un difetto secondario come l'altezza lo si perdonava facilmente.

(*M. Murgia*, Accabadora, *Einaudi*)

Imperfect	Infinitive
aveva	avere

19. L'imperfetto indicativo

19.2 **Choose the right verb in the imperfect.**

1. Cinque anni fa Giancarlo aveva/avevo un'auto sportiva.
2. A sei anni tu non sapeva/sapevi nuotare.
3. Quando eri/era giovane, la sorella di Luigi lavoravo/lavorava in fabbrica.
4. Da piccoli, Franco e Andrea nascondevamo/nascondevano i giocattoli nell'armadio.
5. In estate, da ragazzi, io e Marcello uscivamo/uscivano tutte le sere.
6. Il lunedì alle nove cominciavi/cominciava la lezione di matematica.
7. Quando io andavi/andavo alle medie, leggevi/leggevo molti romanzi.
8. Nel secolo scorso gli emigranti partivamo/partivano dall'Italia per andare a cercare lavoro in America.

19.3 **Un po' di narrativa! Put the verbs in the imperfect.**

Mamma non (*sedersi*) ....(1) mai a tavola con noi.
Ci (*servire*) ....(2) e (*mangiare*) ....(3)
in piedi. Con il piatto poggiato sopra il frigorifero. (*Parlare*)
......................(4) poco, e (*stare*) ....(5) in piedi. A
cucinare. A lavare. A stirare. Se non (*stare*) ....(6)
in piedi, allora (*dormire*) ....(7). La televisione la
(*stufare*) ....(8). Quando (*essere*) ....(9)
stanca (*buttarsi*) ....(10) sul letto e (*dormire*) ....
......................(11).
Al tempo di questa storia mamma (*avere*) ....(12) trentatré anni.
(*Essere*) ....(13) ancora bella. (*Avere*) ....(14) lunghi
capelli neri che le (*arrivare*) ....(15) a metà schiena e li (*tenere*)
......................(16) sciolti. (*Avere*) ....(17) due occhi scuri grandi
come mandorle, una bocca larga, denti forti e bianchi e un mento a punta.
(*Sembrare*) ....(18) araba. (*Essere*) ....(19) alta, formo-
sa, (*avere*) ....(20) il petto grande, la vita stretta.

(*N. Ammaniti, Io non ho paura, Einaudi*)

Niccolò Ammaniti (Roma, 1966) è uno scrittore che ha raggiunto il successo con il romanzo *Io non ho paura*. Questo romanzo è ambientato in una calda estate in Puglia e nella tranquillità della campagna il gioco di un gruppo di bambini si trasforma nella scoperta, terribilmente reale, del male.

19.4 **Un po' di musica leggera! Put the verbs in the imperfect.**

La gatta

(*Esserci*) ....(1) una volta una gatta
che (*avere*) ....(2) una macchia nera sul
muso e una vecchia soffitta vicino al mare
con una finestra a un passo dal cielo blu.
Se la chitarra (*suonare*) ....(3)
la gatta (*fare*) ....(4) le fusa
ed una stellina (*scendere*) ....(5) vicina vicina
poi mi (*sorridere*) ....(6) e se ne (*tornare*)
......................(7) su.
Ora non abito più là

Gino Paoli, famoso cantautore, è nato nel 1934 a Monfalcone (Gorizia) e si è trasferito da bambino a Genova. Ha scritto alcune tra le più belle pagine della musica italiana. Gino Paoli insieme a suoi "quattro amici" ha dato vita, a Genova, alla canzone d'autore, forma di espressione musicale rivoluzionaria, che mira ad esprimere sentimenti e fatti di vita reale con un linguaggio non convenzionale. La canzone è diventata così forma d'arte a tutti gli effetti.
Tra le sue canzoni più famose ricordiamo *Sassi, Il cielo in una stanza, La gatta, Sapore di sale, Senza fine, La Bella e la Bestia, Matto come un gatto, Quattro amici al bar.*

edizioni Edilingua

tutto è cambiato non abito più là

ho una casa bellissima

bellissima come vuoi tu.

Ma io ripenso a una gatta

che (*avere*) ....(8) una macchia nera sul muso

a una vecchia soffitta vicino al mare

con una stellina che ora non vedo più.

.5 **Look at the picture and use the imperfect, as in the example in blue, to describe a Saturday afternoon in the Fioravanti household.**

ripetere	essere	abbaiare	ascoltare	studiare	saltare
leggere	lavare	mettere	cucinare	pulire	

Mentre la signora Fioravanti era in cucina dove ....(1) i piatti e ....(2), in salotto il marito ....(3) i vetri, il gatto ....(4) sul tavolo e il cane ....(5). Nella sua stanza Maria, invece, ...(6) la radio, ...(7) lo smalto alle unghie e ....(8) l'ultimo romanzo di Tabucchi. Nella sua stanza Alessandro ....(9) e ....(10) a voce alta la lezione di geografia per lunedì.

19.6 **Put the verbs in the imperfect, as in the example.**

esserci	divertirsi	stare	essere	avere	avere	essere	esserci
avere	essere	conoscersi	essere	stare	aiutarsi	essere	

Di fronte all'appartamento di Marisa a Torino abita il signor Masi, un anziano signore che, quando incontra Marisa, si lamenta sempre della vita di oggi e ricorda i bei tempi passati.

Signor Masi: Eh sì, ai miei tempi... noi stavamo meglio, quando ....(1) peggio.

Marisa: Perché, scusi?

Signor Masi: Perché, perché... perché la gente ....(2) più povera, ma ....(3) più buona, meno egoista, i vicini ....(4) e ....(5) quando ....(6) necessario. Oggi tutti hanno paura di tutto, hanno paura di uscire di notte, anche di giorno. Quarant'anni fa nessuno ....(7) paura di uscire di giorno.

Marisa: Non esageriamo! Io esco di sera, certo, vado in zone e in locali sicuri o esco con la macchina.

Signor Masi: A proposito di macchine. Adesso la città è piena di macchine, quarant'anni fa ....(8) poche macchine e non ....(9) tutto questo inquinamento. E poi quando ....(10) giovane io, i giovani non ....(11) tutto questo benessere. Oggi i giovani hanno macchine potenti, vanno a divertirsi, bevono e ogni fine settimana ci sono incidenti stradali con molti morti. Ai miei tempi i giovani ....(12) con poco, non ....(13) tanto denaro, ...(14) più moderati e più coscienziosi.

Marisa: Sì, è vero che ci sono molti incidenti, ma non si può sempre generalizzare.

19.1 **The imperfect and the present perfect**

1. The imperfect is used for a continuous action in the past in a period of time that is not defined or limited; The present perfect is used for an action that happened in a period of time that is defined and completed.	Ieri mattina alle 9 leggevo il giornale (*continuous action, it is not indicated that it is finished*). Ieri mattina ho letto il giornale fino alle 9 (*momentary action, it is indicated that it is finished*).
2. The imperfect is used for two continuous actions taking place at the same time; The present perfect is used for two completed successive actions.	Quando lavoravo a Roma, andavo ogni sabato in palestra. Prima ho lavorato a Roma, poi mi sono trasferito a Milano.
3. The imperfect is used for a past action in progress while another one is already in progress; The present perfect is used for a single action that interrupts another action that was in progress.	Abbiamo visto Mario che nuotava in piscina Mentre Lucia mangiava, ha telefonato Gina.

The imperfect and present perfect of special verbs

The verbs conoscere and sapere change their meaning in the imperfect and present perfect.	Conoscevo un dottore in America. (*Knowing someone for a long time*) Ho conosciuto un dottore in America. (*Meeting someone for the first time*) Sapevo che Mario era a Roma. (*Knowing something for a long time*) Ho saputo che Mario era a Roma. (*Discovering/learning something from another person*)
The modal verbs dovere, potere and volere - in the imperfect express uncertainty: the action has not taken place or it is unclear whether it has; - but when used in the present perfect we can be certain the action has taken place.	Doveva telefonare al preside. (*It is not sure, maybe he phoned, no one knows*) Ha dovuto telefonare al preside. (*It is sure, he phoned*) Non poteva andare a teatro. (*It is not sure, maybe he went, no one knows*) Non è potuto andare a teatro. (*It is sure, he didn't go*) Voleva offrirci un passaggio in macchina. (*It is not sure, maybe he gave us a lift, no one knows*) Ha voluto offrirci un passaggio in macchina. (*It is sure, he gave us a lift*)

EXERCISES

1.1 **Choose the present perfect or the imperfect, as in the example.**

Due vecchie amiche si incontrano dopo tanto tempo

Lo scorso weekend Laura (1) è andata/andava a trovare una sua vecchia amica delle superiori, che abita a Pescasseroli e che si chiama Antonia. Venerdì sera Laura (2) prendeva/ha preso l'ultima corriera dalla stazione di Avezzano ed (3) è arrivata/arrivava nel paese, dove abita la sua amica, verso le nove.

Antonia (4) aspettava/ha aspettato Laura alla stazione delle corriere. A piedi (5) sono andate/andavano a casa, dove (6) hanno mangiato/mangiavano e (7) bevevano/hanno bevuto. (8) È stata/Era estate, (9) ha fatto/faceva caldo e anche se (10) era/è stato tardi Laura e Antonia (11) uscivano/sono uscite per andare a bere un buon caffè nel bar della piazza principale del paese. Dopo un po' (12) entrava/è entrato nel bar Marco, una vecchia fiamma di Antonia. Marco (13) era/è stato sempre quello di una volta, molto affascinante. Antonia e Marco (14) si salutavano/si sono salutati da buoni vecchi amici.

19. L'imperfetto indicativo

19.1.2 Put the verbs in the imperfect or present perfect. Be careful: sometimes the imperfect can be replaced by **stare + gerund**! When you can, use both forms.

Che facevano/stavano facendo gli invitati alla festa di compleanno di Silvia quando è arrivato Marcello?

| ballare | mangiare | giocare | ascoltare | arrivare | compiere | bere | leggere |

Silvia ....(1) 14 anni e alla sua festa, quando Marcello ....(2), Paola e Danila ....(3) la loro canzone preferita e un po' di ragazzi e ragazze ....(4). Pietro ....(5) un'aranciata, mentre Fiorenza, la sua ragazza, che è sempre affamata, ...(6) una fetta di dolce. La sorellina e il fratellino di Silvia ....(7) a nascondino. Federica ....(8) un giornalino.

19.1.3 Un po' di cultura! Use the imperfect or present perfect, as in the example in blue.

Più di 50 anni di televisione

| vivere | potere | cominciare | vedere |

Il 3 gennaio 1954 la RAI, Radiotelevisione italiana, ha cominciato a trasmettere le prime trasmissioni televisive. All'inizio del 1954 solo gli italiani che ....(1) in alcune regioni italiane del Nord e del Centro, come Piemonte, Lombardia, Liguria, Toscana, Umbria e Lazio, ...(2) vedere la televisione. Nel 1961 quasi tutti gli italiani ....(3) la televisione.

| riunirsi | avere | potere | andare |

Negli anni '50 la maggior parte degli italiani ....(4) pochi soldi e perciò non ....(5) comprare il televisore. Per vedere le trasmissioni televisive gli italiani ....(6) al bar, nei circoli, nelle sedi dei partiti politici o ....(7) a casa dei loro vicini di casa.

| essere | avere | nascere | cominciare | nascere |

All'inizio la televisione ....(8) solo una rete e poche trasmissioni. Le trasmissioni ....(9) tutte in bianco e nero. Nel novembre del 1961 ....(10) la seconda rete televisiva. Nel 1977..(11) le trasmissioni a colori. Nel 1979 ....(12) la terza rete dedicata soprattutto ai programmi regionali.

(adattato da www.dueparole.it)

.4 **Choose the correct verb.**

1. Non è potuto/poteva andare al cinema, perché aveva da studiare.

2. Andrea e Lucia volevano/hanno voluto avere tanti bambini, ma è nato solo Luca.

3. Ho saputo/Sapevo già che tua figlia era in Gran Bretagna.

4. Quando Laura lavorava alla Fiat, non conosceva/ha conosciuto ancora il suo futuro marito.

5. Dovevo/Sono dovuta rimanere, perché il babbo aveva bisogno d'aiuto.

6. Gianni ha voluto/voleva pagare il conto per festeggiare la sua promozione.

.5 **Use the imperfect or present perfect of the verbs given.**

1. Lina .... partire alle cinque, ma l'aereo era in ritardo.

2. Ieri Mara non .... andare a scuola, perché era ammalata.

3. Tutti lo hanno sconsigliato, ma Lucio .... incontrare Marco lo stesso.

4. Sono andati in città, perché .... comprare le scarpe e il cappotto.

5. Avevo tanto da fare e quindi .... rinviare l'appuntamento con Gianni.

6. .... che la signora Lorenzoni è in ospedale perché ho incontrato sua figlia ieri.

DOVERE

POTERE

VOLERE

VOLERE

DOVERE

SAPERE

La Fontana di Trevi, *Roma*

19. L'imperfetto indicativo

SINGULAR		PLURAL		
masculine	feminine	masculine	feminine	
che	**che**	**che**	**che**	without prepositions
il quale	**la quale**	**i quali**	**le quali**	with or without prepositions
cui	**cui**	**cui**	**cui**	with prepositions

The relative pronouns are used to substitute a noun and also to join and relate two clauses, one main and the other subsidiary.

Che
The pronoun che is invariable and is used frequently, but only as the subject or object of the subsidiary clause and never with prepositions.

Ho letto *il libro* che era sul tavolo.
La ragazza, che hai incontrato ieri, è mia cugina.
I medici, che hanno partecipato alla conferenza, erano americani.
Le signore, che hai visto alla festa, sono molto ricche.

Il quale
The pronoun il quale (la quale, i quali, le quali) is variable.
It always includes the definite article (il, la, i, le).

Ho letto *il libro*, il quale era sul tavolo.
La ragazza, la quale è adesso al telefono, è mia cugina.
I medici, i quali hanno partecipato alla conferenza, erano americani.
Le signore, le quali parlano, sono molto ricche.

It is used as the subject of the subsidiary clause, especially when there is any ambiguity.

Ieri Maria ha incontrato Lucio e la sua mamma, che non stava bene. (it is not clear whether che refers to Lucio or to his mother ➡ it is better to use la quale).
Ieri Maria ha incontrato Lucio e *la sua mamma*, la quale non stava bene.

It is not used as a direct object, with che used instead.

Ho rivisto Gianni, il quale (subject) parte per il Giappone la prossima settimana
Ho rivisto Gianni, che (and not *il quale*) (direct object) avevo già incontrato a Roma.

Il quale can also be used with prepositions.

Ho comprato l'ultimo CD di *Mina*, per la quale ho una vera passione.

Il quale (la quale, i quali, le quali) is not often used in spoken Italian and is replaced by che and cui.
.

I ragazzi, con i quali (con cui) sono andata a Roma, sono di Ancona.
Il meeting, al quale (a cui) ho partecipato ieri, non ha portato ad alcuna decisione.

Cui

The pronoun cui is invariable and frequently used. It is usually used with prepositions.	L'avvocato, a cui ho scritto una lettera, non mi ha ancora risposto. Le questioni di cui ti devo parlare sono lunghe e complesse. L'estate è la stagione in cui si prende tanto sole e si fanno tanti bagni al mare.

Important!

Il/la/i/le + cui + noun Cui used with the definite article indicates possession. Il cui, la cui, i cui, le cui mean the same as del quale, della quale, dei quali, delle quali.	Domani incontro il professore di matematica. Il fascino del professore di matematica è noto a tutti. ➡ Domani incontro il professore di matematica, il cui *fascino* (il fascino del quale) è noto a tutti. Le sorelle di Gianni vivono una in Australia e l'altra in Nuova Zelanda. I mariti delle sorelle di Gianni sono inglesi. ➡ Le sorelle di Gianni, i cui *mariti* (i mariti delle quali) sono inglesi, vivono una in Australia e l'altra in Nuova Zelanda.

Chi

The pronoun chi is invariable and means: tutte le persone che/everyone that, tutti quelli che/all those who, la gente che/people that. With the pronoun chi the verb is in the third person singular.	Chi (la gente che) studia molto impara tanto. Non sopporto chi si comporta (tutte le persone che si comportano) in questo modo.

EXERCISES

20.1

Un po' di narrativa! Underline the 7 relative pronouns and say which noun or expression they refer to, as in the example.

Gli Olivetti avevano a Ivrea, una fabbrica di macchine da scrivere. Noi non avevamo conosciuto, fin allora, degli industriali: l'unico industriale di cui si parlava in casa nostra, era un fratello di Lopez chiamato Mauro, che stava in Argentina ed era ricchissimo; presso la cui azienda mio padre progettava di mandare Gino a lavorare. Gli Olivetti erano i primi industriali che vedevamo da vicino; e a me faceva impressione l'idea che quei cartelloni di réclame che vedevo per strada, e che raffiguravano una macchina da scrivere in corsa sulle rotaie di un treno, erano strettamente connessi con quell'Adriano in panni grigio-verdi, che usava mangiare con noi, la sera, le nostre insipide minestrine.

(*N. Ginzburg*, Lessico Familiare, *Einaudi*)

Relative pronoun	Noun
di cui	l'unico industriale

20.2 **Un po' di cultura generale! Choose the right pronoun.**

1. La metropolitana milanese, che/per cui si sono spesi tanti miliardi di euro, ha tre linee e il passante ferroviario.

2. *Il Signor Fiat* è il libro che/di cui ha scritto Enzo Biagi su Gianni Agnelli.

3. *La Stanza del Vescovo* è un libro di Piero Chiara, da cui/che hanno tratto un film con Ugo Tognazzi.

4. I vini bianchi, che/per cui vado matta, sono prodotti in Friuli Venezia Giulia e sono il Collio e il Pinot Grigio.

5. L'aglio e il peperoncino sono due ingredienti con cui/che si fanno le penne all'arrabbiata.

6. *Il Barbiere di Siviglia* è un'opera che/a cui ha composto Gioacchino Rossini.

7. Alessandro Del Piero è un calciatore in cui/che ha giocato a lungo nella Juventus.

20.3 **Un po' di storia! Che or cui? Put in the correct relative pronoun, with the preposition if necessary, and complete the sentence.**

1. Il 2 giugno è il giorno ....

2. Sandro Pertini era un presidente della Repubblica Italiana ....

3. Il Risorgimento è un movimento rivoluzionario ....

4. Tangentopoli è uno scandalo ....

5. L'8 settembre 1943 è il giorno ....

6. La P2 era una loggia massonica .... i giudici milanesi

- ☐ **a)** ha portato all'Unità d'Italia.
- ☐ **b)** gli italiani festeggiano la nascita della Repubblica.
- ☐ **c)** il generale Badoglio ha firmato l'armistizio.
- ☐ **d)** ha coinvolto politici e imprenditori.
- ☐ **e)** gli italiani amavano molto.
- ☐ **f)** hanno scoperto l'esistenza nel 1981.

20.4 **Add che or cui, with the preposition if necessary.**

1. Gianni è il ragazzo .... sono andata in vacanza l'estate scorsa.

2. L'inverno è la stagione .... si prende il raffreddore.

3. I rifugiati politici, ... hanno chiesto l'asilo politico, sono iraniani.

4. L'insegnante ci ha assegnato un compito .... è troppo difficile da svolgere.

5. Per favore, vorremmo tre caffè .... uno ristretto e uno decaffeinato.

6. Marta e Lorella, ... ho regalato un bel quadro, non mi hanno ancora ringraziato.

7. Loretta è mia moglie ...., dopo tanti ripensamenti, ho deciso di separarmi.

8. Antonio, ... dovevo incontrare ieri, mi ha telefonato per disdire l'appuntamento.

.5 Go back to 20.2 and 20.3 and substitute, as in the example, the pronouns you chose with **il/la quale, i/le quali**, with or without prepositions. Attenzione: non si può usare **il quale** in tutte le frasi!

1 | La metropolitana milanese per la quale si sono spesi tanti miliardi, ha tre linee e il passante ferroviario.
2 |
3 |
4 |
5 |
6 |
7 |
8 |
9 |

.6 Un po' di cultura generale! Use the relative pronoun **cui** with the article to indicate possession and find the right character, as in the example.

le cui   la cui   il cui
la cui   le cui   i cui

Giuseppe Garibaldi (1807-1882)

Guglielmo Marconi (1874-1937)

Giovanni Spadolini (1925-1994)

Eugenio Montale (1896-1981)

Dante Alighieri (1265-1321)

Alessandro Manzoni (1785-1873)

1. Il poeta, vincitore del premio Nobel per la letteratura nel 1975, ...(1) poesie parlano spesso del male di vivere, è ....(2).

2. L'autore italiano, ...(3) fama è legata a *La Divina Commedia*, è ....(4).

3. Il giornalista, storico e politico, ...(5) libri sul Risorgimento sono noti a tutti, è Giovanni Spadolini (6).

4. Il generale, uomo politico e rivoluzionario, ...(7) imprese hanno contribuito a raggiungere l'unità d'Italia, è ....(8).

5. Lo scrittore, ...(9) romanzo *I Promessi Sposi* parla della storia di Renzo e Lucia, è ....(10).

6. Lo scienziato, ...(11) invenzione del telefono senza fili gli ha dato il Premio Nobel per la Fisica nel 1909, è ....(12).

20. I pronomi relativi

20.7 Complete with the relative pronouns **che, cui, chi, il quale (la quale, i quali, le quali)** and the definite articles and prepositions where necessary and where not indicated.

Franca e Teresa vivono in un piccolo paese, dove tutti sanno tutto di tutti. In questo momento si trovano in un parco a godersi un bel pomeriggio di sole.

Franca: Perché non ci sediamo su questa panchina al sole. Così ci abbronziamo un po'. Oh, guarda! Lo vedi quel ragazzo ....(1) sta correndo dietro a quella ragazza bionda?

Teresa: Sì, sì, perché?

Franca: Si chiama Simone.

Teresa: Ma non è il ragazzo ....(2) madre si è risposata un anno fa e ....(3) nonno è medico?

Franca: Sì, sì, è proprio quella la famiglia. E lo vedi quel ragazzo ....(4) sta comprando il gelato? Quello è il fratello più piccolo, ...(5) ti parlavo qualche tempo fa perché ha avuto un incidente a scuola, ...(6) l'hanno portato all'ospedale d'urgenza.

Teresa: Proprio ieri c'era ....(7) bisbigliava al bar che la casa ....(8) abitavano è in vendita per un sacco di soldi.

Franca: Oh, Guarda! Quella è la figlia della signora Tanzi.

Teresa: Certo la bicicletta sulla ....(9) sta andando è troppo grande per lei.

Franca: È la bicicletta ....(10) le ha regalato suo padre per il compleanno.

Piazza dei Miracoli, il Duomo e la Torre pendente, *Pisa*

1 Put the verbs in the personal or impersonal form. (impersonal form and present)

1. Mario (*avere*) .... un mal di denti fortissimo, domani (*dovere*) .... assolutamente andare dal dentista.

2. Lorenzo, se (*continuare*) .... giù di qua, (*arrivare*) .... alla piazza principale della parte antica della cittadina.

3. Quando (*essere*) .... giornalisti, (*viaggiare*) .... molto.

4. In Italia (*diplomarsi*) .... a 18-19 anni e (*laurearsi*) .... intorno ai 21-22 anni.

5. Gianni e Matteo, quando (*andare*) .... a Sorrento, mi (*comprare*) .... una bottiglia di limoncello?

6. Se (*parlare*) .... l'inglese, (*potere*) .... viaggiare all'estero con più facilità.

7. A Carnevale in Italia (*travestirsi*) .... e (*andare*) .... alle feste in maschera.

8. Per andare a Pesaro da Bologna (*prendere*) .... l'autostrada A14 e (*arrivare*) .... dopo circa un'ora e mezza.

Each correct answer is worth one point.
If you score less than 9, revise the grammar.

Result ____ /16

2 Un po' di medicina e scienza! Put the verbs in the present perfect. (present perfect)

Rita Levi-Montalcini

Questa scienziata (*nascere*) ....(1) nel 1909 a Torino dove, superate le resistenze paterne, (*laurearsi*) ....(2) con centodieci e lode in Medicina e Chirurgia. Tra i suoi amici e colleghi, ricordiamo Renato Dulbecco, anche lui futuro Premio Nobel per la Medicina.

Costretta a lasciare la specializzazione dopo la guerra, nel 1947 (*trasferirsi*) ....(3) negli Stati Uniti alla Washington University di Saint Louis, diventando docente di Neurologia. In questo periodo (*scoprire*) ....(4) il NGF, ovvero Nerve Growth Factor, una proteina che controlla la crescita delle cellule nervose.

(*Tornare*) ....(5) in Italia nel 1977, grazie alla sua attività di scienziata (*ottenere*) ....(6) innumerevoli riconoscimenti a livello internazionale e nel 1986 (*ricevere*) ....(7) il Premio Nobel per la Medicina insieme al collega Cohen. (*Essere*) ....(8) la prima donna a ricoprire l'incarico di presidente dell'Enciclopedia Italiana Treccani (1993-1998). Nel 2001 (*diventare*) ....(9) senatrice a vita.

(adattato da www.educational.rai.it)

Each correct answer is worth one point.
If you score less than 5, revise the grammar.

Result ____ /9

3 **Complete the sentences with a direct or indirect object pronoun then put ✔ in the correct column.** (direct and indirect object pronouns)

	DIRECT	INDIRECT

1. ● Quando telefoni a Dorotea?
   ● .... telefono stasera.

2. ● Che cosa vi ha detto Lucio?
   ● .... ha detto di passare da lui alle dieci.

3. Avete proprio una bella famiglia. .... dobbiamo fare i nostri complimenti!

4. ● Francesca, vai tu a prendere i bambini a scuola?
   ● Sì, vado a prender.................. io.

5. ● .... piacciono i film neorealisti, ragazzi?
   ● Sì, soprattutto quelli di De Sica.

6. ● Hanno suonato?
   ● Sì, apri tu la porta?
   ● Sì, ... apro io.

7. Laura, ... interessano gli scrittori moderni?

8. ● Sai quando cominciano le lezioni di fisica?
   ● No, ma .... posso chiedere a Giancarlo.

Each correct answer is worth one point.
If you score less than 9, revise the grammar.

Result
/16

4 **Un po' di cucina! Put the verbs in the present perfect in the** blue spaces .... **and the correct direct object pronouns in the** red spaces .... (present perfect and direct object pronouns)

Ieri Luana (*preparare*) ha preparato un primo piatto favoloso: gli spaghetti alla carbonara. (*Tagliare*) ....(1) a pezzettini la pancetta; poi ....(2) (*mettere*) ....(3) con un po' di olio in una padella e ....(4) (*fare*) ....(5) rosolare piano. In una ciotola grande ha rotto le uova e ....(6) (*sbattere*) ....(7); poi (*aggiungere*) ....(8) il formaggio, il pecorino romano, e anche un pizzico di sale. (*Cuocere*) ....(9) gli spaghetti al dente, ...(10) (*scolare*) ....(11) e ....(12) (*versare*) ....(13) nella padella con la pancetta. (*Mescolare*) ....(14) bene gli spaghetti e la pancetta, quindi, (*spegnere*) ....(15) il fuoco e (*versare*) ....(16) nella padella le uova e (*mescolare*) ....(17) bene. Infine (*aggiungere*) ....(18) anche del pepe. Luana è veramente una brava cuoca!

Each correct answer is worth one point.
If you score less than 10, revise the grammar.

Result
/18

5 Put the verbs in the imperfect. (imperfect)

Nonna Carla racconta ai suoi nipotini come trascorreva le estati tanto tempo fa, quando era una bambina.

Vacanze al mare

Quando (*essere*) ....(1) piccola, (*passare*) ....(2) le vacanze estive al mare in Liguria a Santa Margherita. I miei genitori (*avere*) ....(3) una bellissima villa con giardino. Al mattino verso le nove e trenta (*andare*) ....(4) in spiaggia e mia madre mi (*mettere*) ....(5) sempre la crema solare. (*Essere*) ....(6) tanto felice di andare in spiaggia, perché lì (*incontrare*) ....(7) le mie amichette e con loro (*giocare*) ....(8) e (*fare*) ....(9) tanti castelli di sabbia. Alle undici (*andare*) ....(10) a fare il bagno con il mio papà.

Each correct answer is worth one point.
If you score less than 6, revise the grammar.

Result
_____ /10

6 Use the present perfect and the imperfect. Careful: sometimes you can use the imperfect or *stare* + *gerund*. Where appropriate use both. (present perfect and imperfect)

Sono le 11 di sera e Lucia è uscita con il suo cane per l'ultima passeggiata della giornata. Quando esce, vede due ragazzi, uno fermo che si guarda in giro e un altro vicino alla sua Mercedes, che sta cercando di rubarla. Allora ritorna all'interno del palazzo dove vive, chiama la polizia e, quando arriva, racconta cosa ha visto.

Poliziotto: Buonasera, è lei la signora Lucia Donati? È lei che ha chiamato la polizia dieci minuti fa?
Lucia: Sì, sì, sono io.
Poliziotto: Allora, mi racconti che cosa (*vedere*) ha visto.
Lucia: (*Essere*) ....(1) circa le 11 e da poco (*passeggiare*) ....(2) con il mio cane, davanti al mio palazzo...

Poliziotto: Quale? Questo in Via Gelsomini, numero 23?
Lucia: Sì, esattamente... quando (*vedere*) ....(3) due ragazzi: uno fermo là, che (*fare*) ....(4) da palo e l'altro che (*cercare*) ....(5) di rubare la mia Mercedes.
Poliziotto: Saprebbe descrivere questi due ragazzi?
Lucia: Credo di sì. Uno (*essere*) ....(6) alto e magro, scuro di capelli; l'altro (*essere*) ....(7) piccolo e un po' grasso ma anche lui scuro di capelli e di carnagione.
Poliziotto: Saprebbe dirmi che cosa (*indossare*) ....(8)?
Lucia: Sì. Quello alto (*indossare*) ....(9) un paio di jeans e una camicia azzurra e quello basso (*avere*) ....(10) dei pantaloni scuri con una camicia nera.
Poliziotto: Poi cosa (*succedere*) ....(11)?
Lucia: Quando mi (*vedere*) ....(12), (*scappare*) ....(13) e (*andare*) ....(14) via in macchina a tutta velocità.
Poliziotto: Signora, grazie delle informazioni. Faremo tutto il possibile per prenderli.

Each correct answer is worth one point.
If you score less than 8, revise the grammar.

Result
_____ /14

Test 4 (unità 16-20)

7 **Un po' di cultura!** **Put the verbs in brackets in the present perfect or imperfect in the blue spaces** .... **and the direct or indirect object pronouns in the** red spaces .... **. Find out who the famous character is.** (present perfect, imperfect, direct and indirect object pronouns)

Gianni Agnelli

(*Scomparire*) ....(1) nel 2003. (*Abitare*) ....(2) vicino a Torino e nel 1953 (*sposare*) ....(3) Marella Caracciolo, che ....(4) (*dare*) ....(5) due figli, Margherita e Edoardo. (*Essere*) ....(6) il presidente della Fiat, una famosissima casa automo- bilistica, e anche il presidente della Juventus, una famosissima squadra di calcio. ....(7) (*chiamare*) ....(8) l'Avvocato perché (*avere*) ....(9) una laurea in Legge. (*Essere*) ....(10) molto conosciuto anche all'estero.

(*Essere*) ....(11) alto, molto distinto e affasci- nante, sempre elegante e molto colto e curioso dal punto di vista intellettuale. (*Amare*) ....(12) praticare sport come la vela, lo sci e il tennis e ....(13) (*praticare*) ....(14) fino agli ultimi anni di vita, prima di ammalarsi di cancro.

La vita ....(15) (*dare*) ....(16) tante gioie e privilegi, ma anche tanti dolori e disgra- zie. (*Perdere*) ....(17) il padre a quattordici anni e a ventuno la madre. Nel 1997 il nipote prediletto Giovannino e futuro erede alla guida della casa automobilistica (*scomparire*) ....(18) per un male incurabile. Tre anni dopo suo figlio, Edoardo, (*suicidarsi*) ....(19). Gli italiani ....(20) (*considerare*) ....(21) un po' un principe e tutti ....(22) (*amare*) ....(23) davvero tanto.

Each correct answer is worth one point.
If you score less than 12, revise the grammar.

Result
/23

8 **Insert the pronouns che, cui, chi, il quale (la quale, i quali, le quali) with articles or prepositions where necessary.** (relative pronouns)

Nora si sposa tra due mesi e telefona a Chiara, la sua migliore amica che vive negli Stati Uniti, per comunicarle la buona notizia.

Nora: Ciao Chiara, come stai?

Chiara: Ehi, Nora! Che piacere sentirti dopo tanto tempo! Come va la vita in Italia?

Nora: Bene, bene e appunto ti telefono per darti una bella notizia e cioè tra due mesi mi sposo con il ragazzo ....(1) ti avevo presentato a Natale.

Chiara: Quale? Quello al ....(2) avevo telefonato per chiedere l'indirizzo di Gianni?

Nora: Sì, sì proprio lui.

Chiara: Sì, me lo ricordo. Senti, scusa se sono così diretta, ma che matrimonio lampo! Tra i nostri amici c'è ....(3) dice che è un bravo ragazzo e c'è ....(4) dice che è un po' pre- potente. Ma lo conosci bene?

Nora: Lo so, a volte non è facile capirlo. Ma penso di conoscerlo, per me è una brava persona.

edizioni Edilingua

Chiara:	E dove andate ad abitare?
Nora:	All'inizio andremo ad abitare in un casa in affitto, poi dopo tre mesi ci trasferiremo a Londra, nella casa ....(5) abbiamo comprato con l'aiuto dei nostri genitori.
Chiara:	A Londra?
Nora:	Sì, abbiamo trovato un lavoro tutti e due lì. Lo sai che in Italia è difficile. Lo sai che mio fratello, ...(6) ha studiato alla Bocconi e ha fatto un Master all'estero ha difficoltà a trovare lavoro?
Chiara:	Sì, lo so che è difficile. Insomma, sei convinta della decisione ....(7) hai preso.
Nora:	Sì, sì, non sarà facile, ma a Londra ho tanti amici ....(8) sono molto affezionata e ....(9) vado molto d'accordo.
Chiara:	Senti, vedo che sei molto convinta di quello che stai facendo, ti faccio tanti, tanti auguri e cosa posso dirti... Tanta tanta felicità! E a presto!
Nora:	Grazie, ciao e ti aspetto naturalmente per il giorno delle nozze il 20 settembre.

Each correct answer is worth one point.
If you score less than 5, revise the grammar.

Result
/9

---

9   **Rewrite the sentences with cui and the definite articles.** (relative pronouns)

Esempio: Franco è medico. Il padre di Franco era un mio professore al liceo.
             Franco, il cui padre era un mio professore al liceo, è medico.

1.   Andrea è un mio vecchio amico. La sorella di Andrea è molto intelligente.

....

2.   Mia zia è sempre molto sola. I suoi parenti abitano lontano, a Roma.

....

3.   Ho appena visto il signor Monti. Le figlie del signor Monti venivano a scuola con me.

....

4.   La signora Zonin è in ospedale con una gamba rotta. Suo marito è in viaggio d'affari.

....

5.   Il camion non si è fermato allo stop e ha causato l'incidente. I freni non funzionavano.

....

6.   Gianni e Loretta sono in una casa di cura da tanti anni. I nipoti e i figli di Gianni e Loretta vanno spesso a trovarli.

....

Each correct answer is worth one point.
If you score less than 4, revise the grammar.

Result
/6

Total score   /121

The simple future

	ARE	ERE	IRE
	lavorare	**prendere**	**capire**
io	**lavorerò**	**prenderò**	**capirò**
tu	**lavorerai**	**prenderai**	**capirai**
lui/lei/Lei	**lavorerà**	**prenderà**	**capirà**
noi	**lavoreremo**	**prenderemo**	**capiremo**
voi	**lavorerete**	**prenderete**	**capirete**
loro	**lavoreranno**	**prenderanno**	**capiranno**

	essere (sar-)	avere (avr-)
io	**sarò**	**avrò**
tu	sarai	avrai
lui/lei/Lei	sarà	avrà
noi	saremo	avremo
voi	sarete	avrete
loro	saranno	avranno

Verbs that lose -a or -e

andare	cadere	dovere	potere	sapere	vedere	vivere
andr-	cadr-	dovr-	potr-	sapr-	vedr-	vivr-
andrò	**cadrò**	**dovrò**	**potrò**	**saprò**	**vedrò**	**vivrò**
andrai	cadrai	dovrai	potrai	saprai	vedrai	vivrai
andrà	cadrà	dovrà	potrà	saprà	vedrà	vivrà
andremo	cadremo	dovremo	potremo	sapremo	vedremo	vivremo
andrete	cadrete	dovrete	potrete	saprete	vedrete	vivrete
andranno	cadranno	dovranno	potranno	sapranno	vedranno	vivranno

Verbs with double -rr

bere	rimanere	tenere	tradurre	venire	volere
berr-	rimarr-	terr-	tradurr-	verr-	vorr-
berrò	**rimarrò**	**terrò**	**tradurrò**	**verrò**	**vorrò**
berrai	rimarrai	terrai	tradurrai	verrai	vorrai
berrà	rimarrà	terrà	tradurrà	verrà	vorrà
berremo	rimarremo	terremo	tradurremo	verremo	vorremo
berrete	rimarrete	terrete	tradurrete	verrete	vorrete
berranno	rimarranno	terranno	tradurranno	verranno	vorranno

edizioni Edilingua

Verbs that keep -a

dare	fare	stare
darò	farò	starò
darai	farai	starai
darà	farà	starà
daremo	faremo	staremo
darete	farete	starete
daranno	faranno	staranno

STRUCTURE

The future is a simple tense. For regular verbs the -are, -ere, -ire endings are removed and replaced by others, which are the same for verbs in -are and in -ere (*see table, page 134*).

Franco lavorerà tre giorni alla settimana.
Luisa prenderà il treno.

Careful!

Verbs that end in -care and -gare like giocare and pagare always take -h!
Giocare: giocherò, giocherai, giocherà, giocheremo, giocherete, giocheranno.
Pagare: pagherò, pagherai, pagherà, pagheremo, pagherete, pagheranno.

Pagheranno loro l'affitto. Non preoccuparti.
Danilo giocherà nella squadra di calcio della scuola.

Verbs that end in -ciare, -giare and -sciare like cominciare, mangiare and lasciare lose the -i.
Cominciare: comincerò, comincerai, comincerà, cominceremo, comincerete, cominceranno.
Mangiare: mangerò, mangerai, mangerà, mangeremo, mangerete, mangeranno.
Lasciare: lascerò, lascerai, lascerà, lasceremo, lascerete, lasceranno.

Cominceranno a lavorare tra un'ora.
Mangerò tutto, promesso!
La zia lascerà la sua casa alla nipote preferita.

There are many **irregular verbs** (*see table, pages 134-135*):

1) they lose the -a or the -e (including dovere and potere)

andare - andrò	sapere - saprò
cadere - cadrò	vedere - vedrò
dovere - dovrò	vivere - vivrò
potere - potrò	

Andranno in vacanza in agosto.
Stai attento! Altrimenti cadrai dalla scala.
Dovrò alzarmi presto domani mattina.
Potrete venire poi alla cena di sabato?
Sapremo indicarvi la strada.
Barbara vedrà un bel film domani.
Chissà se vivrò a lungo!

2) they take -r (rr) (including volere)

bere - berrò	tradurre - tradurrò
rimanere - rimarrò	venire - verrò
tenere - terrò	volere - vorrò

Non berrai molto alla festa, vero?
Rimarrete ancora a lungo?
Il presidente terrà presto una conferenza.
Tradurrò questo testo al più presto.
Verrete poi all'incontro di domani sera?
Andrò a trovare la nonna, quando vorrò io.

3) they keep the -a

dare - darò
fare - farò
stare - starò

Darete per noi questo regalo a Maria?
Faremo una bella spaghettata, forse domenica prossima.
Starai a casa a studiare durante il weekend?

USE

The simple future is mainly used to express or describe actions or events that will take place in the future, such as:

a. planned actions and intentions;

Domani alle 5 vedremo Giulia.

b. predictions;

Durante il fine settimana pioverà.

c. promises.

Farò il bravo, lo prometto!

When referring to future events we usually use adverbs or expressions of time such as:

domani, dopodomani, la prossima settimana, il prossimo mese, il prossimo anno, tra/fra due giorni/mesi/anni, fra poco, in seguito, più tardi, lunedì prossimo etc.

La prossima settimana sarò in Svizzera.
Ti prometto che inizierò la dieta domani.

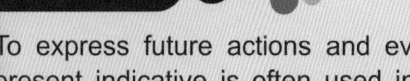

Important!

To express future actions and events the present indicative is often used in spoken Italian instead of the simple future.

Domani alle 5 vedrò Giulia. = Domani alle 5 vedo Giulia.

The simple future is also used to express the following in present time:

1. supposition;

Per me il professore d'italiano avrà 40 anni.

2. doubt;

Marco riuscirà a superare questo momento difficile?

3. an order.

D'ora in poi farete quello che dico io!

EXERCISES

.1 Find the 10 verbs in the future and add the infinitive, as in the example.

M	A	N	G	E	R	A	N	N	O	S
P	V	G	F	R	A	G	I	N	L	D
P	R	G	T	R	S	I	G	D	B	V
D	E	C	I	D	E	R	A	O	E	O
N	M	N	I	D	V	C	R	R	R	R
D	O	D	V	E	R	R	O	M	R	R
O	B	O	U	I	E	N	B	E	A	A
P	A	G	H	E	R	E	T	E	I	N
B	E	V	E	N	D	O	A	D	D	N
H	C	G	T	O	F	F	R	I	R	O
S	A	L	I	R	E	M	O	C	H	I
P	A	R	T	I	R	E	T	E	G	O

Future	Infinitive
mangeranno	mangiare

.2 Un po' di cultura! What predictions has a famous astrologer made for Italy for the New Year? Join the parts to form sentences, as in the example.

trovare   dimettersi   essere   aumentare   continuare   rubare   avere   vincere

1. I ricercatori del Centro ricerche del-l'Ospedale San Raffaele di Milano	troveranno	a. a causa di uno scandalo politico.
2. Dei ladri	....	b. lo scudetto.
3. L'attuale Presidente del Consiglio	....	c. a litigare e a mancarsi di rispetto.
4. Molti italiani, soprattutto giovani,	....	d. nuove terapie per curare il cancro.
5. Il Milan non	....	e. caldissima con temperature africane.
6. L'estate	....	f. difficoltà a trovare un posto di lavoro.
7. Il numero delle nascite	....	g. soprattutto in Lombardia.
8. I politici	....	h. la *Primavera* del Botticelli dagli Uffizi.

Galleria Vittorio Emanuele II, *Milano*

21. Il futuro

21.3 Che cosa ha intenzione di fare Giovanna al mare? Complete, as in the example in blue, the sentences with the verb in the future.

| leggere | andare | mangiare | partire | giocare | prendere | fare |

Sono le 7 di sera e Giovanna è ancora in ufficio a lavorare. È molto stanca e pensa alle vacanze e a tutte le cose che ha intenzione di fare.

Che bello la prossima settimana partirò per la Sicilia!

1. .... in spiaggia tutte le mattine.

2. .... il sole.

3. .... tanti bagni.

4. .... molti libri sotto l'ombrellone.

5. .... tanti gelati.

6. .... a tennis molto spesso.

Etna, Catania, *Sicilia*

21.4 Un po' di musica leggera e tradizioni! Put the verbs in the future and the sections in the right order.

Il Festival di Sanremo

A Il primo Festival di Sanremo si è tenuto nel 1950. Anche quest'anno una giuria di esperti di musica e una giuria popolare, cioè di persone comuni, (*premiare*) ....(1) le canzoni più belle.

B Dal 2 al 6 marzo tutti gli italiani (*potere*) ....(2) vedere in televisione, su Rai Uno, il Festival della canzone italiana.

C Tutte le sere, dopo il Festival, (*esserci*) ....(3) una trasmissione televisiva che si chiama *Dopo Festival*. Durante questa trasmissione giornalisti e personaggi famosi (*parlare*) ....(4) del Festival e delle canzoni di quest'anno. Quest'anno il giornalista Fabio Fazio (*presentare*) ....(5) il *Dopo Festival*.

D Simona Ventura (*presentare*) ....(6) il Festival di Sanremo, al quale (*partecipare*) ....(7) 22 cantanti.

E Il Festival (*svolgersi*) ....(8), come ogni anno, al Teatro *Ariston* di Sanremo.

(*adattato da www.dueparole.it*)

1.__ 2.__ 3.__ 4.__ 5.__

.5 Change the tense of these verbs to the future and say if they express planned actions (A), promises (B) or intentions (C).

1. Domani Laura e Giovanna partono per la costa Azzurra.

   .... (_)

2. Daniela si trasferisce in Cina per questioni di lavoro tra un mese.

   .... (_)

3. Durante il fine settimana metto in ordine la mia stanza.

   .... (_)

4. Giovedì la classe 3ª B va in gita sul lago di Garda.

   .... (_)

5. Il supermercato apre tra due ore.

   .... (_)

6. Domani raccontate ai vostri amici quello che è successo, o no?

   .... (_)

7. Va bene, domani mamma faccio tutti i compiti e studio la lezione di storia.

   .... (_) (_)

8. Ti prometto che non spreco più soldi, come ho fatto recentemente.

   .... (_)

.6 Put the verbs in the future then put ✔ in the right column.

	an order	supposition	doubt
1. Adesso basta, ragazzi! Per punizione (*scrivere*) .... un tema di almeno tre pagine!	☐	☐	☐
2. Non sono sicura se Moira (*andare*) .... all'appuntamento con Gianni.	☐	☐	☐
3. Il preside (*avere*) .... circa sessant'anni, anche se non li dimostra.	☐	☐	☐
4. ● Che ore (*essere*) ....? ● Mah! (*essere*) .... le 10 passate.	☐	☐	☐
5. Oggi ti sei comportato davvero male. Per questo stasera non (*vedere*) .... la TV.	☐	☐	☐
6. Chissà se adesso Lorena e Tino (*dire*) .... tutta la verità anche al papà!	☐	☐	☐

21.1 The future perfect (regular and irregular verbs)

		verbs with *avere*			verbs with *essere*	
		lavorare	dire		tornare	rimanere
io	avrò	lavorato	detto	sarò	tornato/a	rimasto/a
tu	avrai	lavorato	detto	sarai	tornato/a	rimasto/a
lui/lei/Lei	avrà	lavorato	detto	sarà	tornato/a	rimasto/a
noi	avremo	lavorato	detto	saremo	tornati/e	rimasti/e
voi	avrete	lavorato	detto	sarete	tornati/e	rimasti/e
loro	avranno	lavorato	detto	saranno	tornati/e	rimasti/e

STRUCTURE

The future perfect is a compound tense formed by the verb **essere** or **avere** in the simple future and the past participle of the verb.

USE

The future perfect is mainly used to express: future actions that precede other actions in the future expressed by the simple future.

Dopo che **avrò ricevuto** la lettera di Gianni, ti *parlerò*. (*Before* I receive the letter and *then* I talk to you).

In this case adverbs or expressions of time are usually used, such as:
quando, appena/non appena, dopo che, fino a, una volta che, fino a che non.

Quando **avremo mangiato**, ti telefoneremo. (*Before* we eat and *then* we call you).

Important!

In this case the future perfect is not used much in spoken Italian and sometimes not used in written Italian. It is usually replaced by the simple future or the present.

Non appena **avrò finito**, ti accompagnerò alla stazione. (*future perfect + simple future*)
Non appena **finirò**, ti accompagnerò alla stazione. (*simple future + simple future*)
Non appena **finisco**, ti accompagnerò/accompagno alla stazione. (*present + simple future/present*)

We also use the future perfect to express the following in the past:

1. supposition;

Sarai stato stanchissimo ieri sera, dopo un viaggio così lungo.
Chissà cosa **avrà pensato** la mia amica Francesca, quando ti ha conosciuto...

2. doubt.

Forse **sarà andata** male la conferenza ieri, Mario era così depresso!

edizioni Edilingua

EXERCISES

.1 Complete the sentences with the correct verb, as in the example.

> saremo andati   avrai conosciuto   sarà finita   sarò scesa
> avrete guadagnato   si saranno laureati

1. Partirete per le vacanze, non appena sarà finita la scuola?
2. Appena .... dal treno, ti chiamerò.
3. Dopo che .... a teatro, andremo al ristorante.
4. Fino a che non .... abbastanza, non potrete comprare la casa che volete.
5. Una volta che .... meglio i miei genitori, li troverai più simpatici.
6. Non appena .... in Ingegneria, cercheranno un lavoro in un'industria.

.2 Complete with the future perfect and put the pictures in the right order.

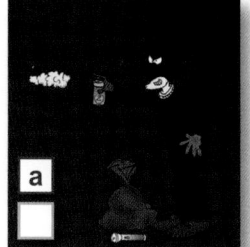    

Furto in casa Franconi

La notte scorsa c'è stato un furto a casa dei signori Franconi, che abitano al primo piano di un palazzo alla periferia di Verona. I ladri hanno rubato un anello, un quadro e dei soldi. I signori Franconi non si sono accorti di niente. La mattina dopo si svegliano e fanno delle supposizioni...

Marisa: Mamma mia! Gino vieni qua, guarda che confusione. Che disastro! Sono entrati i ladri!

Gino: Guarda che roba! Tutto in giro, che delinquenti!

Marisa: Ma da dove (*entrare*) ....(1)?

Gino: Vieni qua! Guarda da dove sono entrati, dalla finestra della cucina, che dà sulla strada laterale non molto frequentata. (*Usare*) ....(2) sicuramente una scala per salire, l'(*appoggiare*) ....(3) qui alla parete e sono saliti.

Marisa: Ho capito, ma forse qualcuno li (*vedere*) ....(4), qualcuno della casa di fronte. Che ore (*essere*) ....(5)? E l'allarme, come mai non ha funzionato?

Gino: Sicuramente i ladri (*entrare*) ....(6) dopo l'una, prima eravamo ancora svegli. Lo so, l'allarme non ha funzionato... (*tagliare*) ....(7) i fili elettrici appena sono entrati.

Marisa: Ma strano che non ha suonato appena sono entrati, e come mai noi non li abbiamo sentiti?

Gino: Dormivamo e forse (*avere*) ....(8) le bombolette spray che si usano per far dormire la gente e così non ci siamo accorti di niente.

Marisa: Che cosa hanno rubato? (*Rubare*) ....(9) i soldi che avevo nel borsellino, fammi vedere... fortunatamente non ne avevo molti.

Gino: Hanno preso un quadro dalla sala, quello che mi piaceva tanto.

Marisa: Guarda qui! Hanno anche preso un anello che era nella cassettiera, forse non sapevano che era di poco valore.

21.1.3 **Go back to Exercise 21.1.1 and change the sentences, as in the example below.**

1. *Partirete per le vacanze non appena sarà finita la scuola?*
   Partirete per le vacanze non appena finirà la scuola?
   Partite per le vacanze non appena finisce la scuola?

21.1.4 **Use the simple future or future perfect.**

Alla fine della maturità, quando i risultati degli esami sono già usciti, i ragazzi della classe 5ª A del Liceo Scientifico "Alessandro Volta" di Milano escono a mangiare una pizza con gli insegnanti.

Prof. Gilardoni: Allora Dettori... sei soddisfatto del risultato degli esami?

Fabio Dettori: Sì, molto. Non mi aspettavo una votazione così alta.

Prof. Gilardoni: Sei sempre molto modesto, comunque la modestia è una bella qualità. Che cosa (*fare*) ....(1) l'anno prossimo?

Fabio Dettori: (*Iscriversi*) ....(2) ad Economia e Commercio. (*Provare*) ....(3) a fare i test d'ingresso alla Bocconi e alla Cattolica. Dopo che (*laurearsi*) ....(4), (*andare*) ....(5) a Londra a migliorare il mio inglese e a cercare lavoro.

Prof. Franceschi: E tu Boneschi, (*iscriversi*) ....(6) all'università?

Nicola Boneschi: Forse (*andare*) ....(7) a fare Agraria. Non lo so... (*vedere*) ....(8).

Prof. Gilardoni: E tu, Fiasconi?

Chiara Fiasconi: Io voglio fare Legge e diventare avvocato. Quando (*diventare*) ....(9) un bravo avvocato, (*aprire*) ....(10) uno studio tutto mio.

Prof. Gilardoni: Brava Fiasconi! Vedo che hai le idee chiare... complimenti!

edizioni Edilingua

		Direct object pronouns			
		+ lo	+ la	+ li	+ le
Indirect object pronouns	mi	**me lo**	**me la**	**me li**	**me le**
	ti	**te lo**	**te la**	**te li**	**te le**
	gli/le/Le	**glielo**	**gliela**	**glieli**	**gliele**
	ci	**ce lo**	**ce la**	**ce li**	**ce le**
	vi	**ve lo**	**ve la**	**ve li**	**ve le**
	gli	**glielo**	**gliela**	**glieli**	**gliele**

When direct and indirect objects occur in the same sentence they form combined pronouns.

- *Mi* leggi *la lettera* della zia (*mi+la*)? Me la leggi allora?
- Sì, *ti* leggo *la lettera* della zia tra un minuto (*ti+la*). Te la leggo, se fai la brava.

The indirect object pronouns mi, ti, ci, vi become me, te, ce, ve while -i becomes -e.

- Nonna, quando *ci* porti *le caramelle* (*ci+le*)? Ce le porti domani?
- Sì, va bene *vi* porto *le caramelle* (*vi+le*). Ve le porto domani, se fate le brave.

The pronouns gli (singular)/le/Le/gli (plural) and the direct object pronouns lo, la, li, le become glielo, gliela, glieli, gliele.

- Dai *a Gianni questo libro*? (*gli+lo*)
- Va bene, glielo do domani.

- Dai *a Luisa questo libro*? (*le+lo*)
- Glielo do domani.

- Date *a Laura e Patrizia questo libro*? (*gli+lo*)
- Va bene, glielo diamo domani.

- Signora, *Le regalo questo libro*? (*Le+lo*) Sì, glielo regalo.

Careful!

As with the direct object pronouns, before words beginning with *h* or a vowel glielo and gliela, in the singular, may become gliel'. But glieli and gliele in the plural never change!

La sarta accorcia *a Teresa la nuova gonna*.
➡ La sarta gliel'accorcia.
La sarta accorcia *a Teresa i pantaloni nuovi*.
➡ La sarta glieli accorcia.

Usually, combined pronouns precede the verb.

When a verb is in the infinitive and preceded by a modal verb, the combined pronouns may go *before* the verb or *after* the infinitive without -e.

Dobbiamo prestare *a Lucia la macchina* (*le+la*). ➡ Gliela dobbiamo prestare. ➡ Dobbiamo prestargliela.

As with the direct object pronouns, when the combined pronouns are used with the present perfect and other compound tenses the past participle has 4 endings (-o, -a, -i, -e).

- Hai fatto *le lasagne a Giulio* domenica? (gli+le)
- Sì, gliele ho fatte.

EXERCISES

22.1 **Complete the table.**

	+ lo	+ la	+ li	+ le
mi	me lo			
ti		te la		te le
gli			glieli	
le				gliele
Le	glielo		glieli	
ci		ce la		
vi	ve lo			ve le
gli		gliela	glieli	

22.2 **Choose the correct answer.**

Giovanna è una mamma un po' apprensiva ed è sempre preoccupata di cosa fa il figlio Alberto.

1. Hai regalato il quadro a Giuseppe?
   a) No, non gliele ho regalate.   b) No, non gliel'ho regalata.   c) No, non gliel'ho regalato.

2. Hai dato le rose a Mara?
   a) Sì, gliele ho date.   b) Sì, glieli ho dati.   c) Sì, gliel'ho data.

3. Hai lasciato gli appunti a Luca e a Marcella?
   a) Sì, gliele ho lasciate.   b) Sì, glieli ho lasciati.   c) Sì, gliel'ho lasciato.

4. Hai chiesto alla signora Taleggi l'indirizzo del dentista?
   a) No, non gliel'ho chiesto.   b) No, non gliele ho chieste.   c) No, non gliel'ho chiesta.

5. Hai preparato la pasta alla piccola Teresa ieri?
   a) Sì, glieli ho preparati.   b) Sì, gliel'ho preparata.   c) Sì, gliele ho preparate.

6. Hai restituito la rivista a Gabriella?
   a) Sì, gliele ho restituito.   b) Sì, glieli ho restituito.   c) Sì, gliel'ho restituita.

edizioni Edilingua

3 Find the sentences that can replace another one, as in the example.

1. Anna mi ha mandato una cartolina.
2. Anna ci ha mandato le partecipazioni.
3. Anna vi ha mandato un biglietto di auguri.
4. Anna ti ha mandato i messaggi.
5. Anna ci ha mandato la lettera.
6. Anna ti ha mandato un'e-mail.
7. Anna vi ha mandato gli inviti per la festa.
8. Anna mi ha mandato le canzoni di Lucio Dalla.

a) Anna te l'ha mandata.
b) Anna ce l'ha mandata.
c) Anna ve li ha mandati.
d) Anna me le ha mandate.
e) Anna ce le ha mandate.
f) Anna me l'ha mandata.
g) Anna te li ha mandati.
h) Anna ve l'ha mandato.

4 Choose the right combined pronoun.

te lo   *gliela*   *te la*   *gliele*   *te le*   *te li*

Laura è sposata da otto anni e ha tre figli. Ha molto da fare e telefona sempre alla mamma Iole, che è anziana e vorrebbe non essere disturbata in ogni momento, per chiederle molti favori. Ma si sa: i figli sono figli!

Laura: Ciao mamma, come va?

Mamma: Così così, si va avanti.

Laura: Senti, mamma, ho tante cose da fare e mi devi aiutare! La piccola Alessia è a letto con la febbre, non mi posso muovere e la baby-sitter oggi non viene.

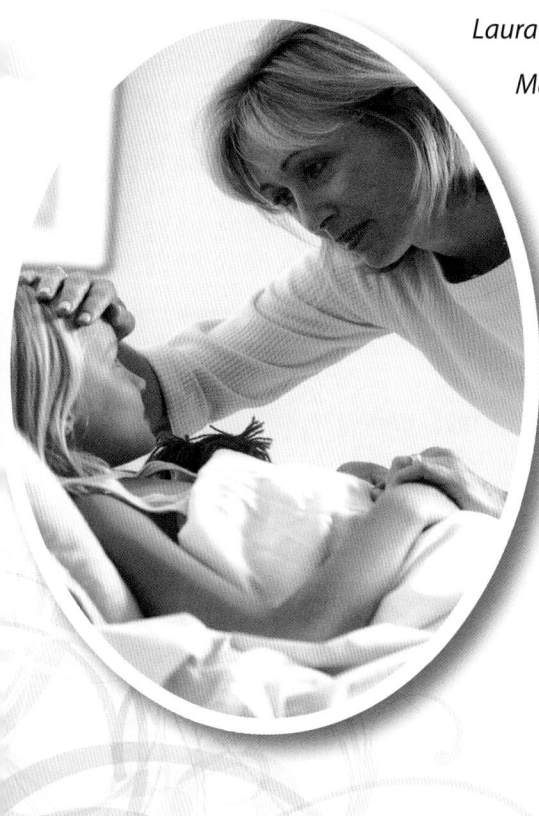

Mamma: Va bene, figlia mia, che ti devo dire... ....(1) farò io queste cose. Farò quello che posso.

Laura: Ho una lettera da imbucare.

Mamma: Va bene, ...(2) imbuco io.

Laura: Ho i vestiti da ritirare dalla lavanderia.

Mamma: Cosa vuoi che ti dica... ....(3) ritiro io.

Laura: Lorenzo mi ha chiesto di ritirargli le ricette dal dottore.

Mamma: Va bene, ...(4) ritiro io.

Laura: Mi sono dimenticata il latte.

Mamma: Ok, vado a comprar.........................(5) io.

Laura: La signora Bice del piano di sopra è ammalata e mi ha chiesto di andare a fare la spesa per lei.

Mamma: Pure!!! Va bene, ...(6) vado a fare io. Certo che potresti anche imparare ad organizzarti! Non sei più una ragazzina e io non ho più vent'anni!

22. I pronomi combinati

22.5 Join the sentences using combined pronouns.

1. Vi abbiamo comprato un bel regalo.
2. Non ti do la bicicletta, oggi non posso.
3. Mamma, questa è la storia di Pollicino?
4. Mi presti 50 euro?
5. Oggi ci devono portare le sedie antiche che abbiamo comprato.
6. Tommaso ha un bilocale vuoto per noi.
7. Luca voleva comprare un anello d'oro a Margherita.
8. Mi porta una tazza di caffè, per favore?

a) .... leggi, per favore?
b) .... porteremo sabato.
c) .... affitta per 600 euro al mese.
d) .... do domani.
e) .... restituirò tra una settimana.
f) Certo, ... porto subito, signora.
g) Ah, sì? E in quale occasione .... voleva regalare?
h) Non oggi, devono portar................. lunedì.

22.6 Answer the questions using the prompts, as in the example. Be careful of the endings of the past participle!

1. Chi ti ha dato questi libri? (*Lucia*) Me li ha dati Lucia.
2. Quando ci avete restituito la valigia? (*lo scorso mese*) ....
3. Forse mi sono cadute le chiavi nella tua macchina. Puoi controllare, per favore? Quando me le puoi portare eventualmente? (*dopo cena*) ....
4. Chi ci ha prestato questo aspirapolvere? (*Stefania*) ....
5. Quando hai richiesto i documenti alla preside? (*due giorni fa*) ....
6. Chi ha regalato a Franca quel bellissimo cappotto? (*suo marito*) ....

22.1 Other combined pronouns (reflexive pronouns + direct object pronouns)

		Direct object pronouns			
		+ lo	+ la	+ li	+ le
	mi	me lo	me la	me li	me le
	ti	te lo	te la	te li	te le
Reflexive	si	se lo	se la	se li	se le
pronouns	ci	ce lo	ce la	ce li	ce le
	vi	ve lo	ve la	ve li	ve le
	si	se lo	se la	se li	se le

The reflexive and direct object pronouns form other combined pronouns.
The reflexive pronouns mi, ti, si, ci, vi, si become me, te, se, ce, ve, se. The -i becomes -e.

- Perché non *ti* lavi *i capelli*?
- Me li lavo domani.

The combined pronouns usually precede the verb.

- *Si* portano anche *la giacca a vento*?
- Sì, se la portano.

When there is a verb in the infinitive preceded by a modal verb the combined pronouns may go *before* the verb or *after* the infinitive without -e.

Dobbiamo ricordarci i fiori. ➡ Ce li dobbiamo ricordare. ➡ Dobbiamo ricordarceli.

EXERCISES

.1 **Choose the right sentence, as in the example in blue.**

1. *Lorenzo si lava il maglione con il detersivo.*

   a) Lorenzo se lo lava con il detersivo.
   b) Lorenzo lo se lava con il detersivo.
   c) Lorenzo te lo lava con il detersivo.

2. *Mario e Vincenzo si fanno la barba ogni giorno.*

   a) Mario e Vincenzo la se fanno ogni giorno.
   b) Mario e Vincenzo ve la fanno ogni giorno.
   c) Mario e Vincenzo se la fanno ogni giorno.

3. *Ho deciso! Mi tingo i capelli di biondo!*

   a) Ho deciso! Li me tingo di biondo.
   b) Ho deciso! Me li tingo di biondo.
   c) Ho deciso! Te li tingo di biondo.

4. *Ci siamo puliti le scarpe, erano proprio sporche.*

   a) Gliele siamo pulite, erano proprio sporche.
   b) Le ce siamo pulite, erano proprio sporche.
   c) Ce le siamo pulite, erano proprio sporche.

5. *Tu e Luisa vi siete bagnati i vestiti.*

   a) Tu e Luisa ve li siete bagnati.
   b) Tu e Luisa li ve siete bagnati.
   c) Tu e Luisa glieli siete bagnati.

6. *Ti vuoi asciugare le mani?*

   a) Ti vuoi le vuoi asciugare?
   b) Le ti vuoi asciugare?
   c) Te le vuoi asciugare?

.2 **Find the right combined pronouns for these sentences.**

> me lo   se la   te lo   ce li   se le   se lo   me li   ve la

1. Gina ha i soldi e quella borsa .... vuole comprare.

2. .... mettevi sempre tu il foulard di seta! Ti ricordi?

3. Sabrina e Tiziana si sono tolte le scarpe. Devono toglier..................... tutte le volte che entrano nella moschea musulmana.

4. Dopo la piscina ci siamo asciugati i capelli. .... siamo asciugati prima un po' con l'asciuga-mano e poi con il fon.

5. Tu e Anna vi preparavate la colazione da sole. .... preparavate quasi tutti i giorni.

6. Ho una fame da lupi! Mi faccio un bel panino e .... mangio tutto.

7. Mi regalerò un bel paio di stivali per la promozione che ho avuto. .... vado a comprare oggi pomeriggio, quando esco dall'ufficio.

8. Carlo tutte le mattine si compra il giornale. Poi sull'autobus per andare al lavoro .... legge.

22. I pronomi combinati

22.1.3 **Add the combined pronouns, as in the example, and link the sentences.**

1. Quanto spesso si pettina i capelli Martina?
2. Perché non vi siete fatti ancora il bagno?
3. Vi ricordate la nostra vicina di casa?
4. Marcella si mette sempre quegli strani vestiti?
5. Ho dimenticato il documento per Gianni.
6. Ti sei pulito le orecchie, Luca?

a) Se li pettina ogni momento, è molto vanitosa.
b) Ma .... sono pulite ieri! Uffa!
c) .... facciamo adesso.
d) Non ti preoccupare, ... porti domani.
e) Sì, ... ricordiamo, perché?
f) Sì, ... mette sempre. È il suo modo di vestire!

1 a   2   3   4   5

22.1.4 **Find the 3 errors and correct them.**

1. Le porto le tagliatelle, signora? Glielo porto con il sugo o alla boscaiola?

   _____

2. Bambini, se proprio volete la playstation, ve la compreremo.

   _____

3. Giulia, ti metti gli occhiali da sole troppo spesso. Te li metti anche quando non c'è il sole.

   _____

4. Non mi sono ricordato di dare la relazione al capo, gliela darò domani.

   _____

5. Domenico e Luisa si mandavano delle lettere d'amore. Se le mandavano quasi tutti i giorni.

   _____

6. Io e Sara ci siamo scambiati i regali di Natale. Se li siamo scambiati proprio la sera di Natale.

   _____

7. Giancarlo si è fatto la barba. Se la fa quasi tutti i giorni.

   _____

8. Mi devo preparare la valigia. Me lo devo preparare prima di cena.

   _____

Ci (place)

The particle ci is used to indicate a place somewhere already mentioned.	
The particle ci means: *here* (*qui*), *in this place* (*in questo luogo*) or *there* (*là*), *in that place* (*in quel luogo*). Ci answers the question: *where?*	● Quando vieni *a Torino*? ● Ci vengo lunedì.
Ci usually precedes the verb.	● Andate *al cinema* stasera? ● No, ci andiamo domani.
When the verb is in the infinitive preceded by a modal verb the particle ci usually precedes the verb or follows the infinitive without -e.	● Devi comprare qualcosa al supermercato? ● Sì, ci devo andare per comprare la frutta. ● Sì, devo andarci per comprare la frutta.

Careful!

Ci before the verb essere may become c'.	● Luisa è stata nel laboratorio dei computer? ● No, non c'è ancora stata.

Ne (quantity)

We use the particle ne to indicate something defined, undefined or a lack of quantity.	● Signora, quante bistecche Le do? ● Ne (ne = di bistecche) voglio *tre* (defined quantity). ● Vuoi del salame? ● Sì, va bene, ne (ne = di salame) prendo *un po'* (undefined quantity).
The particle ne means *of this* (*di questo/a*), *of these* (*di questi/e*). Ne answers the question: *how much?*	● Prendi ancora *pane*! ● No, grazie ne (ne = di pane) ho già *molto* (undefined quantity). ● Quante *biciclette* hai? ● Non ne (ne = di biciclette) ho *nessuna* (no quantity).
Ne usually precedes the verb.	
When the verb is in the infinitive preceded by a modal verb, the particle ne usually *precedes* the verb or *follows* the infinitive without -e.	● Quanti libri devi ancora studiare per l'esame di linguistica? ● Devo ancora studiarne tre. / Ne devo studiare tre. (ne = di libri)
When ne (quantity) is used with the present perfect and other compound tenses, the past participle has 4 endings (-o, -a, -i, -e) and agrees with the direct object; ne agrees in gender with the noun and in number with the quantity indicated.	● Quanti maglioni hai preso per la montagna? ● Ne ho presi tre. (ne = di maglioni) ● Quante borse hai comprato? ● Ne ho comprata una. (ne = di borsa)

Careful!

Tutto/a/i/e is not used with ne, but with the direct pronouns lo, la, li, le.

- Quanti *pasticcini* vuoi?
- *Li* voglio tutti.

- Ne voglio *due*.
- Ne voglio *alcuni*.

EXERCISES

23.1 **Un po' di arte e geografia!** Join the sentences to form short dialogues then match them to the pictures, as in the example.

1. Hai fatto un giro ai Fori Imperiali?

2. Che bella la Valle dei Templi ad Agrigento!

3. Quest'estate vado all'opera all'Arena.

4. Hai mai visitato la Pinacoteca di Brera?

5. Mi hanno consigliato di andare a visitare la Cappella degli Scrovegni per vedere gli affreschi di Giotto.

6. Daria vuole andare a visitare Piazza dei Miracoli con la Torre Pendente, il Duomo e il Battistero.

1. d 2. 3. 4. 5. 6.

a) Lo so, ci sono andata anch'io a Pasqua quando ero in Sicilia.

b) Luisa ci è andata quando era a Pisa e ha detto che è una piazza molto caratteristica.

c) Noi ci siamo stati, quando eravamo dalle parti di Verona.

d) Sì, quando ho visitato Roma ci sono andata.

e) No, ma ci andrò la prossima settimana, quando sarò a Milano.

f) Sono una magnificenza! Io e Giancarlo ci siamo stati un mese fa, quando siamo andati a Padova.

.2 Go back to Exercise 23.1 and say what **ci** refers to, as in the example.

	Ci	what it refers to?
a	ci sono andata	alla Valle dei Templi
b		
c		
d		
e		
f		

.3 Complete the answers with **ci** and the verb in the right tense, as in the example.

1. ● Non andate al cinema? ● No, ci andiamo sabato.
2. ● Ritorniamo a fare una passeggiata in questo bosco domani?
   ● No, non mi va. .... la prossima settimana, va bene?
3. ● Sei certa che starai bene qui da sola? ● Ma certamente, vedrai che .... benissimo!
4. ● Andavi spesso in piscina, quando eri piccola? ● No, non .... mai.
5. ● Ritornerete allo stadio la prossima domenica?
   ● Sicuramente .... tra un mese per   Inter-Milan.
6. ● Signor Viviani, vive bene in questa città? ● Sì, ... benissimo.

.4 Quante ripetizioni! Replace the repetitions with the particle **ci**. Be careful of the position!

La vita di una pendolare

Vado tutte le mattine alla stazione alle otto circa. Vado alla stazione perché prendo il treno per andare a lavorare a Modena, ma vivo a Reggio Emilia. Quando arrivo a Modena, vado al bar della stazione a fare colazione. Vado al bar della stazione tutti i giorni, perché fanno un cappuccino molto buono e le brioche sono sempre fresche. Per andare in ufficio poi devo prendere un autobus. Potrei andare in ufficio a piedi, ma è una lunga passeggiata e non ho sempre voglia di camminare. Il mio ufficio è vicino al Palazzo dei Musei. Arrivo alle nove e lavoro fino all'una. Poi vado a mangiare in un piccolo ristorante lì vicino. Vado in questo ristorante molto spesso, perché si mangia bene e si spende poco. Ritorno in ufficio alle due e rimango in ufficio fino alle sei circa. Poi prendo l'autobus, vado in stazione e riprendo il treno per Reggio Emilia. Arrivata a Reggio Emilia, passo a volte da una palestra dove lavora una mia amica. Vado in questa palestra a chiacchierare un po'. Poi finalmente verso le sette e trenta sono a casa!

Stazione ferroviaria, *Modena*

23. *Ci e ne*

23.5 **Un po' di usi e costumi! Find ne and say what it refers to, as in the example.**

La signora Dominioni va a fare la spesa al supermercato vicino a casa sua. In molti supermercati, per assicurare al cliente freschezza e un servizio accurato, ci sono diversi banconi, dove si possono comprare alimenti, che sono confezionati al momento. La signora Dominioni si ferma al bancone del pane e dei salumi e formaggi.

Al bancone del pane

Signora:	Buongiorno. Senta, vorrei del pane pugliese.
Commesso:	Va bene questo o è troppo?
Signora:	No, tutto è troppo, ne prendo solo metà.
Commesso:	Vuole altro?
Signora:	Sì, vorrei quella torta di mele. Ne posso prendere solo due fette?
Commesso:	Sì, non c'è problema.

Al bancone dei salumi e formaggi

Signora:	Buongiorno... mi dà un etto di prosciutto cotto magro?
Commesso:	Questo va bene?
Signora:	Sì, sembra buono. Ne prendo due etti.
Commesso:	Posso servirle altro? Vuole del prosciutto crudo?
Signora:	No, ne ho già comprati due etti ieri. Però vorrei del formaggio Asiago.
Commesso:	Quanto ne vuole?
Signora:	Ma non so... è fresco?
Commesso:	Sì, molto fresco, ne vuole assaggiare un po'?
Signora:	Sì, buona idea... Che buono! Ne prendo tre etti.

Ne	what does it refer to?
ne prendo	*di pane pugliese*

23.6 **Complete the answers with ne and the verb in the right tense, as in the example.**

1. ● Conosci molta gente qui a Bologna? ● No, non ne conosco molta.
2. ● Marco voleva un po' di aranciata? ● Sì, ... un bicchiere.
3. ● Secondo te, i bambini berranno molte bevande dalla zia? ● No, non .... molte.
4. ● L'insegnante corregge venti compiti in due ore? ● No, non .... così tanti.
5. ● Leggi due giornali al giorno? ● Sì, ma .... a volte anche tre!
6. ● Voi non avete una cugina a Benevento? ● Sì, ... una, perché?
7. ● Hai mangiato solo una polpetta? ● Sì, ... solo una perché non ho molta fame.
8. ● Gianni e Teresa compreranno le rose per la festa? ● Sì, ... una dozzina.

3.7 **Match the questions to the answers using ne or a direct object pronoun and the missing vowel.**

1. Quanta torta ha mangiato Lucio?
2. Hai finito tutti i cioccolatini?
3. Complimenti! Avete fatto solo tre errori nel compito di matematica?
4. Quanti vestiti hanno comprato Francesca e Erminia?
5. Le salsicce erano eccezionali ieri al *barbecue*, vero?
6. Quante lasagne hai mangiato domenica a casa della zia?

a) .... ha mangiat..... una fetta.
b) Sì, ma io .... ho assaggiat..... solo un paio, ingrassano molto.
c) .... ho pres..... due porzioni. Erano la fine del mondo!
d) Sì, ... ho mangiat..... tutti, erano troppo buoni!
e) Sì, ... abbiamo fatt..... solo tre.
f) .... hanno comprat..... due, mi pare.

3.8 **Look at the pictures and answer the questions using ci or ne, as in the example.**

   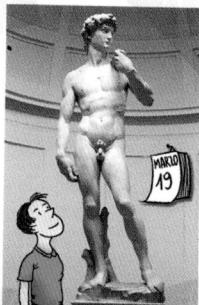

1. Quando è andato a Firenze Lino? *Ci è andato a marzo.*
2. Quante foto ha Sara? ....
3. Quanta pizza ha mangiato Luisa? ....
4. Quanti quadri vuoi appendere su questa parete? ....
5. Quante sigarette ha fumato lo zio oggi? ....
6. Che cosa metti nell'insalata? ....
7. Quando va Gianni dal dentista? ....
8. Quanti bicchieri di vino ha bevuto Franca? ....

23. *Ci e ne*

23.1 Other uses of *ci* and *ne*

CI

The particle ci is also used to replace a word or phrase introduced by the prepositions a, di, in, su, con.

Ci means *a/di/in/su/con questo*; *a/in/su/con lei, lui, loro*.

In this case the most commonly used verbs are:
credere a/in
capire di
pensare a
provare a
riuscire a
tenere a
contare su
uscire con

When the verb is in the infinitive preceded by a modal verb, the particle ci usually *precedes* the verb or *follows* the infinitive without -e.

- Sei riuscito *a finire i compiti*?
- Sì, ci sono riuscito.

- Hai capito qualcosa *di matematica*?
- No, non ci ho capito niente!

- Puoi contare *sul mio aiuto*, lo sai, vero?
- Certo, ci conterò.

- Tu credi *nell'interpretazione dei sogni*?
- No, non ci credo.

- Esci ancora *con Lucia*?
- No, non ci esco più, abbiamo litigato.

- Perché tieni tanto *a questo orologio*?
- Ci tengo perché è un regalo di mia madre.

- Cosa facciamo *con questi peperoni*?
- Ci voglio fare la peperonata.
- Voglio farci la peperonata.

NE

The particle ne is also used to replace a word or phrase introduced by the prepositions di or da.

Ne means *di/da lui, lei, loro*; *di questo*; *da quel luogo, da lì*.

In this case the most commonly used verbs are:
avere bisogno di
avere voglia di
parlare di
sapere di
essere/rimanere colpito da
essere/rimanere affascinato da
dedurre (= capire) da
tornare da
uscire da

- Hai saputo *di Antonio e dell'incidente*?
- No, non ne so niente.

Quando Tiziana ha incontrato *Gino* al mare, ne è rimasta subito colpita (ne = da Gino).

- Flavia, ti vedo stanca in questo periodo. Hai forse bisogno di una vacanza?
- Sì, ne avrei tanto bisogno (ne = di una vacanza).

- Sei andato a casa di Luca?
- Ne torno adesso (ne = da casa di Luca).

 **Careful!**

When ne is used with the present perfect and other intransitive compound verbs the past participle agrees with the subject of the sentence.

Sei andato al cinema? Ne sono uscito adesso.
Sei andata al cinema? Ne sono uscita adesso.
Sono andati al cinema? Ne sono usciti adesso.
Sono andate al cinema? Ne sono uscite adesso.

 edizioni Edilingua

EXERCISES

.1 Find ci and say what it refers to, as in the example. There are 6.

Un'e-mail ad un'amica

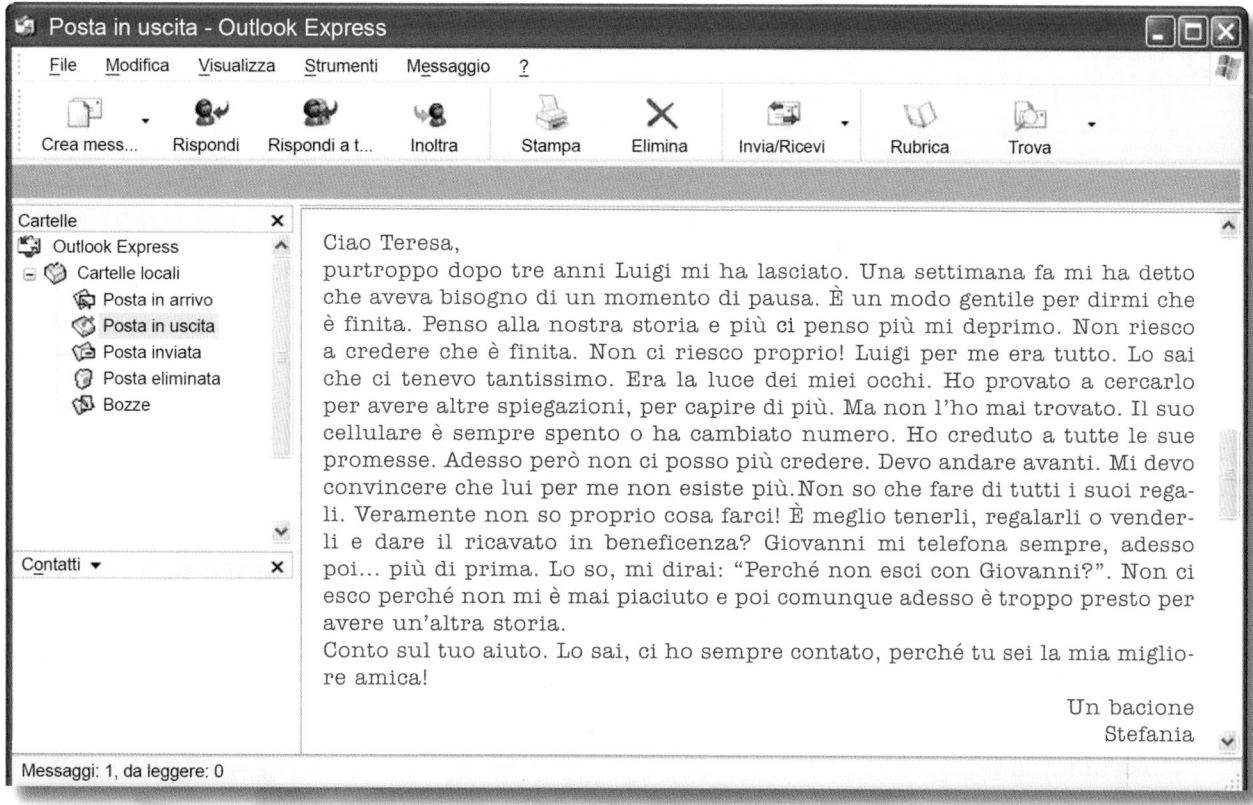

Un'e-mail ad un'amica

Ciao Teresa,
purtroppo dopo tre anni Luigi mi ha lasciato. Una settimana fa mi ha detto che aveva bisogno di un momento di pausa. È un modo gentile per dirmi che è finita. Penso alla nostra storia e più ci penso più mi deprimo. Non riesco a credere che è finita. Non ci riesco proprio! Luigi per me era tutto. Lo sai che ci tenevo tantissimo. Era la luce dei miei occhi. Ho provato a cercarlo per avere altre spiegazioni, per capire di più. Ma non l'ho mai trovato. Il suo cellulare è sempre spento o ha cambiato numero. Ho creduto a tutte le sue promesse. Adesso però non ci posso più credere. Devo andare avanti. Mi devo convincere che lui per me non esiste più. Non so che fare di tutti i suoi regali. Veramente non so proprio cosa farci! È meglio tenerli, regalarli o venderli e dare il ricavato in beneficenza? Giovanni mi telefona sempre, adesso poi... più di prima. Lo so, mi dirai: "Perché non esci con Giovanni?". Non ci esco perché non mi è mai piaciuto e poi comunque adesso è troppo presto per avere un'altra storia.
Conto sul tuo aiuto. Lo sai, ci ho sempre contato, perché tu sei la mia migliore amica!

Un bacione
Stefania

Ci: what does it refer to?

a	su	con	di
ci penso = alla nostra storia			

.2 Rewrite the sentences using ci, as in the example, then put ✔ in the correct column.

	Ci (place)	Ci (other uses)
1. Anna sa giocare a carte.		
Anna ci sa giocare.		✔
2. Metterò il pesto nella pasta.		
....		

	Ci (place)	*Ci* (other uses)
3. Sara ha provato a fare la torta pasqualina.	▪	▪
4. Matteo viene a Roma ogni mese.	▪	▪
5. Franco e Mattia vanno allo stadio tutte le domeniche.	▪	▪
6. Damiano crede veramente nell'amicizia.	▪	▪
7. Sei riuscito a perdere peso. Complimenti!	▪	▪
8. Secondo me, puoi contare sull'aiuto di Lucia.	▪	▪

23.1.3 **Complete the sentences with the following expressions.**

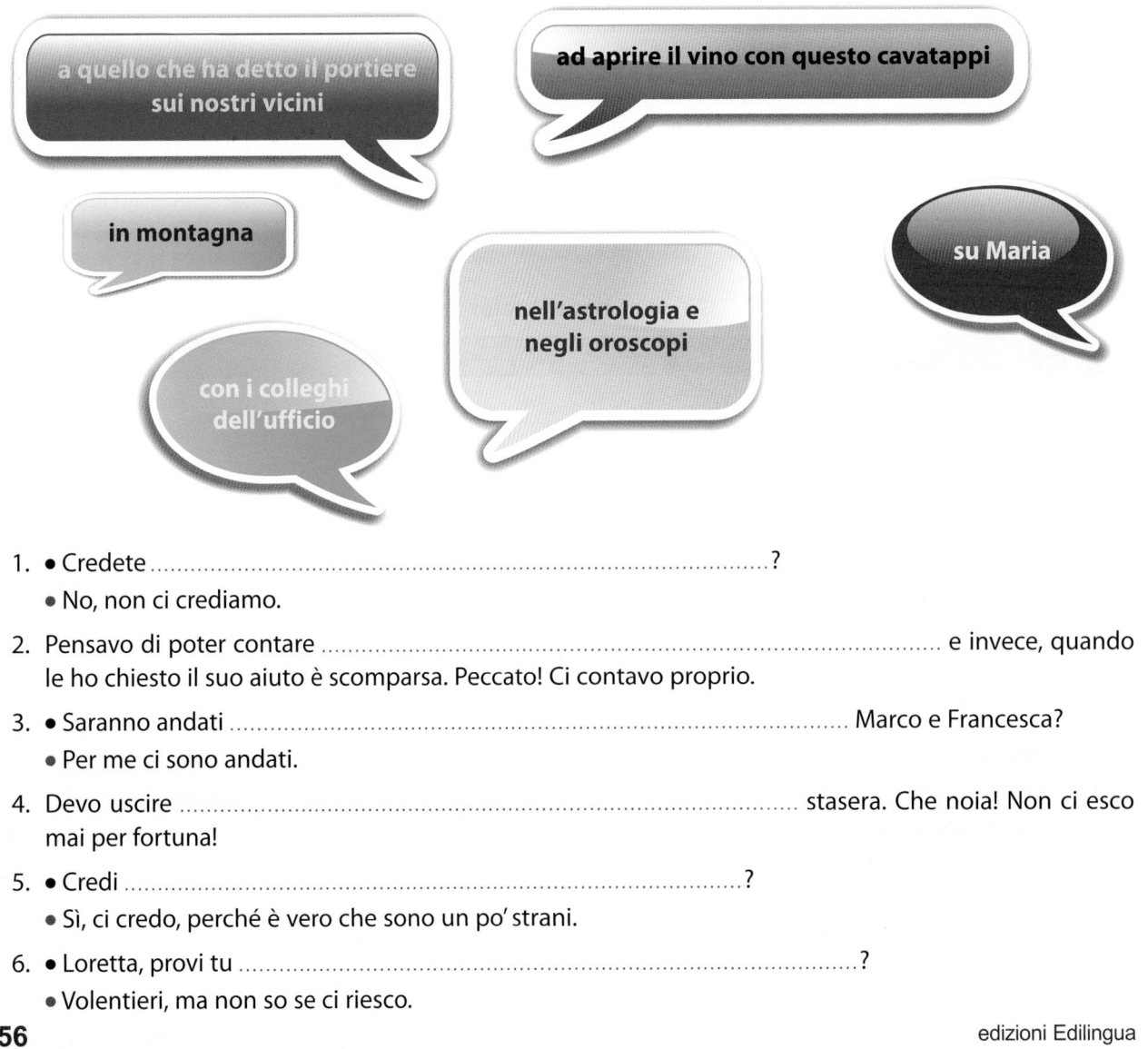

a quello che ha detto il portiere sui nostri vicini

ad aprire il vino con questo cavatappi

in montagna

nell'astrologia e negli oroscopi

su Maria

con i colleghi dell'ufficio

1. ● Credete ....?
   ● No, non ci crediamo.

2. Pensavo di poter contare .... e invece, quando le ho chiesto il suo aiuto è scomparsa. Peccato! Ci contavo proprio.

3. ● Saranno andati .... Marco e Francesca?
   ● Per me ci sono andati.

4. Devo uscire .... stasera. Che noia! Non ci esco mai per fortuna!

5. ● Credi ....?
   ● Sì, ci credo, perché è vero che sono un po' strani.

6. ● Loretta, provi tu ....?
   ● Volentieri, ma non so se ci riesco.

.4 **Link the sentences and say what ne refers to, as in the example.**

a   1. Siete andati al museo?
___ 2. Hai voglia di un bel piatto di spaghetti alla carbonara?
___ 3. Cosa pensi di quello che ha detto il direttore generale?
___ 4. Avete bisogno di aiuto?
___ 5. Sai che Giulia ha incontrato Raul Bova, da cui è rimasta molto affascinata?
___ 6. Che cosa deduci da tutta questa brutta storia?

a) Ne veniamo ora.

b) Ne deduco che Marco e Luisa hanno agito in malafede.

c) No, non ne ho voglia. Non ho molta fame.

d) No, grazie, non ne abbiamo bisogno. Magari un'altra volta.

e) Credo bene che ne sia rimasta affascinata!

f) Non so, tu cosa ne pensi?

Ne	what does it refer to?
Ne veniamo ora	dal museo

.5 **Rewrite the sentences using ne, as in the example.**

1. Ludovica è uscita dal portone due minuti fa.
   Ludovica ne è uscita due minuti fa.

2. Marcella e Tina non avranno voglia di andare a fare quattro passi.
   ....

3. Siete usciti distrutti dal dibattito ieri?
   ....

4. La televisione e i giornali hanno parlato della tremenda disgrazia.
   ....

5. Conosco la storia di questa casa, ma voglio comprarla ugualmente.
   ....

6. La mamma rimarrà colpita dalla bravura di Franca nell'usare il computer.
   ....

.6 **Answer the questions using ne, as in the example.**

1. ● È uscito Franco dalla tenda? ● No, non n'è uscito.
2. ● Gino e Lucia parlano sempre del loro safari in Africa? ● Sì, ...
3. ● Avete bisogno della macchina per andare in campagna? ● Sì, ...
4. ● Ragazzi, avete voglia di andare al concerto di Baglioni domani? ● No, ...
5. ● Sei rimasta colpita anche tu da cosa è successo alla nostra vicina? ● Sì, ...
6. ● Scommetto che sei rimasta affascinata dal nuovo professore di matematica, vero?
   ● No, ...

23. *Ci e ne*

23.2 Combined pronouns with *ci*

Direct object pronouns		Combined pronouns
mi	ci + (place)	mi ci
ti		ti ci
ci		ci
vi		vi ci

	Direct object pronouns	Combined pronouns
Ci + (place) =	lo	ce lo
	la	ce la
	li	ce li
	le	ce le

The direct object and the particle ci (place) form combined pronouns.

The direct object pronouns mi, ti, ci, vi precede ci.

- Quando *mi* accompagni a *casa*?
- Ti ci accompagno tra un'ora.

Careful!

The direct object pronoun ci + ci (place) is ci. (Not ci ci)

- Vi accompagna la mamma a scuola?
- No, ci accompagna papà. (**NO ci ci!**)

The direct object pronouns lo, la, li, le follow ci. In this case ci becomes ce.

- Porti tu *i bambini in piscina*?
- Sì, ce li porto io.

Important!

In spoken Italian ce + lo, la, li, le + avere is used.

- Hai la macchina fotografica? ● Sì, ce l'ho.
- Hai i quaderni? ● Sì, ce li ho.

When there is a verb in the infinitive preceded by a modal verb, these combined pronouns *precede* the verb or *follow* the infinitive without -e.

- Devo portare la nonna dal dottore?
- Puoi accompagnarcela tu?/Ce la puoi accompagnare tu?

EXERCISES

23.2.1 Look at the pictures and put the right word in the question, then find the right answer, as in the example.

 **1**  **2**  **3**  **4**  **5**  **6**

La nonna ritorna dal supermercato e chiede alla nipote di aiutarla a sistemare la spesa.

edizioni Edilingua

1. Puoi mettere il pesce nel freezer? ———————
2. Puoi mettere .... nella scatola?
3. Puoi mettere .... nel portafrutta?
4. Puoi mettere .... nel frigorifero?
5. Puoi mettere .... nel vaso?
6. Puoi mettere .... nel barattolo?

a) Ce le metto subito!
b) Ce lo metto subito!
c) Ce li metto subito!
d) Ce la metto subito!
e) Ce lo metto subito!
f) Ce li metto subito!

.2 **Insert the right expression and choose the combined pronoun.**

| a ostia | in centro | al teatrino delle marionette | nel forno |
| in lavanderia | alla stazione | conferenza di medicina | a scuola |

1. • Bisogna accompagnare il nonno .... se no perde il treno.
   • Non ti preoccupare ce l'/ce le/ce li accompagna Letizia.

2. • Maria, c'è l'arrosto da mettere .... • Stia seduta signora, ce la/ce lo/ce li metto io.

3. Mia madre oggi ha portato i nipotini .... Ce le/Ce la/Ce li porta almeno una volta al mese.

4. Queste giacche di Maria sono tutte macchiate. Deve portarle .... Ce lo/Ce le/Ce li porterà domani.

5. • Vado ad una ...., ma sono in ritardo. • Mi ci/Vi ci/Ti ci accompagno io, se vuoi!

6. Se dovevate andare .... per fare delle spese, ci/vi ci/mi ci accompagnavamo noi.

7. • Sbrigati, Alberto! Oggi vai .... con Andrea e il suo papà.
   • Ma ieri mi hai detto che mi ci/ti ci/vi ci portavi tu... perché?

8. Ieri volevamo andare al mare ...., ma c'era lo sciopero degli autobus. Abbiamo chiesto un passaggio un po' a tutti, ma nessuno ci/mi ci/ti ci ha portato.

.3 **Complete with ci + direct object pronouns and join the sentences, as in the example.**

1. Questi libri sono da mettere sul terzo scaffale.
2. Gina e io dovevamo andare alla festa di Luisa.
3. Io metterei dell'altro pepe nel sugo.
4. Dobbiamo passare per Piacenza e poi andare a Lodi, ma non abbiamo la macchina.
5. Oggi è una bella giornata e le ragazze vogliono andare a fare un giro a Tivoli.
6. Marta, vuoi andare al mare?
7. Babbo, andiamo allo zoo?
8. Sono stanchissimo, metti tu la macchina nel box?

___ a) Se volete, ... portiamo noi.
___ b) Vieni, ... porta la zia.
___ c) .... accompagni tu?
___ d) Nessuno, però, ... ha accompagnato.
___ e) Ma .... ho già messo!
1 f) Ce li metto io.
___ g) Sì, sì, non c'è problema, ... metto io.
___ h) Non .... porti mai!

23. Ci e ne

23. *Ci* e *ne* (i pronomi combinati con *ne*)

23.2.4 *Ce l'hai?* **Answer the questions using ci, the direct object pronouns and the verb avere, as in the example.**

Un gruppo di ragazzi e ragazze boyscout stanno partendo per la solita settimana estiva in montagna, in campeggio. Il capo boyscout prima di partire controlla se i boyscout hanno preso tutto.

Capo boyscout:	Avete il sacco a pelo?
Ragazzi:	Sì, ce l'abbiamo.(1)
Capo boyscout:	Avete tutti gli occhiali da sole?
Ragazzi:	Sì, ...(2)
Capo boyscout:	Avete la crema solare ad alta protezione?
Ragazzi:	Sì, ...(3)
Capo boyscout:	I cappelli ?
Ragazzi:	Sì, ...(4)
Capo boyscout:	Giovanni, hai con te il binocolo?
Giovanni:	Sì, ...(5)
Capo boyscout:	Avete le borracce per l'acqua?
Ragazzi:	Sì, ...(6)
Capo boyscout:	Benissimo, allora possiamo partire.

23.3 Combined pronouns with *ne*

Indirect object pronouns	Ne (quantity and other uses)	Combined pronouns		Reflexive pronouns	Ne (quantity and other uses)	Combined pronouns
mi		me ne		mi		me ne
ti		te ne		ti		te ne
gli/le/Le	+ ne =	gliene		si	+ ne =	se ne
ci		ce ne		ci		ce ne
vi		ve ne		vi		ve ne
gli (a loro)		gliene		si		se ne

The indirect object pronouns mi, ti, gli, le, Le, ci, vi, gli and the particle ne form combined pronouns.
The reflexive pronouns and the particle ne form combined pronouns.

- Di quanti quaderni ha bisogno?
- Me ne dia tre, grazie.

The indirect object pronouns mi, ti, ci, vi become me, te, ce, ve. The same applies to the reflexive pronouns mi, ti, si, ci, vi, si which become me, te, se, ce, ve, se.
The -i becomes -e.
Ne always follows me, te, se, ce, ve, se.

Hai comprato il regalo per Alessia, te ne sei ricordato?

edizioni Edilingua

Ne with the pronouns gli (singular)/le/Le/gli (plural) becomes gliene (gli+e+ne / le+e+ne/ Le+e+ne / gli+e+ne).	• Quante caramelle posso dare al suo bambino, signora? • Gliene può dare una sola. (*gli+ne*) • Quante caramelle posso dare alla sua bambina, signora? • Gliene può dare una sola. (*le+ne*) • Quante caramelle posso dare ai suoi bambini/alle sue bambine, signora? • Gliene può dare una sola. (*gli+ne*) Signora, Le posso offrire una caramella, anzi gliene posso offrire due? (*Le+ne*)
Ne before the verb *essere* may become *n'*.	• Quante pagine devi ancora studiare? • Me n'è rimasta una.
When there is a verb in the infinitive preceded by a modal verb, these combined pronouns *precede* the verb or *follow* the infinitive without -e.	• Quante mozzarelle devo comprarti? • Me ne devi comprare tre. • Devi comprarmene tre.
When these combined pronouns are used with the present perfect or other compound tenses, the past participle (which has 4 endings: -o, -a, -i, -e) agrees with the direct object; it agrees in gender with the noun and in number with the quantity indicated.	• Quanti libri gli hai prestato? • Gliene ho prestati tre. (ne = di libri) • Vuoi un po' di torta? • No, grazie. Me ne ha data già una fetta tua madre. (ne = di torta)

EXERCISES

.1 Find the sentence that can replace the one in bold, as in the example in blue.

1. Mi dai una fetta di torta?
   a) Me ne dai una fetta?
   b) Ce ne dai una fetta?
   c) Gliene dai una fetta?

2. Ci date un pezzo di focaccia?
   a) Ve ne date un pezzo?
   b) Te ne dai un pezzo?
   c) Ce ne date un pezzo?

3. Do loro una tazzina di caffè?
   a) Me ne do una tazzina?
   b) Gliene do una tazzina?
   c) Te ne do una tazzina?

4. Gli dai una doppia porzione di pasta?
   a) Ve ne dai una doppia porzione?
   b) Te ne dai una doppia porzione?
   c) Gliene dai una doppia porzione?

5. Le dai due caramelle?
   a) Ce ne dai due?
   b) Gliene dai due?
   c) Ve ne dai due?

6. Ti diamo tre pasticcini?
   a) Te ne diamo tre?
   b) Ce ne diamo tre?
   c) Gliene diamo tre?

23. *Ci* e *ne* (il pronome combinato *ce ne*)

23.3.2 **Join the sentences and put in the combined pronouns (reflexive pronouns + ne).**

se ne	ce ne	te ne	ve ne	se n'	me ne

1. Lucrezia si è comprata una bottiglia di coca cola grande e
2. Ci dobbiamo interessare noi di quel furto o
3. Hai conosciuto un ragazzo veramente interessante e affascinante e
4. Lorenzo prima ha diffuso una notizia falsa in tutto l'ufficio e
5. Avevamo appuntamento con il parroco per il corso prematrimoniale,
6. Il riscaldamento qui è al massimo,

a) come al solito .... sei innamorata all'istante.

b) poi .... è pentito.

c) .... interessate voi?

d) ho due maglioni, ... tolgo uno.

e) adesso con la sete che ha .... beve un bel bicchiere.

f) ma .... siamo dimenticati.

23.3.3 **Join the sentences and put in the combined pronoun, then say where the situation takes place.**

in un ambulatorio medico — in uno studio legale — al bar — a scuola — in ufficio

1. Signora Giulia, il caffè che fa Lei è davvero buono.
2. Signora Damasco, io non ho ricevuto il fax del dott. Amiconi!
3. Fanani e Lussi, dovevate portare i temi sul Risorgimento?
4. Mi dispiace signora, il suo caso non potrà essere seguito dall'avvocato Vezzi,
5. Dottore, sono qui per parlarle ancora di mia madre. Non sta bene, dimentica tutto,

a) ma .... occuperanno gli avvocati Destri e Fasoli.

b) si dimentica anche di prendere le sue medicine, ... dimentica regolarmente! Sono molto preoccupata.

c) Strano, ... ho messa una copia sulla sua scrivania.

d) Se vuole, signora Bosetti, ... preparo un altro!

e) Non mi dite! Anche oggi non .... siete ricordati!

23.4 **Combined pronoun *ce ne* (*ci* + *ne*)**

(place)	(quantity)	Combined pronoun
Ci +	Ne =	Ce ne

The particles ci (place) + ne (quantity) form a combined pronoun. Ci becomes ce and always precedes ne. The verb esserci (c'è, ci sono, c'era, c'erano, etc.) is the verb most used with ne.	• Quanto *zucchero* hai messo *nel tiramisù*? • Ce ne ho messo mezzo chilo. (ce = nel tiramisù) (ne = di zucchero) • Quanti bambini c'erano oggi alla gita? • Ce n'erano venticinque.

<table>
<tr>
<td>

Important!

Ne before the verb *essere* may become n'. When ci and ne are used with the present perfect and other compound verbs, the past participle (which has 4 endings: -o, -a, -i, -e) agrees with the noun.

</td>
<td>

● Quanti *pasticcini* ci sono rimasti?
● Ce ne sono rimasti tre.

● È finito il vino?
● No, ce ne sono rimaste ancora due *bottiglie*.

</td>
</tr>
</table>

EXERCISES

.1

Look at the fridges of Luca and Dario, and answer the questions, as in the examples.

1.a Quanti pomodori ci sono nel frigorifero di Luca?
Ce ne sono rimasti tre.

1.b Quanti pomodori ci sono nel frigorifero di Dario?
Non ce n'è rimasto nessuno.

2.a Quante confezioni di latte ci sono nel frigorifero di Luca?
....

2.b Quante confezioni di latte ci sono nel frigorifero di Dario?
....

3.a Quante mozzarelle ci sono nel frigorifero di Luca?
....

3.b Quante mozzarelle ci sono nel frigorifero di Dario?
....

4.a Quanti yogurt ci sono nel frigorifero di Luca?
....

4.b Quanti yogurt ci sono nel frigorifero di Dario?
....

5.a Quante scatolette di tonno ci sono nel frigorifero di Luca?
....

5.b Quante scatolette di tonno ci sono nel frigorifero di Dario?
....

6.a Quante lattine di aranciata ci sono nel frigorifero di Luca?
....

6.b Quante lattine di aranciata ci sono nel frigorifero di Dario?
....

DARIO

LUCA

23. *Ci e ne*

24 Il condizionale

The present conditional (regular and irregular verbs)

	ARE	ERE	IRE
	lavorare	prendere	capire
io	lavorerei	prenderei	capirei
tu	lavoreresti	prenderesti	capiresti
lui/lei/Lei	lavorerebbe	prenderebbe	capirebbe
noi	lavoreremmo	prenderemmo	capiremmo
voi	lavorereste	prendereste	capireste
loro	lavorerebbero	prenderebbero	capirebbero

	essere (sar-)	avere (avr-)
io	sarei	avrei
tu	saresti	avresti
lui/lei/Lei	sarebbe	avrebbe
noi	saremmo	avremmo
voi	sareste	avreste
loro	sarebbero	avrebbero

Verbs that lose -*a* or -*e*

andare	cadere	dovere	potere	sapere	vedere	vivere
andr-	cadr-	dovr-	potr-	sapr-	vedr-	vivr-
andrei	cadrei	dovrei	potrei	saprei	vedrei	vivrei
andresti	cadresti	dovresti	potresti	sapresti	vedresti	vivresti
andrebbe	cadrebbe	dovrebbe	potrebbe	saprebbe	vedrebbe	vivrebbe
andremmo	cadremmo	dovremmo	potremmo	sapremmo	vedremmo	vivremmo
andreste	cadreste	dovreste	potreste	sapreste	vedreste	vivreste
andrebbero	cadrebbero	dovrebbero	potrebbero	saprebbero	vedrebbero	vivrebbero

Verbs with double -*rr*

bere	rimanere	tenere	tradurre	venire	volere
berr-	rimarr-	terr-	tradurr-	verr-	vorr-
berrei	rimarrei	terrei	tradurrei	verrei	vorrei
berresti	rimarresti	terresti	tradurresti	verresti	vorresti
berrebbe	rimarrebbe	terrebbe	tradurrebbe	verrebbe	vorrebbe
berremmo	rimarremmo	terremmo	tradurremmo	verremmo	vorremmo
berreste	rimarreste	terreste	tradurreste	verreste	vorreste
berrebbero	rimarrebbero	terrebbero	tradurrebbero	verrebbero	vorrebbero

edizioni Edilingua

Verbs that keep -a

dare	fare	stare
darei	farei	starei
daresti	faresti	staresti
darebbe	farebbe	starebbe
daremmo	faremmo	staremmo
dareste	fareste	stareste
darebbero	farebbero	starebbero

STRUCTURE

The present conditional tense is very similar to the simple future in a number of ways.

The present conditional is a simple tense. Regular verbs lose -are, -ere, -ire and take various endings, which are the same as verbs ending in -are and in -ere, as with the simple future (*see table on page 134*).

Al tuo posto, lavorerei di meno.
Al tuo posto, prenderei un periodo di vacanza.

Careful!

Verbs ending in -care and -gare like giocare and pagare always take -h, as in the simple future.
Giocare: giocherei, giocheresti, giocherebbe, giocheremmo, giochereste, giocherebbero.
Pagare: pagherei, pagheresti, pagherebbe, pagheremmo, paghereste, pagherebbero.

Giocherei ancora, ma sono veramente stanco.
Pagheresti tu il conto? Scusami, ma oggi ho dimenticato il borsellino a casa.

Verbs ending in -ciare, -giare and -sciare like cominciare, mangiare and lasciare lose the -i, as in the simple future.
Cominciare: comincerei, cominceresti, comincerebbe, cominceremmo, comincereste, comincerebbero.
Mangiare: mangerei, mangeresti, mangerebbe, mangeremmo, mangereste, mangerebbero.

Troppo buona questa torta! Me la mangerei tutta.

Lasciare: lascerei, lasceresti, lascerebbe, lasceremmo, lascereste, lascerebbero.

Al tuo posto non la lascerei andare senza avere prima una spiegazione.

There are many **irregular verbs**, and they have the same features as irregular verbs in the simple future (*see table on pages 164-165*):

La persona rapita sarebbe un noto industriale.

1) they lose -a or -e (including dovere and potere)

andare - andrei	sapere - saprei
cadere - cadrei	vedere - vedrei
dovere - dovrei	vivere - vivrei
potere - potrei	

Hai proprio una brutta faccia, al tuo posto andrei dal medico.

2) they take -rr (including volere)

bere - berrei	tradurre - tradurrei
rimanere - rimarrei	venire - verrei
tenere - terrei	volere - vorrei

Verresti alla festa di Carla?

3) they keep the -a

dare - darei
fare - farei
stare - starei

Mi faresti un favore?

USE

The present conditional is mainly used to express the following in the present:

1. a desire that can be fulfilled;	Vorrei andare in vacanza in Sicilia.
2. a polite request and invitation;	Mi presteresti la tua macchina stasera?
3. advice and personal opinion;	Secondo me, dovresti smettere di fumare.
4. doubt and supposition.	Il concerto dovrebbe cominciare alle 10.

Il Colosseo, *Roma*

EXERCISES

.1 **Join the sentences and identify the person who has expressed this desire, as in the example.**

1. La città è piena di traffico e di smog;
2. È uscita la nuova macchina sportiva dell'Alfa Romeo,
3. Sono le 7.15, la sveglia suona e fuori fa freddo;
4. È una giornata molto calda;
5. Le vacanze stanno per finire;

a) rimarrei al mare ancora un po'.
b) andrei in piscina.
c) mi trasferirei volentieri in un'altra città.
d) me la comprerei subito!
e) starei a letto volentieri invece di andare a lavorare.

1. c	2. .....
3.	
4.	5. .....

Roberto ☐
Antonio ☐
Attilio **1**
Lorena ☐
Gianni ☐

.2 **Un po' di cultura! Put the verbs in the conditional and match, with the help of the teacher if necessary, the news or headline which is in doubt to newspapers from different Italian regions, as in the example.**

6 *CORRIERE DELLA SERA*   *Il Messaggero* ☐   LA GAZZETTA DEL MEZZOGIORNO ☐

☐ il **Resto del Carlino**   IL MATTINO ☐   LA SICILIA ☐

1. Secondo alcune ricerche, la donna italiana più vecchia (*avere*) .... 103 anni e (*vivere*) .... a Bari.
2. Un boss della camorra (*volere*) .... riconoscere il figlio illegittimo dopo anni!
3. L'imprenditore rapito vicino a Roma e poi subito rilasciato (*essere*) .... legato agli ambienti della criminalità.
4. Secondo i primi rilevamenti, Catania (*risultare*) .... la città della Sicilia con più traffico e inquinamento acustico!
5. Il neonato abbandonato e ritrovato a Bologna vicino all'ospedale Rizzoli (*dovere*) .... avere più di una settimana.
6. Secondo recenti sondaggi, i milanesi (*essere*) .... i primi in classifica per il volontariato.

24. Il condizionale

24.3 *Tu che cosa faresti?* **Put the verbs in the present conditional and choose an answer to express your opinion.**

1. La ruota della tua macchina si è bucata e ti sei appena accorto/a che anche la ruota di scorta è sgonfia. Ti trovi in una strada poco frequentata. Che cosa faresti?

A. (*Fare*) .... l'autostop e (*lasciare*) .... la macchina parcheggiata in questa strada.

B. (*Chiamare*) .... l'ACI (Automobile Club d'Italia) e (*chiedere*) .... un loro intervento.

C. (*Fermare*) .... un automobilista e gli (*chiedere*) .... aiuto.

2. La tua ragazza/Il tuo ragazzo ti ha chiamato per dirti che non potrà uscire, perché deve lavorare. Però un tuo amico molto fidato, con imbarazzo, ti dice che ha visto uscire la tua ragazza/il tuo ragazzo dal cinema, mano nella mano con un altro/un'altra. Che cosa faresti?

A. (*Credere*) .... al mio amico e (*telefonare*) .... alla mia ragazza/al mio ragazzo per lasciarla/o.

B. Non (*credere*) .... al mio amico e (*fare*) .... finta di niente.

C. (*Credere*) .... al mio amico e (*chiedere*) .... una spiegazione alla mia ragazza/al mio ragazzo.

3. Un ricco datore di lavoro ti offre un lavoro ben pagato, sei proprio al verde e hai bisogno di soldi. Girano voci, però, che questo lavoro sia disonesto.

A. Non (*credere*) .... alle voci che circolano e (*accettare*) .... senza problemi.

B. (*Credere*) .... alle voci che circolano e non (*accettare*) .... il lavoro.

C. (*Iniziare*) .... a lavorare e (*cercare*) .... di capire da solo se le voci che circolano sono vere o false.

24.4 **Quante richieste! Put the verbs in the present conditional.**

Il padre di Luciana si è rotto la gamba ed è immobile a letto. Chiede alla figlia di fare per lui molte cose.

andare	pagare	prendere	potere	portare	telefonare

Padre: Che barba! Adesso devo stare venti giorni immobile a letto e devo dipendere da te.

Luciana: Va bene, non c'è problema. Dai, l'importante è che tutto vada bene.

Padre: Eh! Ma ci sono molte cose da fare e tu lavori. Certo che alle sei, come adesso, quando ritorni qualcosa puoi fare. Ad esempio, ...(1) a comprarmi il giornale? ....(2) andare a fare la spesa, compra quei cibi già preparati, così è già tutto pronto.

Luciana: Sì, va bene. Vado adesso, ok?

Padre: Prima di andare mi ....(3) una bottiglia d'acqua e un bicchiere?

Luciana: (*Di ritorno dalla spesa*) Ti serve altro? Adesso devo andare, c'è Aldo che mi aspetta.

Padre: Sì, domani, durante la tua pausa pranzo, mi ....(4) la bolletta della luce alla posta? Poi ....(5) alla zia per dirle quello che mi è successo? Scusa, un'ultima cosa: ....(6) appuntamento con l'ortopedico per togliermi il gesso? Grazie mille, tesoro!

.5 Give some advice, as in the example, using the present conditional of the verbs below.

chiedere delle ferie   chiedere un mutuo   fare un po' di sport   andare al mare
indossare solo vestiti di cotone o lino chiari   bere molta acqua   mettersi a dieta
vendere la loro casa   andare a ripetizione   studiare veramente tanto

1. Guido lavora tanto ed è sempre nervoso.
   Dovrebbe chiedere delle ferie, al suo posto andrei al mare.

2. Mamma mia come sono grassa, non mi va più bene niente!

   ....

3. Mancano tre mesi alla fine dell'anno scolastico e Roberta va molto male a scuola.

   ....

4. Francesca e Dario vogliono cambiare casa perché quella dove abitano è piccola, ma non hanno i soldi.

   ....

5. Che caldo che fa, non si respira! Che cosa possiamo fare?

   ....

.6 Rearrange the letters and find the infinitive of the verb then complete the sentences with the verbs in the present conditional, as in the example.

porete   verea   vorele   camarebi   reveni   resta

1. Maria, potresti aiutarmi a trovare il mio orologio? Non mi ricordo dove l'ho messo...
2. Lucio e Chiara .... trascorrere le vacanze in Sardegna con tutta la loro famiglia.
3. Secondo gli ultimi sondaggi, il candidato di centro .... buone possibilità di vincere le elezioni.
4. Anche tu .... città per questioni di lavoro, come ha fatto Stefano?
5. Con quella brutta storta che ti sei preso, io .... a riposo per un po'.
6. .... al cinema stasera con voi, ma non mi piace il film.

4.1 The past conditional (regular and irregular verbs)

		verbs with *avere*			verbs with *essere*	
		lavorare	dire		tornare	rimanere
io	avrei	lavorato	detto	sarei	tornato/a	rimasto/a
tu	avresti	lavorato	detto	saresti	tornato/a	rimasto/a
lui/lei/Lei	avrebbe	lavorato	detto	sarebbe	tornato/a	rimasto/a
noi	avremmo	lavorato	detto	saremmo	tornati/e	rimasti/e
voi	avreste	lavorato	detto	sareste	tornati/e	rimasti/e
loro	avrebbero	lavorato	detto	sarebbero	tornati/e	rimasti/e

STRUCTURE

The past conditional is a compound tense formed by the verb essere or avere in the present conditional and the past participle of the verb.

Sei arrivato finalmente! Saremmo partiti anche senza di te.

Io non avrei mai comprato una giacca di questo colore.

USE

The past conditional is mainly used to express the following in the past:

1. unfulfilled desires;

Mi sarebbe piaciuto conoscere il tuo papà.

2. advice and personal opinion;

Non avresti dovuto trasferirti all'estero!

3. doubt and supposition.

In quell'occasione forse qualcuno avrebbe dovuto chiamare la polizia.

The past conditional is also used to express the future in the past.
In other words, to express actions or events that were due to take place later in the past, meaning following an action *in the past*.
It is not certain that this second action has taken place.

Luisa *ha detto* a Lino che sarebbe venuta a teatro. (Luisa first spoke with Lino and then, *perhaps*, went to the theater).
Giancarlo *ha promesso* che avrebbe pulito la sua stanza. (Giancarlo first promised and then, *perhaps*, cleaned the room).

The most frequently used verbs in this case are: essere (sicuro/convinto), dire, immaginare, sapere, promettere.

Important!

In spoken Italian the imperfect is often used instead of the past conditional to express the future in the past.

Sapevo che *sarebbe andato* a Roma.
Sapevo che andava a Roma.

Campagna toscana

edizioni Edilingua

EXERCISES

.1 Find the verbs in the past conditional and complete the table with the infinitive, as in the example.

Due ex colleghi di lavoro in pensione

Lorenzo: Mi sarebbe piaciuto cambiare lavoro. Ero proprio stufo di quello che facevo.

Rino: Ti capisco, perché ero stufo anch'io. Anch'io me ne sarei andato volentieri.

Lorenzo: Avrei lavorato in una società più grande, più moderna e con più possibilità di carriera. Chissà, forse sarei diventato un manager di successo o forse sarei rimasto quello che ero, un semplice impiegato.

Rino: Anch'io sarei stato contento di lavorare in una società così. Avremmo dovuto essere più determinati! Avremmo potuto comprare il *Corriere della Sera* il venerdì e *La Repubblica* il giovedì e controllare bene le inserzioni di lavoro.

Past conditional	Infinitive
sarebbe piaciuto	piacere

1.2 Quanti desideri non realizzati! **Put the verbs in the past conditional.**

1. (*Rimanere*) .... volentieri a Londra un altro anno, ma ho conosciuto Gianni e quindi sono tornata in Italia.

2. Oggi, con questo bel sole, me ne (*andare*) .... volentieri al mare invece di venire in ufficio!

3. Lorenzo e Franca (*preferire*) .... fare delle vacanze più lunghe e più belle, magari in un posto esotico!

4. Ieri Teresa (*mangiare*) .... volentieri una fetta di dolce al compleanno di Manuela, ma poi ha pensato alla linea!

5. Con una laurea in Economia e Commercio (*trovare*) .... un lavoro ben retribuito e la mia vita (*essere*) .... migliore!

6. Sara (*uscire*) .... con Francesco ieri sera per andare al ristorante, ma aveva la febbre.

24. Il condizionale

24.1.3 **Put the verbs in the past conditional and match the sentences.**

___ 1. A che ora viene il medico?
___ 2. Loretta e Dario sono sempre in ritardo!
___ 3. Avete invitato i Ginotti al matrimonio?
___ 4. Hai sentito che Stefano non ha avuto la promozione?
___ 5. È ritornata la zia dal Giappone?
___ 6. Ho lasciato Danilo, ero proprio stanca.

> mandare
>
> tradire
>
> portare
>
> venire
>
> arrivare
>
> fare

a) Ha detto che .... alle 5, ma non è ancora arrivato.

b) Ieri mi avevate promesso che gli .... le partecipazioni al più presto.

c) Quando è partita ci ha promesso che ci .... un kimono.

d) Peccato! Ero sicura che .... carriera in poco tempo.

e) Mi ha assicurato che non mi .... più e invece l'ho visto tra le braccia di un'altra!

f) Ieri mi hanno assicurato che .... puntuali, e invece eccoci qui ad aspettarli come al solito!

24.1.4 ***Avresti fatto le stesse cose?*** **Give your opinion using the past conditional and the pronouns where necessary, as in the example.**

1. La scorsa notte Daria stava tornando a casa, quando un uomo le si è avvicinato. Lei si è fermata.
   Mi sarei fermato anch'io.

2. Quest'uomo ha chiesto indicazioni per andare all'ospedale "San Giuseppe", che si trova vicino a casa di Daria. Lei gli ha mostrato la strada.
   ....

3. Quest'uomo ha poi tirato fuori una pistola. Daria ha iniziato a urlare.
   ....

4. L'uomo ha chiesto a Daria il suo borsellino, gli orecchini, gli anelli e la catenina. Lei glieli ha dati.
   ....

5. Lui ha detto a Daria di non chiamare la polizia. Quando, però, se n'è andato, Daria l'ha chiamata.
   ....

6. La polizia ha arrestato l'uomo e ha restituito i gioielli a Daria. Lei era molto contenta.
   ....

24.1.5 **Find the 4 errors and correct them.**

1. Lorenzo non dovrebbe passare tutte le sere al bar a bere! ....
2. Secondo recenti ricerche, le donne italiane tra lavoro, figli e marito avrebbero una giornata lavorativa di 14 ore. ....
3. Danilo mi accompagnerebbe al lavoro, ma purtroppo aveva molto da fare. ....
4. Stefano, con questi occhiali avresti visto meglio! Provali! ....
5. Ieri sono andata all'inaugurazione di una mostra, anche se avrei preferito non andarci. ....
6. Sarei rimasta ancora in spiaggia a prendere un po' di sole! Ti dispiace? ....
7. Verreste al saggio di fine anno a scuola di Lucia? ....
8. A Natale partiremmo per le Mauritius, ma non abbiamo trovato posto in aereo. ....

25 I pronomi diretti e indiretti forti

Direct object pronouns		Indirect object pronouns	
Object pronoun	**Disjunctive pronoun**	**Object pronoun**	**Disjunctive pronoun**
Daria **mi** aiuta	Daria aiuta **me**	Daria **mi** risponde	Daria risponde **a me**
Daria **ti** aiuta	Daria aiuta **te**	Daria **ti** risponde	Daria risponde **a te**
Daria **lo** aiuta	Daria aiuta **lui**	Daria **gli** risponde	Daria risponde **a lui**
Daria **la** aiuta	Daria aiuta **lei**	Daria **le** risponde	Daria risponde **a lei**
Daria **La** aiuta	Daria aiuta **Lei**	Daria **Le** risponde	Daria risponde **a Lei**
Daria **ci** aiuta	Daria aiuta **noi**	Daria **ci** risponde	Daria risponde **a noi**
Daria **vi** aiuta	Daria aiuta **voi**	Daria **vi** risponde	Daria risponde **a voi**
Daria **li/le** aiuta	Daria aiuta **loro**	Daria **gli** risponde	Daria risponde **a loro**

The disjunctive forms of the direct and indirect object pronouns (a) me, (a) te, (a) lui, (a) lei, (a) Lei, (a) noi, (a) voi, (a) loro, as with the object pronouns, are mainly used to replace names of people.

Domani vedo lei.
Domani telefono a lui.

Careful!

We always use a preposition *before* the indirect disjunctive pronouns.

Domani parli *con* lui.

The direct and indirect disjunctive pronouns usually *follow* the verb.

The direct and indirect disjunctive pronouns are used to emphasise the pronoun. The stress is on the pronoun, not on the verb.

Il professore ha scelto me. (*who speaks wants to emphasize that he was preferred to others*)
Il professore mi ha scelto. (*who speaks wants simply to give an information*)

We also use direct disjunctive pronouns with:
1. come and quanto;

Non sono bravo *come* voi.
Maria è bella *quanto* te.

2. povero and beato (exclamation);

Povero me! E adesso cosa faccio?
Sei veramente fortunato. *Beato* te!

3. prima di, dentro di, fuori di, dopo di, sopra di, sotto di, senza di, vicino a;

Senza di te non posso vivere!

4. secondo (opinion).

Secondo loro, questa storia è falsa.

EXERCISES

25.1 Find the standard and disjunctive direct and indirect object pronouns and complete the table, as in the example.

1. Scusa, non chiamare me. Chiama lei.
2. Forse Marcella non vuole discutere questo argomento con lui.
3. Luigi continuava a farmi un sacco di domande, ma a me mancavano le parole.
4. Lo vedi quel ragazzo di fronte a te?
5. Lavinia è partita per il Giappone, beata lei!
6. Voglio diventare un'insegnante brava come te e non come lei.
7. La mangi tu la fetta di torta o la do a loro?
8. Sai che ti ammiro molto, quindi per te faccio questo ed altro.

Direct object pronouns Standard form	Direct object pronouns Disjunctive form	Indirect object pronouns Standard form	Indirect object pronouns Disjunctive form
	me		

25.2 Choose the right direct and indirect disjunctive pronouns and link the sentences.

1. Vieni con noi/con te al mercatino dell'antiquariato?
2. Avete mostrato le foto anche a te/a loro?
3. Possiamo dare un consiglio proprio a me/a voi?
4. Ma tu dici che questo problema riguarda solo voi o anche Giulia?
5. Beato te/voi. E adesso con tutti questi soldi cosa fai?
6. Prima di voi/te chi c'è in fila?

a) Prima di tutto compro una bella macchina per me/per voi, poi un anello per mia moglie.
b) Sì, volevamo chiedervelo noi.
c) No, riguarda anche me/lei.
d) Prima di noi/loro ci sono quei signori là.
e) No, non posso venire con loro/con voi.
f) No, perché non abbiamo ancora visto Tatiana e Loris.

1. ....   2. ....   3. ....   4. ....   5. ....   6. ....

edizioni Edilingua

.3 Add the direct and indirect disjunctive pronouns.

me   a lui   per te   a lei   te   a loro   a me   con te   a te   me

> ### Un vestito per un matrimonio
>
> *Marisa:* Mamma, mamma, piace anche ....(1) il vestito che ho comprato alla *Rinascente* per il matrimonio di Francesca?
>
> *Mamma:* Sì, bello! Vai a chiedere al babbo se piace anche ....(2).
>
> *Marisa:* Babbo, ...(3) è bello questo vestito? Sta bene a una come ....(4) che non è tanto alta...
>
> *Babbo:* Sì, sì. Secondo ....(5), sta bene anche a una come ....(6), però forse dovresti tirare su l'orlo fino al ginocchio. Vai a chiedere un parere a Lina, deve essere in camera sua, chiedi anche ....(7) cosa ne pensa.
>
> *Marisa:* Come ti sembra questo vestito? ....(8) piace, voglio dire al babbo e alla mamma piace. Anche ....(9) piace molto, ma c'era anche in rosso e sono un po' indecisa. Quasi, quasi, domani vado in centro a cambiarlo.
>
> *Lina:* Sì, sì, bello. Hai ragione, però, rosso è più vivace. Quando vai in centro? Se vai domani mattina, vengo ....(10).

.4 Add the direct and indirect disjunctive pronouns.

1. Scrivo per invitare .... e la tua fidanzata al mio matrimonio.
2. Stavo pensando a Marco, quando ho visto .... e sua figlia in centro.
3. Domani il professore di inglese interrogherà una o due persone, forse .... o/e Luisa.
4. Vogliamo regalare questi fiori a .... che siete sempre stati molto gentili con ....
5. Vi ospiterò volentieri nella mia casa di montagna. Amici cari come .... sono sempre i benvenuti.
6. Perché Franco presta sempre la sua moto a Stefano e a .... mai? Io sono sempre stato disponibile con ....

.5 Replace the standard form of the direct and indirect object pronouns with the disjunctive form, as in the example.

1. Giancarlo mi saluta. = *Giancarlo saluta me.*
2. Li invitiamo alla festa di sabato sera? = ...
3. Gli zii ti accoglieranno con tanta gioia. = ...
4. La porteresti in spiaggia? = ...
5. Vi ringraziamo per tutto l'aiuto ricevuto. = ...
6. Silvio le ha mandato un mazzo di fiori. = ...
7. Perché gli avete raccontato una bugia? = ...
8. L'insegnante ci spiegherebbe solo la grammatica tedesca. = ...

25. I pronomi diretti e indiretti forti

1 **Un po' di musica leggera! Put the verbs in the future.** (simple future)

Lucio Dalla è un famoso cantautore italiano. È nato a Bologna nel 1943. In origine era clarinettista jazz dilettante e i suoi esordi nella musica leggera sono stati difficili. Si è imposto nel 1971 con la canzone *4 marzo 1943*. È anche autore di colonne sonore di film e sceneggiati televisivi. Nel 2003 scrive una delle più grandi rappresentazioni teatrali mai realizzate: *Tosca. Amore disperato*, un'opera totalmente inedita che Dalla scrive ispirandosi alla *Tosca* di Puccini. Tra i suoi maggiori successi: *Piazza Grande* (1972), *Nuvolari* (1976), *Com'è profondo il mare* (1977), *L'anno che verrà* (1979), *Caruso* (1987), *Attenti al lupo* (1990), *Ayrton* (1996), *Ciao* (1999), *Due dita sotto il cielo* (2007).

Lucio Dalla, 1943-2012

L'anno che verrà

Caro amico ti scrivo così mi distraggo un po'
e siccome sei molto lontano più forte ti (*scrivere*) ....(1).
Da quando sei partito c'è una grossa novità,
l'anno vecchio è finito ormai
ma qualcosa ancora qui non va.

Si esce poco la sera compreso quando è festa
e c'è chi ha messo dei sacchi di sabbia vicino alla finestra,
e si sta senza parlare per intere settimane,
e a quelli che hanno niente da dire
del tempo ne rimane.

Ma la televisione ha detto che il nuovo anno
(*portare*) ....(2) una trasformazione
e tutti quanti stiamo già aspettando
(*essere*) ....(3) tre volte Natale e festa tutto il giorno,
ogni Cristo (*scendere*) ....(4) dalla croce
anche gli uccelli (*fare*) ....(5) ritorno.

(*Esserci*) ....(6) da mangiare e luce tutto l'anno,
anche i muti (*potere*) ....(7) parlare
mentre i sordi già lo fanno.

E si (*fare*) ....(8) l'amore ognuno come gli va,
anche i preti (*potere*) ....(9) sposarsi
ma soltanto a una certa età,
e senza grandi disturbi qualcuno (*sparire*) ....(10),
(*essere*) ....(11) forse i troppo furbi
e i cretini di ogni età.

Vedi caro amico cosa ti scrivo e ti dico / e come sono contento / di essere qui in questo momento,
vedi, vedi, vedi, vedi, / vedi caro amico cosa si deve inventare / per poterci ridere sopra,
per continuare a sperare.

E se quest'anno poi passasse in un istante, / vedi amico mio / come diventa importante
che in questo istante ci sia anch'io.

L'anno che sta arrivando tra un anno (*passare*) ....(12)
io mi sto preparando è questa la novità.

Each correct answer is worth one point.
If you score less than 7 revise the grammar.

Result
/12

2 **Put the verbs in the future perfect. When the verbs are not indicated, find them using the information on the journey.** (future perfect)

Marcella ha nove anni, è figlia unica e pensa ai cuginetti di Roma che oggi vengono a trovarla a casa sua a Pompei, vicino a Napoli. È agitata e molto impaziente e, dopo aver chiesto tutte le informazioni agli zii sul loro viaggio, parla con la mamma e le fa tante domande.

7.45	circa chiamiamo il taxi
8.00	circa usciamo di casa
8.30	circa arriviamo alla stazione e saliamo sul treno
9.00	il treno parte
10.20	il treno arriva a Napoli
10.30	circa prendiamo la Circumvesuviana
11.30	circa arriviamo a Pompei

Marcella: Mamma, ma (*partire*) .... già ....(1)? Cosa dici?

Mamma: Mah, no Marcella! Sono solo le 7.15 non ....(2) neanche il taxi. Torna a letto che è presto! Vai a dormire ancora un po'.

Marcella: Mamma, adesso è passata un'ora, sono le 8.15. ....(3) già di casa, vero?

Mamma: Sì, sicuramente sono già usciti.

Marcella: Sono le 8.45, a quest'ora ....(4) alla stazione e ....(5) sul treno.

Mamma: Marcella, fai colazione tranquilla, arrivano i cuginetti, non ti preoccupare.

Marcella: Va bene, mangio e non faccio più domande.
(*Dopo mezz'ora*) Senti, ma il treno adesso ....(6)?

Mamma: Sì, è già partito.

Marcella: (*Verso le 10.10*) Che bello adesso il treno ....(7) a Napoli.

Mamma: Mah, no Marcella, è presto e poi ricordati che i treni possono essere in ritardo per mille motivi.

Marcella: Possiamo chiamarli sul telefonino?

Mamma: Hanno detto che chiamavano loro quando arrivavano a Pompei. Lo sai che ci vogliono solo 5 minuti per andare alla stazione. Vai a leggere un libro o a fare un disegno. Su vai.

Marcella: Adesso però sono le 11.00 e ....(8) la Circumvesuviana per arrivare a Pompei.

Mamma: Sì, penso proprio di sì. Senti, sai cosa ti dico? Andiamo alla stazione e proviamo a chiamarli da lì. Va bene?

Each correct answer is worth one point.
If you score less than 5 revise the grammar.

Result
/8

Test 5 (unità 21-25)

3 **Put the combined pronouns in the following sentences.** (combined pronouns)

1. Ho dimenticato la mia borsa e i miei libri nella tua macchina! .... porteresti stasera?

2. Domenico vuole un passaggio in centro, ... daresti tu? Io ho troppo da fare.

3. Se avete bisogno di un dizionario dei sinonimi, io .... posso dare.

4. • Mi daresti le tue chiavi di casa? Le mie non le trovo. • Va bene, ... do, ma cercale però!

5. Ci interessa molto l'esperienza di volontariato che avete fatto in India. .... potete raccontare?

6. • Hai dato a Francesca i suoi appunti? Ieri ha chiamato tre volte per riaverli... • Sì, ... ho dati.

7. • Loretta si pulisce gli occhiali di continuo. • È vero, ... pulisce ogni momento. Per me è una mania.

8. • Perché non fate un viaggio ai Caraibi per il vostro anniversario di nozze? • Sarebbe bello, ma non possiamo permetter..................

9. • Mamma mia che caldo con questa pelliccia! • Perché non .... togli?

10. Stefania ha visto un bel vestito che le stava anche molto bene, non capisco perché non .... è comprato.

Each correct answer is worth one point.
If you score less than 6, revise the grammar.

Result
/10

4 **Add ci or ne then put ✔ in the correct column.** (*ci* and *ne*)

	CI (place)	CI (other uses)	NE (quantity)	NE (other uses)
1. Perché mi ha regalato tutti quei libri? Non ...... volevo così tanti!	■	■	■	■
2. • Quanta pasta vuoi? • ...... voglio poca, preferisco mangiare anche il secondo.	■	■	■	■
3. Sei riuscito a risolvere il problema di matematica? Se non ...... riesci, vai da Tino: lui è molto bravo.	■	■	■	■
4. • Hai voglia di aiutarmi a lavare la macchina? • Per essere sincero non ...... ho voglia.	■	■	■	■
5. Vivo in un appartamento piccolo, ma ...... sto bene.	■	■	■	■
6. Dice sempre che ha fatto il master e poi il dottorato. ...... parla tutti i giorni! È insopportabile!	■	■	■	■
7. Non sono mai salito sul Duomo di Milano, ma voglio andar...... per vedere il bel panorama.	■	■	■	■
8. Per la torta ci vuole un litro di latte, ma in frigorifero ...... è rimasto solo mezzo litro.	■	■	■	■

Each correct answer is worth one point.
If you score less than 9, revise the grammar.

Result
/16

edizioni Edilingua

5 Insert the combined pronouns below with ci and ne. (combined pronouns with *ci* and *ne*)

> ce ne   ti ci   gliene   ce n'   ce le   vi ci   ce l'   me ne   te ne   ce ne

1. • Ho fatto del tè verde, quello che piace a Emma. Ne vorrà un po'?
   • Sì, ... versi una tazza. Vado a chiamarla.

2. • Signora, quanta carne trita vuole? • .... macini mezzo chilo, grazie.

3. Oggi con lo sciopero dei mezzi ho avuto pochi ragazzi a lezione. .... erano solo dieci.

4. • Che barba! Devo andare di nuovo dal parrucchiere perché ho dimenticato il cappello.
   • .... porto io. Va bene? Così fai prima.

5. • Gianni e Lucia, vi sarete dimenticati come al solito che oggi è il compleanno della mamma!
   • Caspita! È vero: .... siamo completamente dimenticati.

6. • Senti, ho raccontato tutto il mio passato al mio nuovo fidanzato.
   • E sono sicura che .... sei già pentita.

7. • Hai le fotografie delle vacanze in Islanda? • Sì, ... ho.

8. • Hai messo il sale nella pasta? • Sì, ... ho messo.

9. • Guardi nella cassetta della posta se ci sono delle lettere? • Sì, ... sono tre.

10. • Dobbiamo andare dal dottore, ci dai un passaggio? • Ok, ... porto io.

Each correct answer is worth one point.
If you score less than 6, revise the grammar.

Result
__/10

6 Put the verbs in the present conditional, as in the example in blue. (present conditional)

Laura è una sognatrice nata e tutti gli anni segue il sabato sera il programma della RAI sul primo canale abbinato alla Lotteria Italia. Spera sempre di vincere e sogna...

Con i soldi della vincita saprei sicuramente cosa fare. Prima di tutto (*smettere*) ....(1) di lavorare. (*Comprare*) ....(2) un bell'attico a Roma con una terrazza grandissima e una villa o uno chalet in Engadina, a Sils Maria o a Pontresina. O forse (*cercare*) ....(3) di comprare una bella cascina nella campagna marchigiana! (*Viaggiare*) ....(4) per il mondo per un anno. (*Regalare*) ....(5) una bella macchina al mio fidanzato e (*regalarsi*) ....(6) dei bei gioielli, magari di Bulgari o Pomellato.

(*Dare*) ....(7) anche dei soldi in beneficenza, non perché è di moda, ma perché l'ho sempre fatto. Con una grossa vincita (*donare*) ....(8) solo più soldi a più associazioni. Poi (*rivolgersi*) ....(9) a un esperto di finanza e (*chiedere*) ....(10) a lui come investire i miei soldi per stare tranquilla per il resto dei miei giorni. (*Organizzare*) ....(11) anche una festa per tutti i miei amici che vivono in Italia e all'estero. Lo so... (*fare*) ....(12) tante belle cose, ma come al solito sono solo sogni!!!

Each correct answer is worth one point.
If you score less than 7, revise the grammar.

Result
__/12

7 **Go back to Exercise 6 and put the verbs in the past conditional, as in the example.** (past conditional)

Laura spera sempre, ma anche durante l'ultima estrazione non ha vinto niente. Comunque continua a sognare e a pensare a quello che avrebbe fatto con i soldi della vincita.

Con i soldi della vincita *avrei saputo* sicuramente cosa fare...

Each correct answer is worth one point.   *Result*
If you score less than 7, revise the grammar.   */12*

8 **Attualità! Find the verbs in the present conditional and complete the table, as in the example.** (present conditional)

Fuga di cervelli

Il ricercatore Teloni e la ricercatrice Bianchi della facoltà di Medicina dell'Università di Bologna parlano di un loro collega, Ginelli, che forse si trasferirà negli Stati Uniti.

Teloni: Hai sentito? Circolano voci che Ginelli si trasferirebbe negli Stati Uniti, addirittura alla famosissima Università di Stanford.

Bianchi: Secondo me, dovrebbe aspettare prima di trasferirsi, perché forse potrebbe avere possibilità di carriera anche qui.

Teloni: Mah, non so. Comunque ti ricordi che il suo sogno è sempre stato quello di andare all'estero e magari proprio negli Stati Uniti? Dice sempre: "Eh... piacerebbe tanto a me e a mia moglie trasferirci all'estero, ci sono più stimoli, ci sono più gratificazioni sotto tutti i punti di vista, anche le mie figlie vorrebbero trasferirsi a Londra o negli Stati Uniti e fare l'università all'estero". Caspita! La so a memoria questa frase, ce la ripeteva tutti i giorni. Certo, forse hai ragione tu, farebbe meglio a valutare con molta attenzione le possibilità che ci sono, anche per il suo team di ricercatori, e poi decidere.

Bianchi: Mah, forse non molte. Lo sai come vanno le cose qui da noi... Si parla sempre di fuga di cervelli, basta ricordare nomi famosi, tutti premi Nobel, come Marconi, Fermi e i più recenti Dulbecco, Rubbia, Levi-Montalcini. Tutti ricercatori e scienziati che hanno dovuto "emigrare".

Teloni: Va, rimettiamoci a lavorare, se no qui ci deprimiamo. Senti, mi passeresti quella documentazione che è vicino a te e mi daresti quella relazione di cui mi parlavi ieri?

desire	polite request/ invitation	advice/personal opinion	doubt/supposition
			si trasferirebbe

Each correct answer is worth one point.   *Result*
If you score less than 8, revise the grammar.   */14*

Total score   */94*

Positive
Piero è alto.

Comparative

Piero è più alto *di* Luca.	(majority)
Piero è meno alto *di* Luca.	(minority)
Piero è alto come/quanto Luca.	(equality)

Piero è più intelligente *che* studioso.
Lucia è meno simpatica *che* bella.
Federico è tanto bello quanto intelligente.

Relative superlative

Piero è il più alto di/tra noi.	(majority)
Piero è il meno alto di/tra noi.	(minority)

Absolute superlative
Piero è altissimo/molto alto.

COMPARATIVE
The comparative is used to compare two people, objects, animals and situations.

Majority and minority

We use più/meno + adjective + di +
1. a noun
2. an indirect disjunctive pronoun (without preposition)
3. a possessive pronoun (with article)

Mario è più sincero di *Luisa*.
Mario è meno sincero di *Luisa*.
Mario è più sincero di *te*.
Mario è meno sincero di *te*.
Il mio libro è più vecchio del *tuo*.

We use più/meno + adjective + che +
1. an adjective
2. a verb in the infinitive
3. an adverb
4. names of people or indirect disjunctive pronouns (with preposition)

Rossella è più intelligente che *bella*.
Rossella è meno intelligente che *bella*.
Giocare è più divertente che *studiare*.
Studiare è meno divertente che *giocare*.
Vedrai... sarai più sereno qui che *là*.
Vedrai... sarai meno sereno qui che *là*.
Il professore è più severo con Maria che *con me*.
Il professore è meno severo con Maria che *con Teresa*.

 **Important!**

Più and meno are invariable and always precede the adjective.

 **Careful!**

For comparisons we also use più/meno + noun + che + noun

In casa mia ci sono più riviste che *giornali*.

Equality	
We use (così) + adjective + come or (tanto) + adjective + quanto	Rino è (tanto) alto quanto *Massimo*. Giovanni è (così) grasso come *te*. Andare al mare è (così) bello come *andare in montagna*.

Important!

Usually così and tanto are not used.

EXERCISES

26.1 **Find the correct comparative form and put ✔ in the right column.**

	EQ.	MIN.	MAJ.
1. La macchina dello zio Franco è più moderna di quella di papà.	▢	▢	▢
2. Questi fiori sono meno profumati degli altri.	▢	▢	▢
3. Questa città è più sporca che bella.	▢	▢	▢
4. Il compito in classe di matematica era più facile dei compiti dati per casa.	▢	▢	▢
5. La pizzeria è meno costosa del ristorante.	▢	▢	▢
6. Gli spaghetti sono buoni come le orecchiette.	▢	▢	▢
7. Il mio libro è meno interessante del tuo.	▢	▢	▢
8. Giovanni è sempre stato più dinamico di me.	▢	▢	▢

26.2 **Choose che or di.**

1. Non avevo mai visto un ponte come questo, è più largo che/di lungo.
2. Anna si veste sempre molto bene, ma secondo me, è più appariscente che/di elegante.
3. Enrico si sposa l'anno prossimo e la sua fidanzata è molto più giovane che/di lui.
4. Andare in discoteca è più divertente che/di andare a scuola.
5. Sei più felice lì al mare che/di qui?
6. Cristina è sempre gentile e disponibile, e poi è più generosa che/di suo marito.
7. I film europei sono, di solito, più interessanti e più profondi che i/dei film americani.
8. A me piace molto il pesce, ma non lo compro spesso, perché è più caro che la/della carne.

edizioni Edilingua

.3 Read the information and complete the sentences, as in the example, with the correct comparative form: equality (=), minority (-) and majority (+) and use **che, di, come/quanto** and the adjectives where necessary.

TOMMASO

ROBERTO

	Tommaso	Roberto	Tu?
età	45	50	
altezza	m. 1,80	m. 1,75	
figli maschi	x	3	
figlie femmine	2	1	
macchina	1	1	
cani	3	3	
gatti	2	2	

numerosa   nuova   giovane   alto

1. Tommaso è più giovane di Roberto. (+)
2. Roberto è .... Tommaso. (–)
3. Roberto ha .... figli maschi .... figlie femmine. (+)
4. La famiglia di Tommaso è .... quella di Roberto. (–)
5. La macchina di Roberto è .... quella di Tommaso. (=)
6. Tommaso ha .... gatti .... cani. (–)

What's your family like? Do you have a car or some pets? Complete the table and write two sentences comparing yourself to Roberto and/or Tommaso.

1. ....

2. ....

26. I gradi dell'aggettivo

26.4 **Put the words in the right order in these sentences.**

1. dello scorso anno.   Le vendite   meno alte   di quest'anno   sono state   di case   di quelle

    ....

2. più divertente   giocare a golf.   giocare a tennis   Per il tennista Gianni   è   che

    ....

3. mantenere.   è   Promettere   che   più facile

    ....

4. è stata   con te   La maestra   che   più gentile   con me.

    ....

5. era   Domenico   bravo   come   A scuola   Luisa.

    ....

6. del vicino   della nostra.   è   più veloce   La macchina

    ....

26.1 **Superlative**

The superlative is used to indicate that a person, object, or animal has a characteristic at the highest level.	
Relative superlative of majority and minority We use il/la/i/le + più/meno + adjective + di/fra-tra to indicate that a person, animal or object has a characteristic at the highest level compared to a group of people, animals or objects.	Maria è la più alta delle/tra le sorelle. Francesco è il meno intelligente dei/tra i fratelli.
Absolute superlative The absolute superlative is usually formed with: adjective (without last letter) + issim + o/a/i/e to indicate that a person, animal or object has a characteristic at the highest possible level which cannot be compared.	Gianni è bell-issim-o. Lucia è una ragazza interessant-issim-a.
Careful! 	
We use issim + o/a/i/e only with adjectives of the 1st and 3rd group (*see Unit 6, page 31*).	Franco è bravissimo a giocare a calcio.
To form the absolute superlative we can also use: 1. molto, decisamente, estremamente; (adjectives of the 1st, 2nd, 3rd, 4th groups) 2. arci-, iper-, sovra-, stra-, super-; (adjectives of the 1st, 2nd, 3rd group) 3. the adjective used twice.	La situazione era *estremamente* difficile. Sono *arci*stufo del tuo comportamento! Lo stadio era *strapieno*. Gianni è sempre *super*informato. Ho un cavallo dal mantello nero nero.

EXERCISES

1.1 Use the relative or absolute superlative and put ✔ in the right column.

RS   AS

1. I cinesi sono la popolazione più numerosa del mondo.
2. Febbraio è il mese più corto dell'anno.
3. Durante la conferenza l'aula magna dell'università era sovraffollata.
4. I dolci che fa la nonna sono buonissimi.
5. A me piacciono molto i bonsai proprio perché sono piccoli piccoli.
6. Maria è stata la meno studiosa delle mie figlie.
7. Lorenzo avrà gli esami tra due settimane ed è stressatissimo.
8. I Zanon hanno lavorato tutta la vita e adesso sono diventati straricchi.

1.2 Un po' di arte! Use the relative or absolute superlatives, as in the examples.

È una città ....(1) dal punto di vista artistico, storico e culturale. Il Duomo di Santa Maria del Fiore è il simbolo più famoso(2) e anche .... edificio ....(3) di questa città. Dante, ... scrittore italiano ....(4) nel mondo, è nato qui, come anche Michelangelo e Machiavelli. Le tombe di questi due ultimi illustri cittadini si trovano nella Basilica di Santa Croce, famosa anche per gli splendidi affreschi di Giotto. Ponte Vecchio è .... ponte ....(5) della città. I turisti possono ammirarlo e curiosare tra le sue ....(6) botteghe e i negozi specializzati in gioielli bellissimi(7). Gli Uffizi, ...(8) galleria d'arte italiana, è ricca di capolavori di importanti pittori come Martini, Piero della Francesca, Botticelli e Michelangelo. Tra .... altri luoghi o chiese ....(9) della città ci sono anche Piazza della Signoria con Palazzo Vecchio, la Chiesa di Santa Maria del Carmine con i ....(10) affreschi della Cappella Brancacci e Palazzo Pitti.

il ... più famoso
l'... più alto
antichissime
il ... più antico
lo ... più noto
la più famosa
gli ... più rinomati
bellissimi
molto ricca
pregiatissimi

1.3 Un po' di geografia! Insert the relative superlative and choose the correct answer, as in the example. Be careful: you may need to ask your teacher for help!

1. La pianura italiana (esteso) più estesa è
   a) il Tavoliere delle Puglie.   **b)** la Pianura Padana.   **c)** la Maremma.

2. .... vulcano (attivo) .... d'Italia è
   a) il Vesuvio.   **b)** lo Stromboli.   **c)** l'Etna.

3. .... monte (alto) .... d'Italia è
   a) il Gran Sasso.   **b)** il Monte Bianco.   **c)** il Monte Rosa.

4. .... città (popoloso) .... d'Italia è
   a) Milano.   **b)** Roma.   **c)** Napoli.

5. .... fiume (lungo) .... d'Italia è
   a) il Po.   **b)** l'Arno.   **c)** il Tevere.

Il Duomo, *Firenze*

26. I gradi dell'aggettivo

6. .... regione italiana (vasto) .... è
   a) la Valle d'Aosta.　　　**b)** l'Umbria.　　　**c)** la Sicilia.

7. .... città (povero) .... d'Italia è
   a) Torino.　　　**b)** Bologna.　　　**c)** Enna.

8. .... lago (grande) .... d'Italia è
   a) il lago Trasimeno.　　　**b)** il lago di Garda.　　　**c)** il lago Maggiore.

26.1.4 Insert the absolute superlative (-issimo) of the adjectives, as in the example, and complete the text. Be careful: the adjectives are not in the right order!

ricco	bella	grande	cara	lungo	costoso	elegante	lussuosa

Una vita al massimo

Lorenzo ha ereditato molti soldi e ha smesso di lavorare, perché adesso è ricchissimo(1). Vive ora in una casa ....(2) e ....(3). Ha comprato una macchina ....(4) e ....(5). Ha regalato alla sua fidanzata un orologio e dei gioielli ....(6) ed ....(7). Ha prenotato un viaggio ....(8) intorno al mondo e starà via con la sua fidanzata per molto tempo. Una vita veramente in *-issimo*!

26.2 Irregular comparatives and superlatives

	Comparative	Relative superlative	Absolute superlative
buono	più buono	il più buono	buonissimo
	migliore	**il migliore**	**ottimo**
cattivo	più cattivo	il più cattivo	cattivissimo
	peggiore	**il peggiore**	**pessimo**
grande	più grande	il più grande	grandissimo
	maggiore	**il maggiore**	**massimo**
piccolo	più piccolo	il più piccolo	piccolissimo
	minore	**il minore**	**minimo**
alto	più alto	il più alto	altissimo
	superiore	**il superiore**	**supremo**
basso	più basso	il più basso	bassissimo
	inferiore	**l'inferiore**	**infimo**

In the comparison of majority, relative superlative and absolute superlative some adjectives are regular in form, whereas others are irregular. It is often the case that either the regular or irregular form can be used, but the irregular forms are more often used in formal language.	Questo grattacielo è più alto di quello. Questa borsa è di qualità superiore alle altre. Le scarpe di Mara sono più basse di quelle di Loretta. La quantità di carne venduta ieri è inferiore a quella venduta oggi.

edizioni Edilingua

EXERCISES

.1 Complete the table.

	Comparative	Relative superlative	Absolute superlative
buono			*ottimo*
cattivo		*il peggiore*	
grande	*maggiore*		
piccolo		*il minore*	
alto			*supremo*
basso			*infimo*

.2 Find the comparatives and relative and absolute superlatives and replace them with irregular comparatives and relative and absolute superlatives, as in the example.

1. I cannelloni della mamma sono più buoni di quelli della nonna. *migliori*

2. Il pesce che ho mangiato ieri al ristorante era di buonissima qualità, ma il vino era di cattivissima qualità. ....

3. Loretta ha due sorelle: la più grande si chiama Maura e la più piccola si chiama Elsa. ....

4. I risultati degli esami di Marco sono stati più bassi rispetto alle previsioni. ....

5. Povero Gianluca! È andato ad abitare nello stesso palazzo dove abitano sua madre e sua sorella. La madre abita al piano più alto e la sorella abita al piano più basso. ....

6. Ieri il preside ha avuto un comportamento di bassissimo livello. ....

7. I delegati al congresso hanno concluso un accordo di grandissima importanza. ....

8. Franco ha cambiato lavoro, adesso ha una posizione di più grande responsabilità. ....

.3 Find the 3 errors and correct them.

1. Giuseppe ha un carattere peggiore rispetto a Marco.

2. Oggi il tempo è più migliore di ieri, così posso andare a fare una passeggiata.

3. Un proverbio dice che la paura è una pessima consigliera.

4. Questo gelato è ottimo, non ne ho mai mangiato uno così buono.

5. Francesca e Roberto hanno riparato la macchina con una spesa minimissima.

6. Claudia è proprio una bella ragazza ed è anche molto alta. La sua altezza è superiore alla media.

7. La sorella minore di mia madre, zia Daria, viene a trovarci domenica. È davvero una simpaticona!

8. Alla conferenza parteciperà il più massimo esperto di inquinamento atmosferico!

27 L'imperativo diretto

Regular verbs

	ARE	ERE	IRE	
	lavorare	prendere	partire	capire
tu	lavora!	prendi!	parti!	capisci!
	non lavorare!	non prendere!	non partire!	non capire!
noi	lavoriamo!	prendiamo!	partiamo!	capiamo!
	non lavoriamo!	non prendiamo!	non partiamo!	non capiamo!
voi	lavorate!	prendete!	partite!	capite!
	non lavorate!	non prendete!	non partite!	non capite!

Irregular verbs

	essere	avere	sapere
tu	sii!	abbi!	sappi!
	non essere!	non avere!	non sapere!
noi	siamo!	abbiamo!	sappiamo!
	non siamo!	non abbiamo!	non sappiamo!
voi	siate!	abbiate!	sappiate!
	non siate!	non abbiate!	non sappiate!

	andare	fare	dare	stare	dire
tu	va'! / vai!	fa'! / fai!	da'! / dai!	sta'! / stai!	di'!
	non andare!	non fare!	non dare!	non stare!	non dire!
noi	andiamo!	facciamo!	diamo!	stiamo!	diciamo!
	non andiamo!	non facciamo!	non diamo!	non stiamo!	non diciamo!
voi	andate!	fate!	date!	state!	dite!
	non andate!	non fate!	non date!	non state!	non dite!

188

STRUCTURE

The direct imperative (*tu*, *noi*, *voi*) is the same as the present indicative.

Se sei stanco, dormi di più!
Beviamo questo bicchiere alla nostra salute!
Scrivete questa lettera!

For verbs in the 1st group the second person singular *tu* changes, and the ending becomes -a.

Mangia tutta la carne!

Essere, avere and sapere have irregular forms for *tu* and *voi*.

Sii educato con i tuoi compagni di scuola!
Siate gentili con i nonni!
Abbi fiducia, vedrai che troverai un lavoro!
Abbiate pazienza, ma il primo non è ancora pronto!
Sappi che hai torto, questa volta!
Sappiate comportarvi bene!

Andare, dare, fare, stare, dire only have an irregular *tu* form. Except for *dire* these verbs have two forms for the second person *tu*.

Va'/Vai dal dentista, se ti continuano a fare male i denti.
Di' quello che vuoi, ma a me il professore d'italiano non piace.

For the negative form of regular and irregular verbs **non** precedes the verb + the form of the direct imperative, though this only occurs with *noi* and *voi*.

Non parliamo a quei ragazzi!
Non parlate agli sconosciuti!

For the second person singular *tu* the negative form for regular and irregular verbs is non + infinitive.

Non bere troppi alcolici, lo sai che ti fanno male!
Non fare lo stupido, comportati bene!

USE

The direct imperative is used to express/give:

1. an order;

Guardate avanti e non vi voltate!

2. an invitation or request;

Apri la finestra perché fa caldo!

3. advice and instructions.

Non studiare troppo oggi!
Mangiamo questa torta!

27. L'imperativo diretto

EXERCISES

27.1 **Complete the table.**

abbiate   facciamo   sta'/stai   non state   non fare   non andiamo

	tu (forma affermativa/negativa)	noi (forma affermativa/negativa)	voi (forma affermativa/negativa)
andare	aff. neg.	aff. neg.	aff. neg.
fare	aff. neg.	aff. neg.	aff. neg.
stare	aff. neg.	aff. neg.	aff. neg.
avere	aff. neg.	aff. neg.	aff. neg.

27.2 **Put the verbs in the direct imperative (*voi*), as in the example.**

Un gruppo di studenti italiani va a fare una vacanza-studio in Irlanda, a Dublino. La loro insegnante d'inglese dà loro molte indicazioni e consigli su cosa fare o non fare secondo le abitudini e le regole irlandesi.

Insegnante: Mi raccomando ragazzi, (*stare*) state attenti, prima di attraversare la strada (*guardare*) ....(1) prima a destra e poi a sinistra, è il contrario rispetto all'Italia.

Studenti: Sì, prof. Lo sapevamo, perché qui in Irlanda, come in Gran Bretagna, la guida è a sinistra.

Insegnante: Poi ragazzi, quando siete alla fermata dell'autobus (*non urlare*) ....(2), (*essere*) ....(3) educati e (*fare*) ....(4) sempre la fila.

Studenti: Ok, prof!

Insegnante: Quando fate delle domande, (*dire*) ....(5) sempre "per favore" e quando rispondete, (*usare*) ....(6) sempre "grazie". Qui ci tengono! Poi per quanto riguarda la questione "pub", quelli che hanno meno di 16 anni, la maggioranza di voi, possono andare al pub solo di pomeriggio e, quando siete lì, (*non ordinare*) ....(7) be-

vande alcoliche. Altra cosa importante: quando siete in un pub, al ristorante o in pizzeria, insomma nei locali pubblici, (*non fumare*) ....(8), perché è sempre vietato, come in Italia. Chiaro? Comunque, io sarò sempre con voi, ma queste cose andavano dette.

Studenti: Chiarissimo, prof!

.3 **Put the verbs in the direct imperative (*tu*), as in the example. Be careful! Sometimes you need to use the negative form.**

Luisa ha 15 anni e va in un campo estivo per il mese di luglio. La mamma le dà molti consigli sulle cose da fare e da non fare.

> leggere   mangiare   ascoltare   scrivere   telefonare   bere

Mamma: Mi raccomando Luisa, leggi(1) molti libri e ....(2) una cartolina alla zia Teresa e allo zio Giuseppe.

Luisa: Ok, mamma.

Mamma: ....(3) tante schifezze come patatine fritte e ....(4) troppe bevande gasate, che ti fanno male.

Luisa: Ok, mamma, lo so! Poi mi vengono anche i brufoli.

Mamma: Poi ....(5) gli educatori e ....(6) a casa tutte le sere!

Luisa: Va bene mamma, ho capito! Che barba che sei! Mi tratti sempre come una bambina piccola.

Mamma: Il fatto... è che sei piccola!

7.4 **Put the verbs in the direct imperative.**

Juan Pablo è alle prime lezioni di un corso di italiano all'Università di Perugia. Il professore fa delle richieste agli alunni e Juan Pablo non capisce tutto e scrive tutti i verbi all'infinito. Ecco i suoi appunti: aiutalo!

1. Marlene, (*venire*) .... alla lavagna!

2. Ian, (*chiudere*) .... la finestra, per favore.

3. Ragazzi, (*aprire*) .... il libro a pagina 3 e (*ripetere*) .... quello che dico io.

4. Stephanie, (*parlare*) .... più forte, non ti sento.

5. (*Leggere*) .... il brano per conto vostro e (*completare*) .... la tabella.

6. Natascia, (*andare*) .... al tuo posto.

7. (*Ascoltare*) .... il dialogo e (*rispondere*) .... al questionario sul vostro libro a pagina 11.

8. (*Fare*) .... l'esercizio 3 a pagina 10, se volete con il compagno di banco.

27. L'imperativo diretto

27.5 **Un po' di attualità!** Put the verbs in the direct imperative (*voi*), using the negative where necessary, in the correct part of the table below then calculate how many points on the licence a driver loses if s/he doesn't follow the highway code.

In Italia c'è la patente "a punti". Se i guidatori non rispettano le norme stradali, perdono dei punti e possono anche perdere la patente. Quanti punti perde un guidatore, se non rispetta le norme stradali?

Per non giocarsi la patente!

5 (*usare*) gli occhiali da vista, se richiesti
1 (*superare*) il limite di velocità di oltre 40 Km/h
6 (*usare*) il telefonino
7 (*allacciare*) le cinture di sicurezza
2 (*fare*) retromarcia in autostrada
8 (*dare*) la precedenza
3 (*passare*) con il semaforo rosso
4 (*osservare*) lo stop

NORME STRADALI

10
1. ....
2. ....

5
3. ....
4. ....

4
5. Usate gli occhiali da vista, se richiesti.
6. ....
7. ....
8. ....

27.6 Complete the sentences with the imperative of the verbs below.

fare   andare   fare   essere   stare   avere

1. ● .... una passeggiata! ● Dove andiamo, al parco o in spiaggia?

2. ● Mi dai un altro cioccolatino? ● Te lo do, ma .... attenta perché troppi dolci fanno male.

3. ● Sei pronta? ● Non ancora, ... pazienza, ancora cinque minuti.

4. ● Marco, hai bisogno di aiuto? ● Grazie Loretta, ... gentile, aiutami a spostare questo mobile.

5. ● Allora, visto che siamo tutti pronti, ... !

6. ● Posso andare a trovare Maria? ● No, ... prima i compiti.

edizioni Edilingua

Direct imperative and pronouns

When there is an imperative, the reflexive pronouns, direct object pronouns, indirect object pronouns, combined pronouns and the particles *ci* and *ne* always *follow* the imperative.

Accomodati qui, la zia arriva subito!
Compra il latte al supermercato, ricordati: compralo!
Telefonate a Giorgio. Mi raccomando, telefonategli!
Non ti regalo la *macchina fotografica*! Compratela da solo!
Quando ritorni a *Sorrento*? Ritornaci la prossima estate!
Questo dolce è veramente buono, vero? Prendetene un'altra fetta!

Careful!

When there is a direct negative imperative, the reflexive pronouns, direct object pronouns, indirect object pronouns, combined pronouns and the particles *ci* and *ne* *precede* or *follow* the imperative.

Non seder*ti* su quella sedia, è rotta!
Non *ti* sedere su quella sedia, è rotta!

Non parlare così a tuo padre!
Non parlar*gli* in quel modo!
Non *gli* parlare in quel modo!

Non dimenticare i fiori!
Non dimenticar*li*!
Non *li* dimenticare!

Careful!

In the second person singular (*tu*) of the verbs andare, dare, dire, fare and stare, the direct object pronouns, indirect object pronouns and *ci* and *ne* double the consonant.

Quando vai dal dentista? Vacci domani!
Se vedi Luisa, dalle un bacione!
Fai i compiti, avanti! Falli adesso!
Per imparare l'italiano, vai in Italia e stacci un anno!

Careful!

The pronoun *gli* does not have a double consonant.

Quando incontri Gianni, digli che lo chiamo lunedì!

Portofino (Genova), *Liguria*

L'imperativo diretto

EXERCISES

27.1.1 **Join the sentences and give advice, as in the example.**

a) 1. Sono distrutto, è un anno che non mi riposo.
   2. Mi hanno invitato ad una cena in un ristorante qui vicino.
   3. Siamo veramente stanchi di lavorare per questa società!
   4. La mia amica Carla mi chiede di andarla a trovare al mare.
   5. Vittorio vuole sapere se l'hai perdonato.
   6. Possiamo sederci qui?

a) Fatti una bella vacanza e divertiti!
b) Cercate un altro lavoro e licenziatevi!
c) Valla a trovare e stacci un po'!
d) Sì, sedetevi lì sul divano!
e) Se è *da Gino* non andarci, si mangia male, se è *da Pino* vacci!
f) Digli di lasciarmi in pace!

27.1.2 **Put the verbs in the direct imperative with the pronouns.**

1. Visto che vi siete comportati così male, quando avrete ancora dei problemi non ...., perché non vi rispondo. (*telefonare*)

2. Quando hai bisogno di aiuto, ... a Tina! Lo sai che lei c'è sempre per te. (*chiedere*)

3. Se vi piacciono questi maglioni, ...! (*comprare*)

4. Come hai potuto mancarci di rispetto? .... scusa, altrimenti non ti rivolgiamo più la parola. (*chiedere*)

5. Se vuoi dei pasticcini sono lì, ... pure due, tre, quanti ne vuoi. Non fare complimenti! (*mangiare*)

6. ...., è veramente tardi, dovete andare all'università! (*alzarsi*)

7. Mi parli sempre di quell'albergo a Sirolo, ... anche quest'anno, così ti rilassi un po'. (*tornare*)

8. .... bene, prima di prendere una decisione così importante! (*pensare*)

27.1.3 **Put the verbs in the imperative with the pronouns then match the questions to the answers.**

___ 1. Come cucino il pesce, fritto o ai ferri?
___ 2. A chi devo credere?
___ 3. Chi vuole questo libro?
___ 4. Ho dimenticato a casa i compiti e i libri.
___ 5. Vado adesso a comprare il pane?
___ 6. Per quanto tempo posso stare in campagna a casa tua?

a) .... alla professoressa!
b) .... a me.
c) .... retta, credi a me!
d) .... fritto, è più gustoso.
e) .... quanto vuoi.
f) Sì, ... a prendere adesso.

dare
fare
stare
dare
dire
andare

Il congiuntivo

Regular verbs

	ARE	ERE	IRE	
	lavorare	prendere	partire	capire
io	lavori	prenda	parta	capisca
tu	lavori	prenda	parta	capisca
lui/lei/Lei	lavori	prenda	parta	capisca
noi	lavoriamo	prendiamo	partiamo	capiamo
voi	lavoriate	prendiate	partiate	capiate
loro	lavorino	prendano	partano	capiscano

Irregular verbs

	andare	stare	scegliere	bere	uscire	dire
io	vada	stia	scelga	beva	esca	dica
tu	vada	stia	scelga	beva	esca	dica
lui/lei/Lei	vada	stia	scelga	beva	esca	dica
noi	andiamo	stiamo	scegliamo	beviamo	usciamo	diciamo
voi	andiate	stiate	scegliate	beviate	usciate	diciate
loro	vadano	stiano	scelgano	bevano	escano	dicano

	essere	avere	potere	volere	dovere	sapere
io	sia	abbia	possa	voglia	debba	sappia
tu	sia	abbia	possa	voglia	debba	sappia
lui/lei/Lei	sia	abbia	possa	voglia	debba	sappia
noi	siamo	abbiamo	possiamo	vogliamo	dobbiamo	sappiamo
voi	siate	abbiate	possiate	vogliate	dobbiate	sappiate
loro	siano	abbiano	possano	vogliano	debbano	sappiano

STRUCTURE

The present subjunctive is a simple verb. Verbs in -ere and -ire have the same endings.

Credo che loro **vedano** Luca stasera. (vedere)
Pensi che i ragazzi **partano** oggi? (partire)

The 1st, 2nd and 3rd person singular in each group of verbs is the same, so it is better to use *io*, *tu*, *lei/lui/Lei* to avoid ambiguity.

Credono che *io* **lavori** troppo.
Sembra che *tu* **lavori** troppo.
Pensano che *lui* **lavori** troppo.

In the present subjunctive, as with the other tenses in the subjunctive, usually we use *che*.

• Viene anche Gianni con noi?
• Credo *che* non **venga**.
• Credo non **venga**.
• Non so se **venga** anche Gianni.

Careful!

Verbs ending in -care and -gare like giocare and pagare always take -h!
Giocare: giochi, giochi, giochi, giochiamo, giochiate, giochino.
Pagare: paghi, paghi, paghi, paghiamo, paghiate, paghino.

È meglio che **giochiate** in giardino.

Credo che **paghino** molto per le lezioni di pianoforte.

There are many irregular verbs. Again, the 1st, 2nd and 3rd person singular of the present subjunctive of irregular verbs is the same, so it is better to use *io*, *tu*, *lei/lui/Lei* to avoid ambiguity.
The present subjunctive of many irregular verbs is formed using their present indicative form.

È importante che *io* **vada** dal dentista.
È meglio che *tu* **vada** dal dentista.
Credete che *lei* **vada** dal dentista?

esco - esca   scelgo - scelga
posso - possa   vado - vada

The perfect subjunctive

Regular and irregular verbs

		verbs with *avere*		verbs with *essere*		
		lavorare	dire		tornare	rimanere
io	abbia	lavorato	detto	sia	tornato/a	rimasto/a
tu	abbia	lavorato	detto	sia	tornato/a	rimasto/a
lui/lei/Lei	abbia	lavorato	detto	sia	tornato/a	rimasto/a
noi	abbiamo	lavorato	detto	siamo	tornati/e	rimasti/e
voi	abbiate	lavorato	detto	siate	tornati/e	rimasti/e
loro	abbiano	lavorato	detto	siano	tornati/e	rimasti/e

edizioni Edilingua

STRUCTURE

The perfect subjunctive is a compound tense. The perfect subjunctive of regular and irregular verbs is formed with the present subjunctive of the verb essere or avere and the past participle of the verb. As with the present, the 1st, 2nd and 3rd person singular of the perfect of regular and irregular verbs is the same, so is better to use io, tu, lei/lui/Lei to avoid ambiguity. In the perfect subjunctive, as with the other tenses in the subjunctive, usually we use che.	Credete che io abbia sposato Luca solo per i soldi? Mi sembra che abbiate preferito così. Penso che Matteo sia già tornato dal lavoro. È probabile che Alessandra e Matilde siano già partite per Siena. Pensano che *io* abbia lavorato fino a tardi. Penso che *tu* abbia lavorato fino a tardi. Crediamo che *lei* abbia lavorato fino a tardi. Credono *che* io sia andato a Parma ieri. Immagino tu sia andato a Parma ieri. Non so se Gino sia andato a Parma ieri.

EXERCISES

.1 Complete the table.

io	tu	lui/lei/Lei	noi	voi	loro
ami					
					prendano
		parta			
			spediamo		

.2 Find the words for each column and complete the table, as in the example.

	onaippas	novabe	abbed	noesca	aid	ias	cadi	abiab
	sapere	**bere**	**dovere**	**uscire**	**dare**	**essere**	**dire**	**avere**
io				*esca*				
tu				*esca*				
lui/lei/Lei				*esca*				
noi		*beviamo*	*dobbiamo*			*siamo*	*diciamo*	
voi		*beviate*			*diate*	*siate*		*abbiate*
loro	*sappiano*		*debbano*				*dicano*	

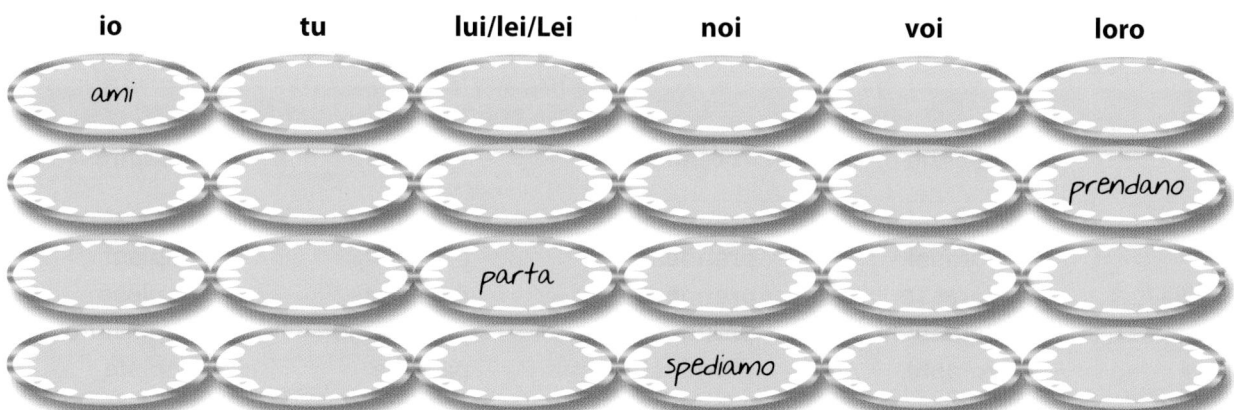

28.3 Find the perfect subjunctive, give the infinitive then link the sentences, as in the example.

1. Tutto il personale del museo è in allarme
2. Hai visto che abbronzatura Tiziana e Lino?
3. Loretta è tornata tardi ieri sera.
4. Alberto è proprio contento oggi.
5. Mi è dispiaciuto molto

a) Sì, penso che siano appena tornati dal mare.
b) Credo abbia trovato una nuova fidanzata.
c) perché credo che abbiano rubato un quadro.
d) che tu non abbia vinto il premio.
e) È probabile che sia andata ad una festa.

Perfect subjunctive	Infinitive
abbiano rubato	rubare

28.1 The imperfect subjunctive

Regular verbs

	ARE	ERE	IRE	
	lavorare	prendere	partire	capire
io	lavorassi	prendessi	partissi	capissi
tu	lavorassi	prendessi	partissi	capissi
lui/lei/Lei	lavorasse	prendesse	partisse	capisse
noi	lavorassimo	prendessimo	partissimo	capissimo
voi	lavoraste	prendeste	partiste	capiste
loro	lavorassero	prendessero	partissero	capissero

Irregular verbs

	essere	dare	stare	bere	fare	dire
io	fossi	dessi	stessi	bevessi	facessi	dicessi
tu	fossi	dessi	stessi	bevessi	facessi	dicessi
lui/lei/Lei	fosse	desse	stesse	bevesse	facesse	dicesse
noi	fossimo	dessimo	stessimo	bevessimo	facessimo	dicessimo
voi	foste	deste	steste	beveste	faceste	diceste
loro	fossero	dessero	stessero	bevessero	facessero	dicessero

STRUCTURE

The 1st and 2nd person singular of the imperfect subjunctive of regular and irregular verbs is the same, so it is better to use *io* and *tu* to avoid ambiguity.	Era importante che leggessimo la relazione sul convegno. Pensavamo che voleste studiare russo. Il babbo voleva che *io* imparassi a suonare il pianoforte. La mamma voleva che *tu* imparassi a suonare il pianoforte.
In the imperfect subjunctive, as with the other tenses in the subjunctive, usually we use *che*.	Credevano *che* io sapessi parlare il russo. Pensavamo tu sapessi parlare il tedesco.

The pluperfect subjunctive

Regular and irregular verbs

		verbs with *avere*			verbs with *essere*	
		lavorare	dire		tornare	rimanere
io	avessi	lavorato	detto	fossi	tornato/a	rimasto/a
tu	avessi	lavorato	detto	fossi	tornato/a	rimasto/a
lui/lei/Lei	avesse	lavorato	detto	fosse	tornato/a	rimasto/a
noi	avessimo	lavorato	detto	fossimo	tornati/e	rimasti/e
voi	aveste	lavorato	detto	foste	tornati/e	rimasti/e
loro	avessero	lavorato	detto	fossero	tornati/e	rimasti/e

STRUCTURE

The pluperfect subjunctive of regular and irregular verbs is formed using the imperfect subjunctive of essere or avere and the past participle of the verb.	Chiara pensava che fossi stata a Brindisi l'anno scorso. Avevo l'impressione che tu non avessi capito la spiegazione del professore.
The 1st and 2nd person singular of the pluperfect subjunctive of regular and irregular verbs is the same, so it is better to use *io* and *tu* to avoid ambiguity.	Pensavano che *io* avessi mangiato la torta. Credevamo che *tu* avessi mangiato la torta. Avevano paura che *io* avessi avuto la febbre. Avevano paura che *tu* avessi avuto la febbre.
In the pluperfect subjunctive, as with the other tenses of the subjunctive, usually we use *che*.	Credevamo *che* fossi partito. Credevamo fossi partito.

EXERCISES

28.1.1 Find the 7 regular and irregular verbs in the imperfect subjunctive and put them in the table, as in the example.

F	G	H	F	C	A	O	P	Q	D	V	S	P
A	A	V	E	S	T	E	I	E	K	L	U	R
S	D	G	Z	X	V	B	N	E	**M**	I	E	
T	B	H	F	O	S	S	E	O	A	**A**	E	N
E	J	L	P	E	R	B	S	S	O	**N**	R	D
S	O	N	D	E	S	S	I	U	G	**G**	T	E
T	I	U	R	G	H	T	M	E	Q	**I**	O	S
E	Z	S	P	O	I	K	U	M	P	**A**	I	S
V	O	L	E	S	S	E	R	O	B	**S**	S	I
E	T	N	H	O	T	G	R	Z	V	**S**	O	M
M	B	U	P	Q	W	F	O	I	A	**I**	K	O
V	E	N	I	S	S	I	M	O	M	L	I	E

Isola di San Giulio d'Orta (Novara), *Piemonte*

	mangiare	essere	prendere	stare	avere	volere	venire	dare
io	*mangiassi*							
tu	*mangiassi*							
lui/lei/Lei								
noi								
voi								
loro								

28.1.2 Complete the sentences choosing the right forms.

1. Pensavo che
   lei
   Marcello e Teresa
   tu
   andasse a Roma con Gianni.

2. Avevano paura che
   noi
   Paola e Nora
   tu
   bevessero tutto il vino.

3. Marta desiderava che
   la figlia
   tu e Marco
   io
   imparasse a giocare a tennis.

4. Non credevate che
   Marina e Lucio
   lui
   io
   ricevessi tante e-mail dagli amici.

edizioni Edilingua

5. Speravo che
Pietro
voi   seguisse le lezioni di finanza all'università.
tu

1.3 Find the pluperfect subjunctive, give the infinitive, then link the sentences, as in the example.

1. Avevo paura che Antonio non fosse potuto andare al lavoro,

2. Pensavamo che Concetta fosse venuta,

3. Pensavamo che Loretta avesse detto la verità,

4. Era un peccato che Damiano fosse partito per gli Stati Uniti

5. Credevo che tu avessi già mangiato,

a) senza salutare i suoi genitori e i suoi fratelli.

b) tutti la conoscono per una persona seria.

c) perché il frigo è vuoto.

d) visto che c'era lo sciopero dei mezzi pubblici.

e) so che le piacciono le cerimonie.

Pluperfect subjunctive	Infinitive
fosse potuto	potere

8.2 Uses and tenses of the subjunctive

Unlike the *indicative*, which expresses things as they are in real life, the *subjunctive* is used to express things that we hope for, desire and believe. So the tenses of the subjunctive are used to express possibility, uncertainty, doubt, desire and wishes. The subjunctive is used in main clauses, but mostly in subordinate clauses. A) The subjunctive is used in main clauses to express: 1. doubt and supposition; 2. desires and wishes.	Nevica. (*indicative*) Credo che nevichi. (*subjunctive*) A casa di Franco c'è una luce accesa. Che sia già arrivato? (*doubt or supposition*) Magari ci fossimo andati! (*desire*) Ah! Se solo fossi ancora giovane! (*desire*) La fortuna ti aiuti! (*wish*)

28. Il congiuntivo

	Main clause	Subordinate clause

B1) The subjunctive is used in subordinate clauses when there are verbs or phrases in the main clause that indicate:

1. doubt or uncertainty:
   credere, pensare, avere l'impressione, non essere sicuro/certo, avere paura;

Credo Pensiamo Ho l'impressione Non sono sicuro Hanno paura	che Lei venga.

2. will, desire and state of mind:
   volere, desiderare, preferire, augurarsi, sperare, piacere, dispiacere, essere contento/felice, vergognarsi;

Vogliono Desidero Preferiamo Mi auguro/Spero Ci dispiace Siamo contenti	che voi andiate.

3. impersonal form:
   occorre, bisogna, sembra, si dice, è necessario, è importante/giusto, è possibile/probabile/improbabile, è meglio/preferibile.

Occorre/Bisogna	che tu studi di più.
Si dice	
È meglio	che lui sia partito.
È possibile	

B2) The subjunctive is used in subordinate clauses when there is "il più bravo, la più intelligente, etc." in the main clause. (relative superlative);

Emanuele è il ragazzo più antipatico *che* io abbia mai conosciuto.

B3) The subjunctive is also used in subordinate clauses when they contain:

1. conjunctions: nonostante, sebbene, benché, a condizione che, a meno che (non), senza che, prima che, affinché and perché (al fine di);

Dobbiamo pulire tutto, *prima che* ritornino i miei genitori.

2. indefinite adjectives and pronouns: qualunque, qualsiasi, chiunque.

Mario sarà sempre d'accordo *qualsiasi* cosa tu dica.

Careful! ●●●●●

When the subject of the main clause is the same as the one in the subordinate clause we use the infinitive, not the subjunctive.

Credo che io vada a Milano domani. (**NO!**)
Credo di andare a Milano domani. (**SÌ!**)

Important! ●●●●●

The use of the subjunctive is in crisis. In spoken Italian the subjunctive used in subordinate clauses is increasingly substituted by the indicative tenses.

Mi sembra che Gianni sia partito.
Mi sembra che Gianni è partito.

EXERCISES

Complete the dialogue using the verbs in the present subjunctive, as in the example in blue.

I genitori di Marco sono preoccupati per il loro figlio.

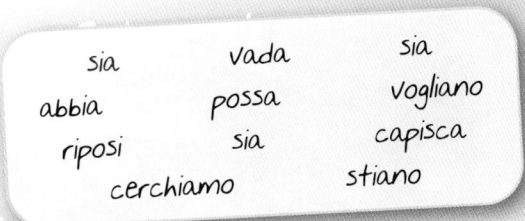

sia   vada   sia

abbia   possa   vogliano

riposi   sia   capisca

cerchiamo   stiano

Mamma: Franco, sembra anche a te che Marco sia giù di morale? Non so proprio che cosa .... (1).

Papà: Sì, sembra anche a me. Come al solito è molto chiuso e introverso, quindi non è facile aiutarlo.

Mamma: Voglio però che .... (2) che noi gli siamo vicini come sempre.

Papà: Sì, certo. Forse è molto stressato dal lavoro; invece di lavorare così tanto non è forse meglio che .... (3) a fare una bella vacanza e si .... (4) un po'?

Mamma: Certo, sono d'accordo con te. Però come glielo possiamo dire?

Papà: Non so se .... (5) una buona idea parlare con i suoi amici, tu che dici?

Mamma: Forse è meglio che .... (6) di contattare in qualche modo Luisa, penso che lei .... (7) aiutarci. Marco e lei sono proprio una bella coppia, non trovi?

Papà: Sì, mi sembra che .... (8) molto bene insieme e credo che .... (9) andare a vivere presto insieme e magari sposarsi in futuro!

Mamma: Telefoniamo a Luisa, è proprio una bella idea! ...Però aspetta un attimo... a meno che non .... (10) proprio Luisa la ragione dello stato d'animo di Marco!

Complete the sentences using the verbs in the present subjunctive.

leggere   partire   essere   uscire   avere   dare   guardare   fare   riuscire   giocare

1. Non so se Francesca .... oggi o domani per Londra.

2. È meglio che i ragazzi .... più libri e .... meno con il computer o .... meno la TV. Sei d'accordo?

3. Pensi che io non .... a finire i compiti per domani?

4. Speriamo che .... presto bel tempo, sono stufa di questo freddo!

5. Mi sembra che Emanuela e Matteo .... insieme domani sera, sai se c'è del tenero tra di loro?

6. Mi pare che Lucio Rossi .... il suo appoggio per l'elezione di Pedrotti a consigliere regionale della Campania.

7. È probabile che Elena .... mal di denti, anche se è stata da poco dal dentista.

8. Mi sembra che Lucia e Francesca .... tristi, forse perché hanno perso il cane.

28.2.3 Choose the right phrase from the ones below then complete the answers with the verb in the past subjunctive, as in the example in blue.

> *fare una corsa ai giardini*   *mangiare troppi cioccolatini*   *partire per le vacanze*
> *avere dei problemi in ufficio*   *ricevere la lettera di licenziamento*   *riparare la macchina*

1. • Perché i bambini sono tutti sudati?
   • Credo che abbiano fatto una corsa ai giardini.
2. • Perché Marco ha le mani sporche?
   • Penso che ....
3. • Perché Franco è nervoso oggi?
   • È possibile che ....
4. • Perché il piccolo Mattia ha mal di pancia?
   • Mi sembra che ....
5. • Perché gli zii non rispondono al telefono da giorni?
   • È probabile che ....
6. • Perché il direttore marketing è depresso?
   • Mi pare che ....

28.2.4 Complete the sentences using the verbs in the imperfect subjunctive.

> *capire   portare   potere   scendere   piovere   avere   venire   fare*

1. La mamma è uscita senza ombrello: forse non pensava che ....!
2. Abbiamo telefonato ad Andrea e Matilde prima che .... a cena da noi, per dire loro di portare un gelato.
3. Anna e Marta speravano che zia Maura .... dall'Irlanda dei regali.
4. Un borseggiatore mi ha rubato il borsellino, prima che .... dalla metropolitana.
5. Qualunque cosa tu ...., io ero sempre d'accordo. Ti ricordi?
6. Benché non .... bene la conferenza in spagnolo, sono rimasta fino alla fine.
7. Magari (io) .... trovare in centro un appartamento meno caro!
8. Nonostante Gianni non .... la patente con sé, ieri ha guidato la macchina di Paolo.

28.2.5 Complete the sentences using the verbs in the pluperfect subjunctive.

1. Non sapevamo che tu e Mara .... il vostro appartamento in Piazzale Loreto a Milano. (*vendere*)
2. Lucia non credeva che io e Franco .... a Parigi vicino al Museo d'Orsay. (*vivere*)
3. Credevamo che tu .... già .... a letto, per questo parlavamo a voce bassa. (*andare*)
4. Ho visto che Eleonora era davvero contenta e ho pensato subito che .... l'esame di matematica. (*superare*)
5. Nonostante Anna e Matteo .... una bellissima villa in Costa Smeralda in Sardegna, non andavano mai al mare ma sempre al lago. (*comprare*)
6. Credevo che tu .... il treno e non la macchina per andare a Venezia. (*prendere*)

edizioni Edilingua

.6 Complete the sentences with the words and phrases below.

a meno che	prima che	nonostante	a condizione che	sebbene	perché

1. .... Marcello avesse studiato molto, non è andato bene all'interrogazione di storia.
2. Ho deciso di prendere un taxi domani mattina, ... tu possa darmi un passaggio prima delle otto.
3. Vi ripeto la regola di matematica, ... la capiate meglio.
4. Risparmio tanti soldi .... tu mi prometta che l'anno prossimo compriamo una casa.
5. .... Giancarlo tornasse a casa, la mamma lo informò della brutta notizia al telefono.
6. .... fosse molto stanca, Lorena decise di partire per un lunghissimo viaggio.

.7 Change these sentences from the indicative (statements) to the subjunctive (opinions).

1. Paola è molto stanca e depressa.
   Credo che ....
2. Lorenzo e Stefania non hanno problemi a scuola.
   Mi sembra che ....
3. Patrizia viene in campagna con me e Roberto.
   Pensiamo che ....
4. Dario deve avere più pazienza con i suoi colleghi.
   Trovo che ....
5. Oggi gli autobus non sono passati perché c'è stato lo sciopero.
   Ho l'impressione che ....
6. Lucio non ha superato l'esame d'avvocato.
   Abbiamo paura che ....

.8 Change these sentences, used in spoken Italian, from the indicative to the subjunctive.

1. Era meglio che Luisa e Andrea tornavano a casa subito dopo il ristorante, invece di andare in discoteca.
   ....

2. Marta, qualsiasi cosa fa, la finisce sempre.
   ....

3. Abbiamo paura che queste biciclette non si possono aggiustare.
   ....

4. Chiunque sporca i muri della classe, poi li deve pulire.
   ....

5. Ci dispiace che Marco non viene con noi.
   ....

6. Non sapevo che Agnese era brava a sciare.
   ....

7. Pensiamo che Gina si è arrabbiata.
   ....

8. Non penso che bastano 10 euro per comprare quel CD.
   ....

28. Il congiuntivo

	ARE	ERE	IRE	
	lavorare	prendere	partire	capire
Lei	**lavori!** non lavori	**prenda!** non prenda!	**parta!** non parta!	**capisca!** non capisca!
Loro	**lavorino!** non lavorino!	**prendano!** non prendano!	**partano!** non partano!	**capiscano!** non capiscano!

STRUCTURE

The indirect imperative (*Lei* and *Loro*) is the same as the present subjunctive.

Prenda il taxi dall'aeroporto! (*indirect imperative*)
Voglio che lei prenda il taxi dall'aeroporto. (*present subjunctive*)

The negative is formed, as usual, by placing *non* before the verb.

Non prenda il giornale, per favore, devo ancora leggerlo!

There are many irregular verbs (*see Unit 28, page 195*).

Scelga il libro che vuole!

USE

The indirect imperative is used in formal situations to express/give:
1. invitation and request;

2. advice and instructions.

Signorina, finisca la traduzione entro le 5, per favore.
Se ha problemi economici, venda la sua macchina.

Important!

The plural form (*Loro*) is rarely used. In the plural the direct imperative in the second person plural (*voi*) is usually used.

Bevano un aperitivo, se è di loro gradimento. (*rarely used*)
Bevete un aperitivo, se è di vostro gradimento. (*usually used*)

Careful!

Unlike the direct imperative, reflexive pronouns, direct and indirect object pronouns, combined pronouns and the particles *ci* and *ne* always *precede* the indirect imperative.

In the negative *non* precedes the pronouns.

Si sieda su quella poltrona!
Li tenga Lei i libri, per favore!
Gli dica che vengo subito!
Ci torni Lei da quel cliente! Va bene?
Ne mangi anche due fette!
Non si sieda su quella poltrona, è rotta!
Non gli dica niente della riunione!
Non ne mangi troppa di questa torta!

EXERCISES

.1 Find the 6 verbs in the indirect imperative and give the infinitive, as in the example.

Che brutta esperienza!

Francesca ritorna a casa dal lavoro e racconta al suo compagno, Dario, quello che è successo al mattino sull'autobus 75, mentre andava a lavorare.

Francesca:	Che giornata! Sono arrivata al lavoro con un'ora di ritardo. Questa mattina ero sull'autobus e leggevo il giornale, quando un signore si è messo a urlare: "Autista, qui c'è un signore che fuma". Allora l'autista, alla fermata successiva, si è fermato e non ha aperto le porte.
Dario:	Poi cosa è successo?
Francesca:	È successo che l'autista ha detto a questo signore, un tipaccio, dovevi vederlo: "Smetta di fumare, per favore" e lui ha risposto esattamente: "Senta lei, non mi disturbi e mi lasci in pace, va bene?".
Dario:	E l'autista che ha fatto?
Francesca:	A quel punto l'autista non sapeva cosa fare, perché questo signore continuava a fumare e a fregarsene. La fortuna ci ha assistito perché passava in quel momento una macchina della polizia che ha visto l'autobus fermo, chiuso e pieno di gente alla fermata e ha capito che qualcosa non andava. Così è salito un poliziotto e l'autista gli ha spiegato tutto.
Dario:	E il poliziotto?
Francesca:	E il poliziotto si è rivolto a questo signore e ha detto: "Scusi, lei lo sa che è vietato fumare sui mezzi pubblici, vero?". E lui ha risposto: "Chi se ne frega!". A questo punto il poliziotto ha detto: "Mi dia la carta d'identità" e siccome questo signore non l'aveva e ha iniziato ad insultarlo, gli ha risposto: "Adesso basta! Lei ha fatto fermare un mezzo pubblico, ha insultato un pubblico ufficiale, non ha la carta d'identità. Venga con me in questura dove chiarirà la sua posizione".
Dario:	Che storia!
Francesca:	Per fortuna che è arrivata la polizia, altrimenti non so come sarebbe andata a finire!

Indirect imperative	Infinitive
smetta	*smettere*

29.2 **Chi dà istruzioni o fa richieste? Put the verbs in the indirect imperative and guess the character.**

1. No, signorina, non va bene. (*Ripetere*) .... lentamente la battuta e (*cercare*) .... di avere un'espressione triste. (*Impegnarsi*) ...., La prego!

2. Signora, (*piegarsi*) .... lentamente in avanti e (*tenere*) .... i piedi uniti e (*non piegare*) .... le ginocchia.

3. Signora Zonin, (*scrivere*) .... questa lettera e la (*inviare*) .... come allegato di una e-mail all'ingegnere Rossi. (*Essere*) .... precisa, mi raccomando!

4. Alt! Stop! (*darmi*) .... la patente, per favore! Lo sa che lei andava oltre il limite di velocità?! E (*non alzare*) .... la voce e (*ricordarsi*) .... con chi sta parlando.

vigile urbano

regista teatrale

istruttore di ginnastica

dirigente

edizioni Edilingua

9.3 Put the verbs in the indirect imperative and draw the route on the map that Giovanna will drive along.

Lezioni di scuola guida

Giovanna ha superato l'esame di teoria per la patente di guida e adesso fa la prima lezione di pratica.

Istruttore: Dopo che si è seduta e ha controllato la posizione del sedile e regolato gli specchietti, (*allacciare*) ....(1) la cintura di sicurezza.

Giovanna: Va bene così?

Istruttore: Benissimo, adesso (*accendere*) ....(2) il motore e (*mettere*) ....(3) la freccia a sinistra e, se non arriva nessuna macchina, (*immettersi*) ....(4) su questa strada, che è via degli Artisti. (*Continuare*) ....(5) su questa strada e al distributore di benzina (*girare*) ....(6) a destra in via Matteotti. Ecco benissimo, vedo che è un po' tesa, ma sta andando bene, sa!?

Giovanna: Se lo dice Lei...

Istruttore: (*Proseguire*) ....(7) su questa strada e poi alla rotonda, che è piazza della Libertà, (*prendere*) ....(8) la seconda a destra, via Leonardo da Vinci. Adesso (*mettere*) ....(9) la freccia a destra e, appena può, (*fermarsi*) ....(10) davanti al negozio di frutta e verdura che proviamo a parcheggiare. Brava! Finora sta andando benissimo. Complimenti!

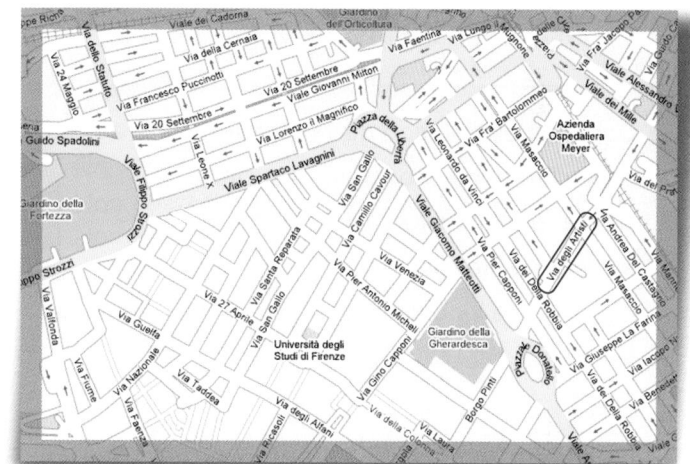

9.4 Put the verbs in the indirect imperative.

D'estate in Italia fa spesso molto caldo: la temperatura può raggiungere i 35-40°. Una signora si sente male, sviene e viene portata al Pronto Soccorso dell'ospedale più vicino. Il medico di turno le dà alcuni consigli.

mangiare	evitare	indossare	eliminare
andare	usare	uscire	bere

Medico: Signora, come sta adesso? Mi faccia misurare la pressione. Un po' bassa... Signora, con questo caldo Lei non deve uscire a quest'ora del giorno. ....(1) le ore calde della giornata, ...(2) al mattino presto o alla sera tardi.

Signora: Ma dovevo andare alla posta.

Medico: Appunto, ...(3) alla posta al mattino presto e non nelle ore centrali della giornata, a mezzogiorno non va bene! Un'altra importante raccomandazione: ....(4) molto, anche se non ha sete! Almeno due litri al giorno. ....(5) cibi leggeri, come frutta e verdure, ricchi di sali minerali, tanto pesce, formaggio fresco; ....(6) dalla sua dieta cibi pesanti, difficili da digerire, come ad esempio salumi e formaggi stagionati. ....(7) abiti leggeri e chiari di cotone o lino e ....(8) un cappello, se lo ritiene necessario.

Signora: Va bene, dottore, seguirò i suoi consigli. Grazie!

29. L'imperativo indiretto

29.5 Complete the sentences with the indirect imperative, as in the example.

La suocera di Serena, la signora Teresa, vive da sola, è anziana e soffre di solitudine. Telefona spesso a casa del figlio Luigi, ma lui è spesso via per lavoro e Serena, con molta pazienza, cerca di aiutarla come può e di darle dei consigli. Che cosa le dice Serena?

> *venire a trovarci*
> *ordinare del cibo in rosticceria*
> *prendere della valeriana*
> *prenotare una visita di controllo dall'oculista*
> *uscire con qualche amica*
> *andare a fare una passeggiata al parco*

1. Oggi pomeriggio non mi va di stare in casa a guardare la televisione. ....

2. Sono stanca, non ho voglia di cucinare. ....

3. Dormo spesso male. *Prenda della valeriana.*

4. Mi sento tanto sola. ....

5. Non riesco a leggere bene. ....

6. Non vedo mai i nipotini. ....

29.6 Complete the sentences with the indirect imperative and the pronouns below, as in the example.

> le   la   lo   si   le   lo   li   ne

A casa Dominioni

Sig.ra Dominioni: Maria, per favore, i fiori che ho comprato (*mettere*) li metta(1) subito nel vaso di cristallo perché hanno bisogno di acqua e la spesa (*sistemare*) ....(2) Lei, grazie.

Colf: Va bene.

Sig.ra Dominioni: Sono davvero stanca.

Colf: (*Sedere*) ....(3). Sto preparando del tè, (*prendere*) ....(4) una tazza anche Lei, signora.

Sig.ra Dominioni: Va bene, ma non (*fare*) ....(5) raffreddare troppo.

Colf: Senta, signora, vuole che congeli tutto il pesce?

Sig.ra Dominioni: No, non (*congelare*) ....(6) tutto.

Colf: Le bottiglie di vino?

Sig.ra Dominioni: Non (*lasciare*) ....(7) qui,
(*portare*) ....(8) giù in cantina.

Indefinite adjectives:
ogni, qualche, qualsiasi, qualunque

Indefinite pronouns:
chiunque, qualcosa, niente/nulla, ognuno/a, qualcuno/a, uno/a

Indefinite adjectives and pronouns:
alcuno, altro, certo, molto, poco, tanto, troppo, tutto, ciascuno/a, nessuno/a

Indefinite adverbs:
molto, poco, tanto, troppo

> Indefinite adjectives, pronouns and adjective-pronouns are used to indicate an undefined number of people, objects or animals. Indefinite adverbs are also used to indicate undefined amounts.

Indefinite adjectives

Ogni, qualche, qualsiasi, qualunque are invariable and *only* used *in the singular*.	Ogni segretaria ha il suo ufficio.
Ogni means *tutti/e* (*all/everything*).	**Important!** 
Qualche means *dei*, *degli*, *delle*, *alcuni/e* (*some*).	Hai qualche libro da leggere? (*construction in the singular*) ➡ Hai dei libri / Hai alcuni libri da leggere? (*construction in the plural*)
Qualsiasi and qualunque are synonyms and mean *di ogni possibile tipo*, *quale che sia*. Are often used with the subjunctive.	Qualsiasi/Qualunque cosa tu faccia, va bene.

Indefinite pronouns

1. Chiunque, qualcosa, niente/nulla are invariable and *only* used *in the singular*.	
Chiunque means *qualunque persona* (*whoever*) and is often used with the subjunctive.	Chiunque legga quest'articolo, ne rimarrà colpito.
Qualcosa means *qualche cosa* (*something*).	Raccontami qualcosa del tuo viaggio.

Niente/Nulla are invariable and synonyms, and mean *nessuna cosa* (*nothing*).
We use non if niente/nulla follows the verb; we do not use non if niente/nulla precedes the verb.

Non ho niente/nulla da dirti.
Niente/Nulla ho da dirti.

2. Ognuno/a, qualcuno/a, uno/a are variable, but they only have the masculine and feminine singular form.

Ognuno/a means *ogni persona* o *tutti/e* (*everybody*).

Ognuno può scegliere il libro che vuole.

Qualcuno/a means *qualche persona/cosa* (*somebody* or *something*).

Qualcuno ha suonato alla porta.
Fra tutti questi giornali ce n'è qualcuno che posso buttare?
È venuta una che voleva parlarti.

Uno/a means *una persona* (*a person*).
Uno/a is also used in impersonal sentences.

Se uno ha i soldi, può permettersi tutto. (*impersonal sentence*)

Indefinite adjectives and pronouns

1. Alcuno, altro, certo, molto, poco, tanto, troppo, tutto are indefinite adjectives and pronouns and are variable. When adjectives they have 4 endings, like adjectives in the 1st group, and when pronouns they are singular and/or plural.

The adjective alcuno/a means *nessuno/a* (*no*) and is used in negative sentences; alcuno agrees with the noun like the indefinite articles un/uno/una. (ADJ.)

Non avrai alcuna *difficoltà* ad aprire la porta blindata.
Non è venuto alcun *genitore* alla cena di fine anno.

The adjective alcuni/e means *dei*, *degli*, *delle/qualche* (*some*). (ADJ.)
The pronoun alcuni/e means *qualche persona/cosa* (*some people/ things*). (PRON.)

Alcuni *programmi* televisivi sono veramente brutti.
Gli amici di Maria sono venuti alla festa di laurea; ma alcuni sono andati via presto.

Altro/a/i/e has many meanings: *nuovo*, *scorso*, *restante* (*new*, *last*, *remaining*), but we mainly use altro/a/i/e to indicate repetition and addition. (ADJ.)

Devi fare altri *esercizi*, se vuoi diventare bravo in matematica. Dai, fai le altre *equazioni*!
L'altro *mese* sono andato a Roma.

Altro (PRON.)
Altri/e (PRON.)

Le posso servire altro?
Altri capiranno quello che sto dicendo.

Certo/a/i/e means *una persona*, *cosa sconosciuta* (*an unknown person or object*). (ADJ.)

Ti ha cercato una certa *Daniela*.

Certi/e (PRON.)

Certi non sanno ascoltare.

Molto/a/i/e means *una grande quantità* (*a large quantity*). (ADJ.)

Dario ha visto molte *ragazze* oggi al parco.

Molti/e (PRON.)

Molti non sono venuti alla festa di Lucia.

Poco/a, pochi/e means *una piccola quantità* (*a small quantity*). (ADJ.) Pochi/e (PRON.) Poco in the expression **un poco** often becomes *un po'* (*di*) and can be used instead of the partitive article (*del, dello, della, dei,* etc.).	C'è poco *latte*, vado a comprarne un altro litro. Pochi sanno che sono veramente ricca. Vuoi un poco di torta? ➡ Vuoi un po' di torta? È rimasta della torta, ne vuoi un po'? Vuoi un po' di biscotti? (= Vuoi dei biscotti?)
Tanto/a/i/e means *molto/a/i/e* (*so much/many*). (ADJ.) Tanti/e (PRON.)	Sara ha comprato tante *scarpe* per l'inverno. Tanti hanno telefonato per farmi gli auguri.
Troppo/a/i/e means *una quantità eccessiva* (*too much/many*). (ADJ.) Troppi/e (PRON.)	Ho mangiato troppi *dolci*, mi fa male la pancia. ● Quanti soldi hanno chiesto per questa casa? ● Troppi, cerchiamone un'altra!
Tutto/a/i/e means *l'intera quantità* o *ogni persona* (*everything* or *everybody*). With tutto/a/i/e we always use the definite articles. (ADJ.) Tutto (PRON.)	Anna ha bevuto tutto *il* succo di frutta. Tutti *gli* studenti sono arrivati puntuali all'appuntamento. Va bene Gino, ho capito tutto.
2. Ciascuno/a and nessuno/a are variable, but they *only* have *the masculine and feminine singular*. Like *alcuno*, ciascuno and nessuno agree with the noun, just as the indefinite articles do.	
Ciascuno/a means *ogni persona* (*each person*). (ADJ.) Ciascuno/a means *ognuno* (*each one*). (PRON.)	Ciascuno *studente* si sieda dove vuole. Ciascuna di voi deve fare una proposta.
Nessuno/a means *non uno/a* (*no*), and means *alcuno/a* (*not any*) in negative sentences. (ADJ.) Nessuno/a means *non uno/a* (*no-one/nobody*) in negative sentences and *qualcuno* (*anyone/anybody*) in interrogative sentences. (PRON.) We use non, if nessuno follows the verb; we do not use non if nessuno precedes the verb. (PRON. - ADJ.)	Nessun *impiegato* era presente alla festa. ➡ Non era presente (nessun) alcun *impiegato*. ● Ha telefonato nessuno per me? ● No, non ha telefonato nessuno. Non è venuto nessuno alla mostra d'arte. ➡ Nessuno è venuto alla mostra d'arte.

Indefinite adverbs

Molto, poco, tanto, troppo are invariable like all adverbs and usually precede the adjectives and follow the verb.	Giovanni è molto *egoista*. Gli studenti sono poco *attenti* alla lezione. La casa di Marcella è tanto *lontana* da qui. *Ho lavorato* troppo oggi!

Careful!

Un poco often becomes *un po'*.	● Sei stanco? ● Sì, un poco. ➡ Sì, un po'.

EXERCISES

30.1 Fill, as in the examples in blue, in the missing vowel where necessary and match the questions to the answers.

1. Hai visto qualcuno alla mostra di ieri?

2. Sono arrivate tante telefonate per la mia laurea?

3. Ma, come mai così in ritardo, è successo qualcosa?

4. Quale aereo prenderete per Roma?

5. Mamma, ma è vero che papà ha detto che dopo la maturità posso andare in qualsias..... paese voglia per un bel viaggio?

6. Come sono andati gli esami di fine anno?

a) No, non ho visto nessun......

b) Sì, è vero, però devi prendere un bel voto.

c) Non abbiamo prenotato nessun..... aereo, vado all'aeroporto, prenderò un aereo qualunqu....., da Milano ce n'è uno ogn..... ora.

d) Sì! Tutt..... i nostri cugini si congratulano con te per essere diventato dottore.

e) Mah, cosa ti devo dire? Alcun..... esami erano facili, altr..... erano difficili.

f) No, non è successo nient......

30.2 Find the 15 indefinite adjectives, pronouns and adverbs and complete the table, as in the example in blue.

Festa di laurea

Paola: Allora, finalmente sei arrivata al traguardo finale, ti sei laureata. Sei contenta?

Maria: Sì, molto e adesso faccio una bella festa di laurea, che sto organizzando in una discoteca per sabato prossimo.

Paola: Hai invitato tanta gente? Hai già telefonato a tutti i compagni d'università?

Maria: Sì, ho invitato molti amici, ma non ho telefonato a ogni persona, ho voluto fare le cose in modo elegante e ho mandato proprio oggi a ciascuno degli invitati un bel biglietto d'invito. Pensa che vengono anche alcuni compagni delle superiori, che si sono iscritti poi ad altre facoltà.

Paola: Senti, ma posso portare anche qualcuno dei miei amici inglesi, che sono ospiti a casa mia? Loro sono in quattro, vengono in due, va bene?

Maria: Sì, porta tutti quelli che vuoi, chiunque tu voglia, è una festa con tante persone e se anche siamo in troppi va bene lo stesso. Ci dobbiamo divertire... E poi la festa con alcuni amici stranieri diventa anche un po' internazionale!

Indefinite adjectives	Indefinite pronouns	Indefinite adverbs
		molto

edizioni Edilingua

.3 **Choose the correct indefinite adjective or pronoun.**

1. L'anno scorso mia sorella ha avuto qualche/qualcuno problema con suo marito.
2. Ognuno/Ogni degli studenti dovrà fare due interrogazioni d'inglese per ogni/ognuno quadrimestre.
3. Hai già letto qualcosa/qualcuno sull'argomento della tesi?
4. Chiunque/Qualunque potrà fare domanda per questo posto di lavoro, se ha i requisiti richiesti.
5. Non vedremo nulla/nessun amico quando andremo in Sicilia, non avremo tempo.
6. Gianna, vieni! C'è una/ognuna qui alla porta che chiede di te.
7. Chiunque/Qualunque macchina tu prenda, va bene.
8. Telefonami a qualche/qualsiasi ora per farmi sapere di Luisa, non farmi stare in ansia!

.4 **Look at the picture and fill in the gaps with indefinite adjectives, pronouns and adverbs, as in the example in blue.**

qualche	tanti	pochi	molto	nessun	alcuni	qualche	nessun	troppi

Lucio è un gran disordinato e non tiene bene il suo ufficio. Lucio fa il commercialista, è bravo nel suo lavoro, ma è anche .... (1) "casinista"! Sulla sua scrivania ci sono .... (2) libri e pratiche dei clienti, davvero .... (3) ! Sugli scaffali, invece, ce ne sono .... (4). Il suo ufficio è spazioso, ma Lucio non ha .... (5) armadio dove mettere i file, che tiene per terra, e quando cerca qualche file non lo trova mai. Nel suo ufficio c'è solo una pianta e .... (6) quadro alle pareti, quindi potrebbe comprare .... (7) pianta e .... (8) quadri per rendere il suo ufficio più bello.

.5 **Do the crossword and find the name of a famous scientist.**

1
2
3
4
5
6
7

1. Sinonimo di tutti.
2. Significa qualche persona.
3. Contrario di poche.
4. Sinonimo di qualunque.
5. Ha tanti significati: nuovo, scorso, restante.
6. Sinonimo di nulla.
7. Significa ogni persona.

30. Gli indefiniti

1 **Complete the sentences with che, di (with or without article) and come/quanto then put ✔ in the correct column.** (comparative of equality, minority and majority)

MIN. EQU. MAJ.

1. Per Giancarlo la biologia è interessante .... la medicina.
2. Insegnare è più impegnativo .... imparare.
3. Molti programmi televisivi in Italia sono più noiosi .... interessanti.
4. Cristina è simpatica, però è meno generosa .... sorella.
5. Maria è più volenterosa .... Michele.
6. La qualità di questo cappotto è peggiore .... quel cappotto là.
7. Per Lucia ascoltare la radio è più noioso .... guardare la TV.
8. Il mio capo è esigente .... il tuo.

Each correct answer is worth one point.
If you score less than 9, revise the grammar.

Result
/16

2 **Un po' di attualità! Make the adjectives relative superlative or absolute superlative.** (relative superlative and absolute superlative)

L'Italia è un paese vecchio

Il rapporto annuale dell'Istat (Istituto centrale di statistica) sull'evoluzione demografica dell'Italia di alcuni anni fa presenta una situazione (1)........... .... (*allarmante*): l'Italia è un paese vecchio, (2)............................. (*vecchio*), anzi (3).......... paese .... (*vecchio*) d'Europa. Gli italiani, dunque, stanno diventando un popolo di anziani. Infatti, l'Italia ha (4).......... indice di vecchiaia .... (*alto*) al mondo, quindi, (5).......... speranza di vita ....
(*lungo*) e (6).......... popolazione ....

...... (*anziana*) dell'Ue. Inoltre, a questo si aggiunge un altro fenomeno: l'Italia ha (7).......... tasso di fecondità .... (*basso*) in Europa. Da una parte, quindi, abbiamo molti italiani che vivono a lungo e dall'altra pochi bambini che nascono. (8).......... uomini .... (*longevi*) sono quelli del Molise, mentre le donne della Campania vivono in media 81,2 anni. L'invecchiamento della popolazione, dunque, rappresenta una sfida (9)............................. (*grande*) per l'Italia, forse (10).............................
(*grande*). Secondo le previsioni, infatti, nel 2050 un terzo degli italiani avrà un'età oltre i 65 anni.

(adattato dal sito www.terzaeta.com)

Each correct answer is worth one point.
If you score less than 6, revise the grammar.

Result
/10

3 **Put the verbs in the direct imperative (voi).** (direct imperative)

In Italia d'estate la maggioranza degli italiani va al mare. Puntualmente TV e giornali danno indicazioni e suggerimenti su come abbronzarsi e prendere il sole.

Le 4 regole d'oro

1. (*Bere*) .... molto, acqua o succhi di frutta: la pelle esposta al sole perde liquidi che vanno sempre reintegrati, altrimenti si inaridisce. (*Evitare*) .... alcolici e bevande gasate, che non aiutano la naturale idratazione.

2. (*Non esporsi*) .... al sole nelle ore più calde, dalle 12 alle 16.

3. Se vi riparate con un cappello o con indumenti, (*ricordarsi*) .... che il sole passa anche attraverso i tessuti: quindi (*mettersi*) .... sempre la crema solare.

4. (*Usare*) .... sempre una crema protettiva secondo il tipo di pelle che avete. Anche quando la pelle è abbronzata, (*continuare*) .... a mettere una crema a fattore basso e, al ritorno dalla spiaggia, (*usare*) .... un doposole per non disidratare la pelle e mantenerla elastica.

(adattato da Beauty)

Each correct answer is worth one point.   *Result*
If you score less than 5, revise the grammar.   /8

---

4 **Put the verbs in the indirect imperative (Lei).** (indirect imperative)

La signora Uboldi ha circa sessant'anni e sta tornando a casa dopo essere stata dal dottore. È giù di morale e incontra per le scale la signora Vicini, che più o meno ha la sua stessa età e...

Signora Vicini: Buongiorno, signora Uboldi, come sta?

Signora Uboldi: Buongiorno. Eh... così così. Oggi sono andata dal medico e gli esami del sangue non vanno bene. Il dottore mi ha detto che per prima cosa devo dimagrire.

Signora Vicini: La capisco perché ci sono passata anch'io. L'anno scorso ho dovuto perdere 10 chili perché avevo problemi alla schiena.

Signora Uboldi: Ah, davvero?! Infatti, ho visto che adesso si sente meglio, è più leggera, però mettersi a dieta è dura! Ma Lei, come ha fatto?

Signora Vicini: Prima cosa, lo (*dire*) ......,................(1) ai suoi figli e a suo marito, sono sicura che l'aiuteranno. Poi (*organizzarsi*) ....(2), (*mangiare*) ....(3) 5 volte al giorno, tre pasti principali e due piccoli intermedi. Sono sicura che anche il medico le ha consigliato così. (*Evitare*) ....(4) di mangiare al di fuori dei pasti. Se ha fame, (*saziarsi*) ....(5) con frutta e non (*comprare*) ....(6) dolciumi o altro del genere. (*Pesarsi*) ....(7) ogni mattina e (*prendere*) ....(8) nota delle variazioni del suo peso, sono sicura che questo l'aiuterà.

Signora Uboldi: Quanti suggerimenti! Grazie mille, mi sento un po' più tranquilla! Allora, le farò sapere come vanno le cose. Grazie ancora!

Each correct answer is worth one point.   *Result*
If you score less than 5, revise the grammar.   /8

5 **Complete the short dialogues with the verbs in the direct or indirect imperative.** (direct or indirect imperative)

Tutte le domeniche Giovanni e Lucia invitano a pranzo Angela, la mamma di Lucia, cioè la suocera di Giovanni, il quale si rivolge alla moglie usando il *tu* e alla suocera usando il *Lei*.

Giovanni parla a Lucia

Siediti che ti servo io il primo.
(Dopo un po')

(2)................. il cestino del pane che vado a prenderne ancora.

Passami il sale, grazie.

Visto che sei in cucina, spegni il forno con l'arrosto e portalo in tavola, (6)................. e prendi anche la maionese, se puoi.

Bevi questo vino rosso e (9)................. se ti piace, poi assaggia quest'altro.

Giovanni parla ad Angela

(1)................. che Le servo io il primo.
(Dopo un po')

Mi dia il cestino del pane, che vado a prenderne ancora.

(3)................. il sale, grazie.

Visto che è in cucina, (4)................. il forno con l'arrosto e (5)................. in tavola, non si scotti e (7)................. anche la maionese, se può.

(8)................. questo vino rosso e mi dica se le piace, poi (10)................. quest'altro.

Each correct answer is worth one point.
If you score less than 6, revise the grammar.

Result
/10

6 **Put the verbs in the present and imperfect subjunctive.** (present and imperfect subjunctive)

Lorena e Tiziana parlano dell'amica Teresa e del suo nuovo fidanzato.

Lorena: Hai visto il nuovo fidanzato di Teresa?

Tiziana: No, non sapevo che Teresa *(avere)* ....(1) un nuovo fidanzato. Come si chiama? Che tipo è?

Lorena: Non ci ho parlato molto, mi sembra che *(essere)* ....(2) una brava persona, molto paziente, credo anche che *(fare)* ....(3) un lavoro molto interessante.

Tiziana: Certo che tutti credevano che Teresa *(essere)* ....(4) ancora innamorata di Gino, il suo fidanzato da sempre, e che lo *(volere)* ....(5) sposare.

Lorena: Ma cosa dici! Sì, è vero che lei e Gino sono stati insieme per tanto tempo, ma era impossibile che Teresa *(sposare)* ....(6) Gino. Ormai le cose tra di loro non andavano bene. Sì, certo, lei sperava che *(potere)* ....(7) migliorare. Poi Gino si è rivelato una persona irascibile e a volte irresponsabile e Teresa questo non lo sopportava più. Desiderava tanto che lui *(cambiare)* ....(8), ma così non è stato.

Tiziana: Senti, speriamo che le cose per lei *(andare)* ....(9) bene e che questo *(essere)* ....
...............................(10) il fidanzato giusto.

Each correct answer is worth one point.
If you score less than 6, revise the grammar.

Result
/10

edizioni Edilingua

7 **Put the verbs in the perfect and pluperfect subjunctive then link the sentences.** (perfect and pluperfect subjunctive)

____ 1. Credevo che Daniela (*andare*) .... a fare la spesa e, invece,

____ 2. Pensavamo che Chiara (*mangiare*) .... ,

____ 3. Credo che Lorenzo non (*guidare*) .... mai una macchina,

____ 4. Immagino che tu e Luciana (*divertirsi*) .... ieri sera,

____ 5. Pensavo che voi in vacanza (*fare*) .... un po' di sport,

____ 6. Ci sembra che i professori (*essere*) .... troppo severi con Mario,

a) visto che quando è tornata dal lavoro non si è neppure seduta a tavola.

b) perché vi vedo dimagriti e in forma.

c) appena è tornata, è uscita di nuovo per andare al supermercato!

d) non meritava di essere bocciato.

e) visto che ridevate così tanto.

f) infatti non ha neanche la patente.

Each correct answer is worth one point.   *Result*

If you score less than 7, revise the grammar.   _/12_

8 **Indicativo o congiuntivo? Choose the right tense in the subordinate clause.** (indicative and subjunctive)

1. Questa è la città più bella che io abbia mai visitato/ho mai visitato in Italia.

2. Sebbene avessi scritto/avevo scritto già tre lettere all'avvocato, non avevo ricevuto ancora nessuna risposta.

3. Franco capiva Elena molto bene perché fosse/era come lui.

4. Luca manda il figlio Gino a lezione di nuoto perché impari/impara a nuotare un po'.

5. Credo che Marco se ne sia andato/è andato via di casa, litigava sempre con la moglie.

6. La bambina ha capito che i suoi genitori si siano separati/sono separati.

Chiesa di San Petronio, *Bologna*

7. Prima che loro venissero/venivano a visitare la casa in vendita, i padroni l'avevano già venduta.

8. A condizione che tu faccia/fai tutto quello che ti consiglio, accetto la tua proposta.

Each correct answer is worth one point.   *Result*

If you score less than 5 revise the grammar.   _/8_

9 **Choose the right tense in the main clause.** (indicative and subjunctive)

1. Speriamo/Sappiamo che la prossima estate tu vada al mare con i nonni.

2. Credo/Vedo proprio che tu stia dicendo la verità.

3. Lo zio ha risposto/sperava che Tiziana e Lorena erano già uscite di casa.

4. Francesca teme/sa che i suoi genitori non arrivino, dalla Nuova Zelanda, in tempo per il suo matrimonio.
5. Sembra/So che Daria non sia andata alla festa di compleanno di Matteo, perché ha litigato con lui.
6. I genitori di Sara desideravano/dicevano che prendesse una laurea in Medicina e non in Legge.
7. Credevo/Sapevo che Tina non sapesse cantare e, invece, ha una bella voce.
8. Pensavamo/Sapevano che avessi cambiato lavoro.

Each correct answer is worth one point.
If you score less than 5, revise the grammar.

Result /8

10 **Choose the indefinite adjectives and pronouns then put ✔ in the correct column.** (indefinite forms)

ADJ. PRON.

1. Mi sembra che Marisa sia già stata a Milano qualche/qualcuna volta.
2. Ognuna/Ogni mattina Antonio leggeva il giornale.
3. Mi compreresti una rivista? Va bene una chiunque/qualsiasi.
4. Vuoi qualcosa/qualche da mangiare? Mi sembri affamato.
5. C'è qualche/qualcuno disposto ad accompagnare la nonna dal dottore?
6. Ognuno/Ogni di voi deve contribuire alle spese per la finestra rotta.
7. Qualunque/Chiunque può cambiare abitudini, se vuole.
8. Alla lezione di matematica stamattina non c'era qualcuno/nessuno.

Each correct answer is worth one point.
If you score less than 9, revise the grammar.

Result /16

11 **Choose the indefinite adjective, pronoun or adverb.** (indefinite forms)

Marcella ha 16 anni e come molte adolescenti è spesso in crisi e piena di problemi "esistenziali". Sua madre cerca di aiutarla.

Mamma: Un giorno dici che hai tanti/tanto (1) amici forse anche troppo/troppi (2). Un giorno dici che non ti piacciono. Poi un altri/altro (3) giorno dici che sono poche/pochi (4) e non sai con chi uscire. Poi dici che non piaci a nessuno/nessuni (5), che non sei carina e... questo non è vero.

Marcella: Eh sì, è così!

Mamma: Ma come può essere così? Tutte le volte dici che non piaci e non sei carina, ma non è vero. Poi in un'altra/altre (6) occasione dici che hai conosciuto altra/altre (7) gente che ti piace molto/molti (8) e poi il giorno dopo non ti piace più tanto/tanti (9), sei un po' volubile, cambi spesso idea. Per me non hai le idee molto/molte (10) chiare... devi avere più fiducia in te stessa!

Each correct answer is worth one point.
If you score less than 6, revise the grammar.

Result /10

Total score /116

edizioni Edilingua

Il passato remoto

Regular verbs

	ARE	ERE	IRE	
	lavorare	**credere**	**partire**	**capire**
io	**lavorai**	**credei/credetti**	**partii**	**capii**
tu	**lavorasti**	**credesti**	**partisti**	**capisti**
lui/lei/Lei	**lavorò**	**credé/credette**	**partì**	**capì**
noi	**lavorammo**	**credemmo**	**partimmo**	**capimmo**
voi	**lavoraste**	**credeste**	**partiste**	**capiste**
loro	**lavorarono**	**crederono/credettero**	**partirono**	**capirono**

Irregular verbs

			are			ere	
	essere	**avere**	**dare**	**fare**	**stare**	**bere**	**chiedere**
io	**fui**	**ebbi**	**diedi**	**feci**	**stetti**	**bevvi**	**chiesi**
tu	**fosti**	**avesti**	**desti**	**facesti**	**stesti**	**bevesti**	**chiedesti**
lui/lei/Lei	**fu**	**ebbe**	**diede**	**fece**	**stette**	**bevve**	**chiese**
noi	**fummo**	**avemmo**	**demmo**	**facemmo**	**stemmo**	**bevemmo**	**chiedemmo**
voi	**foste**	**aveste**	**deste**	**faceste**	**steste**	**beveste**	**chiedeste**
loro	**furono**	**ebbero**	**diedero**	**fecero**	**stettero**	**bevvero**	**chiesero**

	ere					
	conoscere	**leggere**	**mettere**	**nascere**	**rimanere**	**sapere**
io	**conobbi**	**lessi**	**misi**	**nacqui**	**rimasi**	**seppi**
tu	**conoscesti**	**leggesti**	**mettesti**	**nascesti**	**rimanesti**	**sapesti**
lui/lei/Lei	**conobbe**	**lesse**	**mise**	**nacque**	**rimase**	**seppe**
noi	**conoscemmo**	**leggemmo**	**mettemmo**	**nascemmo**	**rimanemmo**	**sapemmo**
voi	**conosceste**	**leggeste**	**metteste**	**nasceste**	**rimaneste**	**sapeste**
loro	**conobbero**	**lessero**	**misero**	**nacquero**	**rimasero**	**seppero**

	ere					ire	
	scrivere	**spegnere**	**vedere**	**vivere**	**volere**	**dire**	**venire**
io	**scrissi**	**spensi**	**vidi**	**vissi**	**volli**	**dissi**	**venni**
tu	**scrivesti**	**spegnesti**	**vedesti**	**vivesti**	**volesti**	**dicesti**	**venisti**
lui/lei/Lei	**scrisse**	**spense**	**vide**	**visse**	**volle**	**disse**	**venne**
noi	**scrivemmo**	**spegnemmo**	**vedemmo**	**vivemmo**	**volemmo**	**dicemmo**	**venimmo**
voi	**scriveste**	**spegneste**	**vedeste**	**viveste**	**voleste**	**diceste**	**veniste**
loro	**scrissero**	**spensero**	**videro**	**vissero**	**vollero**	**dissero**	**vennero**

STRUCTURE

The past definite is a simple tense. Regular verbs lose -are, -ere, -ire and add the different endings.

Gli Etruschi fondarono numerose città tra cui Volterra, Arezzo e Tarquinia.
Gianni credette alle parole dell'amico.
Partimmo all'alba.

Important!

Regular verbs in -ere have two forms for the 1st and 3rd person singular and the 3rd person plural. The short form (-ei, -é, -erono) and the long form (-etti, -ette, -ettero), which is very common.

There are many **irregular verbs**. Most belong to the conjugation in -ere and are irregular in the 1st and 3rd person singular and 3rd person plural:

accorgersi: mi accorsi	porre: posi
chiudere: chiusi	prendere: presi
decidere: decisi	rispondere: risposi
dirigere: diressi	rompere: ruppi
discutere: discussi	scegliere: scelsi
perdere: persi	togliere: tolsi
piangere: piansi	vincere: vinsi

USE

The past definite is used to express actions or events in the past that are completed in a remote time, without any current relevance. The past definite is frequently used for historical narration, for biographies of famous people and in fairy tales.

Mio nonno decise di vivere a Bologna perché gli piaceva tanto la città.

Alessandro Manzoni nacque a Milano nel 1785.

Important!

In spoken Italian in the centre and south the past definite is also used for recent actions and events. However, there is an increasing tendency to use the present perfect, as already happens in northern Italy.

Mi alzai due ore fa.
Ieri Luca vide Anna al cinema.

Important!

The past definite is used with the imperfect in the same way that the present perfect is used with the imperfect.

Mentre aspettavo l'autobus, ho visto Gianni passare in bicicletta.
Mentre aspettavo l'autobus, vidi Gianni passare in bicicletta.

EXERCISES

.1 Un po' di cultura generale! Match 3 sentences to each character, find the past definites and give the infinitive, as in the example.

La creatività italiana

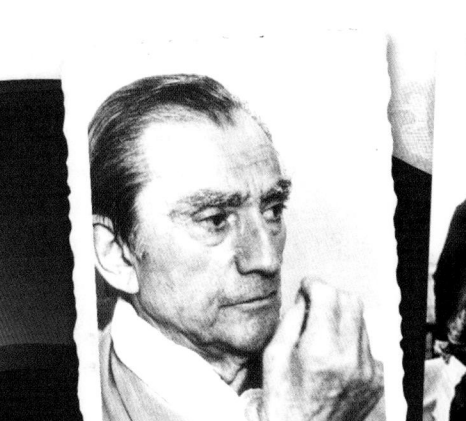  

Luchino Visconti (1906-1976)   **Sorelle Fontana**   **Giotto** (1267-1337)
(Giovanna 1915-2004)
(Zoe 1911-1979) (Micol 1913-2015)

 1    2    3

1. In teatro si affermò nel 1945 con una memorabile edizione dei *Parenti terribili* di Cocteau.
2. Alla fine degli anni Trenta fondarono una casa di moda a Roma.
3. Tra il 1303 e il 1306 circa affrescò la cappella di Enrico Scrovegni a Padova.
4. Diresse film famosi come *Rocco e i suoi fratelli* (1960), *Il Gattopardo* (1963), *Morte a Venezia* (1971).
5. Progettò il campanile del Duomo di Firenze.
6. Disegnarono abiti per le protagoniste di importanti film come *Guerra e pace* e *La dolce vita*.
7. Nella chiesa superiore di S. Francesco ad Assisi dipinse il ciclo della *Leggenda di S. Francesco*.
8. Fu, inizialmente, rappresentante del neorealismo.
9. Grazie alla loro abilità tecnica e al loro buon gusto crearono, alla fine degli anni Cinquanta, abiti per moltissime attrici e donne famose: Audrey Hepburn, Liz Taylor, Jacqueline Kennedy e Soraya.

Past definite	Infinitive
si affermò	affermarsi

31. Il passato remoto

31.2 **Un po' di storia!** Change the infinitives into the past definite and put in the verbs below.

La Repubblica e una Costituzione per gli italiani

ottennero	dovettero	si svolsero	furono

Tra il 1946 e il 1947 le forze democratiche (*raggiungere*) ....(1) due vittorie storiche per il nostro paese: la Repubblica e la Costituzione democratica e antifascista.
Le prime elezioni politiche ....(2) in un clima di ampia libertà e con un'appassionata partecipazione popolare il 2 giugno 1946. Per la prima volta (*votare*) ....(3) anche le donne. I cittadini italiani ....(4) scegliere nel referendum istituzionale tra monarchia e repubblica. Il popolo italiano (*scegliere*) ....(5) la repubblica.
Il 2 giugno 1946 i cittadini (*eleggere*) ....(6) anche i deputati all'Assemblea Costituente, che dovevano elaborare la nuova Costituzione italiana. I partiti che ....(7) più voti ....
..........(8) il partito democristiano, il partito socialista e il partito comunista.

(adattato da La Storia e i suoi problemi, *Loescher Editore)*

31.3 **Un po' di opera!** Put the verbs in the past definite then put the sentences in the right order.

La biografia di Giuseppe Verdi

1 Giuseppe Verdi, famoso compositore, (*nascere*) ....
...........(1) a Busseto (Parma) nel 1813.

___ Tra il 1851 e il 1853 (*comporre*) ....(2) tre capolavori di forte drammaticità: *Rigoletto*, *Il Trovatore*, *La Traviata*.

___ Nel 1871 (*partecipare*) ....(3) alle celebrazioni per l'apertura del canale di Suez con *L'Aida*, che (*essere*) ....(4) un trionfo mondiale.

___ Nel 1874 (*comporre*) ....(5) la *Messa di Requiem* per la morte di Alessandro Manzoni, una delle sue opere non teatrali più famose.

___ Nei due suoi ultimi capolavori, *Otello* (1887) e *Falstaff* (1893), Verdi (*elaborare*) ....
.........(6) un moderno linguaggio teatrale seguendo i nuovi orizzonti aperti da Wagner.

___ (*Morire*) ....(7) nel 1901 a Milano, all'albergo Grand Hotel Et De Milan dove era solito alloggiare quando si trovava in città.

___ Nel 1859 (*sposarsi*) ....(8) con la cantante Giuseppina Strepponi, prima interprete del *Nabucco*.

___ Nel 1842 (*avere*) ....(9) il suo primo successo alla Scala con il *Nabucco*, opera a soggetto storico.

(adattato da La Nuova Enciclopedia Universale, *Garzanti)*

.4 **Rewrite the dialogue in your exercise book and change the verbs from the present perfect to the past definite.**

Un ragazzo di Torino racconta ad un amico il colloquio di lavoro avuto il giorno prima.

Franco: Allora il colloquio di ieri?

Dario: Mi sembra sia andato abbastanza bene. Mi sono presentato, ho parlato degli studi che ho fatto e ho raccontato le esperienze lavorative e di studio che ho avuto in Italia e all'estero.

Franco: Ti hanno chiesto quanto guadagni?

Dario: Sì, mi hanno chiesto delle mie aspettative e dei miei attuali guadagni. Mi hanno detto che ci saranno altri colloqui con altri manager.

Franco: Bene, finora tutto bene allora?

Dario: Sì, sembra di sì, staremo a vedere.

.5 **Un po' di letteratura! Put the verbs in the past definite.**

Gianni Rodari (1920-1980), famoso scrittore della letteratura per l'infanzia, è nato in Piemonte, ma è romano d'adozione. Lavora come insegnante elementare e scrive moltissime favole e filastrocche per bambini e adulti. Diventa popolare in Italia e all'estero nel 1960, quando pubblica *Filastrocche in cielo e in terra*. Lo scopo nelle sue favole e filastrocche è sempre quello di dare un messaggio educativo. Vince nel 1970 il premio Andersen.

Visita il sito www.giannirodari.it per avere più informazioni.

La strada di cioccolata

Tre fratellini di Barletta una volta, camminando per la campagna, (*trovare*) ....(1) una strada liscia e tutta marrone.

"Che sarà?" (*dire*) ....(2) il primo.

"Legno non è" (*dire*) ....(3) il secondo.

"Non è carbone" (*dire*) ....(4) il terzo.

Per saperne di più (*inginocchiarsi*) ....(5) tutti e tre e (*dare*) ....(6) una leccatina.

Era cioccolato, era una strada di cioccolato. (*Cominciare*) ....(7) a mangiare un pezzetto, poi un altro pezzetto, (*venire*) ....(8) la sera e i tre fratellini erano ancora lì che mangiavano la strada di cioccolato, fin che non ce ne (*essere*) ....(9) più neanche un quadratino. Non c'era più né il cioccolato né la strada.

"Dove siamo?" (*domandare*) ....(10) il primo.

"Non siamo a Bari" (*dire*) ....(11) il secondo.

"Non siamo a Molfetta" (*dire*) ....(12) il terzo.

Non sapevano proprio come fare. Per fortuna ecco arrivare dai campi un contadino con il suo carretto.

"Vi porto a casa io" (*dire*) ....(13) il contadino. E li (*portare*) ....(14) fino a Barletta, fin sulla porta di casa. Nello smontare dal carretto (*accorgersi*) ....(15) che era fatto tutto di biscotto. Senza dire né uno né due (*cominciare*) ....(16) a mangiarselo, e non (*lasciare*) ....(17) né le ruote né le stanghe.

Tre fratellini così fortunati, a Barletta, non c'erano mai stati prima e chissà quando ci saranno un'altra volta.

(*Gianni Rodari*, Favole al telefono, *Einaudi*)

31. Il passato remoto

31.6 **Un po' di cultura generale! Put the verbs in the past definite and match the sentences to the pictures.**

1. Leonardo da Vinci (*dipingere*) .... *L'Ultima Cena*.
2. Rossini (*comporre*) .... *Il Barbiere di Siviglia*.
3. Dante Alighieri (*morire*) .... a Ravenna nel 1321.
4. Boccaccio (*scrivere*) .... *Il Decameron*.
5. Michelangelo (*scolpire*) .... *La Pietà*.
6. Federico Fellini (*dirigere*) .... il film *Amarcord*.
7. Raffaello Sanzio (*nascere*) .... a Urbino.
8. Gian Lorenzo Bernini (*progettare*) .... il *Colonnato* di San Pietro.

A ☐

B ☐

C ☐

 D ☐

E ☐

F ☐

G ☐

 H ☐

31.7 **Rewrite in your exercise book this short story, changing the verbs from the present perfect to the past definite. Be careful: the imperfect verbs don't change!**

Un giorno, mentre ero al parco e mi riposavo leggendo un giornale, mi si è avvicinato un ragazzo per chiedermi l'ora. Dopo avergli risposto, mentre si allontanava ho notato che era un bel ragazzo alto e molto interessante.

Dopo alcuni giorni, sempre mentre ero al parco e prendevo il sole, lo stesso ragazzo si è seduto vicino a me e con una scusa ha cominciato a chiacchierare.

Dopo un mese, per caso, ho incontrato lo stesso ragazzo che faceva jogging al parco e così abbiamo deciso di fare jogging insieme.

Dopo alcuni mesi mi sono fidanzata con questo ragazzo...

edizioni Edilingua

		verbs with *avere*			verbs with *essere*	
		lavorare	**dire**		**tornare**	**rimanere**
io	avevo	lavorato	detto	ero	tornato/a	rimasto/a
tu	avevi	lavorato	detto	eri	tornato/a	rimasto/a
lui/lei/Lei	aveva	lavorato	detto	era	tornato/a	rimasto/a
noi	avevamo	lavorato	detto	eravamo	tornati/e	rimasti/e
voi	avevate	lavorato	detto	eravate	tornati/e	rimasti/e
loro	avevano	lavorato	detto	erano	tornati/e	rimasti/e

STRUCTURE

The pluperfect is a compound tense, formed by the verb essere or avere in the imperfect and the past participle of the verb.

Quando sono arrivato all'aeroporto, l'aereo era già partito.

Remember!

The past participle of verbs that take essere always agrees with the subject (of the sentence). The participle has 4 endings, like the adjectives in the 1st group: -o, -a, -i, -e.

Luca era molto contento perché era arrivato *un regalo* per lui.
Erano le tre di notte e *le amiche* di Vincenza non erano ancora tornate dalla discoteca.

USE

The pluperfect is used to express actions or events in the past *preceding* another action in the past expressed in the *present perfect*, *imperfect* or *past definite*.

Aveva già mangiato tanto, ma *mangiò* anche una fetta di torta.

L'Arena di Verona

EXERCISES

32.1 Fill in the gaps with the right verbs from the box.

> avevano bevuto   aveva perdonato   avevamo prestato
> erano nati   avevo chiesto   aveva smesso

1. Laura e Domenico l'altra sera non riuscivano a dormire, perché .... troppi caffè.
2. Quando Tina e Franco sono arrivati a casa, ... di piovere.
3. Ieri Simone ci ha restituito i libri, che gli ....
4. L'impiegato comunale ha voluto sapere dove .... i miei genitori.
5. Finalmente Anna mi ha dato l'indirizzo che le ....
6. Valeria l'......................... sempre ...., ma quando la tradì con la sua migliore amica, cacciò il marito di casa.

32.2 Write the verbs in the pluperfect.

Quando i signori De Rossi sono tornati dalla Sicilia, dopo una vacanza di due settimane, hanno scoperto che i loro figli, Marcella, Domenico e Tiziana, non si erano comportati bene.

1. Non (*cambiare*) l'acqua della vaschetta dei pesci.

....

2. Non (*innaffiare*) le piante in casa e sul balcone.

....

Teatro antico, *Taormina*

3. (*Mangiare*) tutti i dolci che c'erano in casa.

....

4. (*Rovinare*) i DVD dei film preferiti della mamma.

....

5. (*Andare*) a dormire sempre molto tardi.

....

6. Non (*pulire*) mai la casa.

....

Taormina (Messina), *Sicilia*

32.3 Put the verbs in the pluperfect and join the phrases, as in the example.

e 1. Siamo andati al parco e abbiamo visto

2. Quando Matteo è arrivato a casa,

3. Giacomo mi ha telefonato ieri sera,

4. La scorsa estate Luigi e Teresa sono riusciti a fare una vacanza sul Mar Rosso,

5. Negli ultimi tempi, Daria era sempre triste. Poi abbiamo saputo

6. Ieri abbiamo incontrato Luisa,

a) una ragazza che (*conoscere*) .... l'estate scorsa in vacanza.
b) dopo che (*risparmiare*) .... i soldi durante l'anno.
c) che Fabio l'(*tradire*) ....
d) il film in TV, che voleva vedere, (*finire*) .... da mezz'ora.
e) un signore che (*addormentarsi*) si era addormentato su una panchina.
f) ma io (*uscire*) .... già ....

edizioni Edilingua

.4 **Un po' di narrativa! Put the verbs in the pluperfect. Don't worry if you don't understand everything!**

margaret mazzantini
non ti muovere
ROMANZO

MONDADORI

Margaret Mazzantini nasce a Dublino, nel 1961, da padre italiano e madre irlandese. Inizia la sua carriera come attrice di teatro e poi come scrittrice. Ha avuto grande successo con il romanzo *Non ti muovere*, che è stato tradotto in molte lingue e da cui è stato tratto il film, con lo stesso titolo, diretto e interpretato da Sergio Castellitto, marito dell'autrice.
Visita il sito www.margaretmazzantini.com per avere più informazioni.

(*Lei svegliarsi*) ....(1), mentre io ero in piedi davanti alla finestra a livello della strada. Scrutavo il paesaggio che non (*vedere*) ....
...........(2) la sera prima e che ora si rivelava con la luce del giorno, piatto e argilloso. [...] C'era una bottiglia d'acqua sul comodino di formica, che l'infermiera (*portare*) ....(3) per me e che (*bere*) ....(4) quasi tutta, senza prendere fiato, dopo l'arsura* dell'intervento che (*durare*) ....(5) quasi sei ore.

*arsura: grandissima sete

(Non ti muovere *di Margaret Mazzantini, ed. Mondadori*)

.5 **Put the verbs in the pluperfect.**

> lasciare   bere   uscire   vedere   andare   mangiare

Angela e Tiziano sono fidanzati da un po' di anni. Tiziano, però, è molto geloso e sospettoso e fa sempre un sacco di domande ad Angela, che inizia a stufarsi e a essere stanca della situazione...

Tiziano: Allora, ieri cosa hai fatto?

Angela: Ieri pomeriggio, dopo il lavoro, sono andata dall'estetista per una *manicure*.

Tiziano: Ma non c'.............. già ....(1) due o tre giorni fa?

Angela: No, no, guarda che ti confondi.

Tiziano: Poi che hai fatto?

Angela: Ho incontrato Irene in un bar e abbiamo chiacchierato un po'.

Tiziano: Ma non l'.............. già ....(2) la scorsa settimana?

Angela: Sì, e allora? Non posso vederla anche questa settimana?

Tiziano: Poi, hai fatto altro?

Angela: Che noia! Quante domande! Poi ho bevuto un aperitivo con Lorenza, che ho incontrato nel bar, proprio mentre Irene stava andando via.

Tiziano: Ma non .... già ....(3) con Irene l'aperitivo?

Angela: No.

Tiziano: Fino a che ora sei rimasta al bar con Lorenza?

Angela: Pochissimo, perché dopo abbiamo deciso di andare in pizzeria.

Tiziano: Ma non .... già ....(4) la pizza due giorni fa con me?

Angela: Allora!? Non potevo mangiarla anche ieri?

Tiziano: Sì, certo! Ma poi fino a che ora sei rimasta in pizzeria?

Angela: Ancora domande... ma non se ne può più! Fino alle undici, va bene?

Tiziano: Sì, sì, va bene. Non capisco che bisogno avevi di uscire, ... già ....(5) con me.

Angela: Senti, non capisco che bisogno hai di farmi tutte queste domande! Sai che ti dico? Che ti lascio! Sei troppo geloso, pesante e noioso e ti prego non mi chiedere se c'.............. già ....(6). Va bene?

		verbs with *avere*			verbs with *essere*	
		lavorare	dire		tornare	rimanere
io	ebbi	lavorato	detto	fui	tornato/a	rimasto/a
tu	avesti	lavorato	detto	fosti	tornato/a	rimasto/a
lui/lei/Lei	ebbe	lavorato	detto	fu	tornato/a	rimasto/a
noi	avemmo	lavorato	detto	fummo	tornati/e	rimasti/e
voi	aveste	lavorato	detto	foste	tornati/e	rimasti/e
loro	ebbero	lavorato	detto	furono	tornati/e	rimasti/e

STRUCTURE

The past anterior is a compound tense, formed by the verb essere or avere in the past definite and the past participle of the verb.

Remember!

The past participle of verbs that take essere always agrees with the subject (of the sentence). The participle has 4 endings, like the adjectives in the 1st group: -o, -a, -i, -e.

Quando *Maria* fu ritornata a casa, si riposò.
Quando *i ragazzi* furono arrivati al camping, chiamarono a casa.

USE

The past anterior is used to express actions or events in the remote past that *precede* another action in the past expressed by the *past definite*.

Quando ebbe finito di lavorare, *andò* via.
(*first* he finished to work and *then* he/she went away)

We only use the past anterior in subordinate clauses of time, usually introduced by: quando, dopo che, (non) appena, finché non.

Dopo che ebbi letto il giornale, seppi della tragedia.
Quando Francesco ebbe finito di studiare, decise di andare al bar.
Non appena il film fu terminato, Gina smise di piangere. = *Appena* il film fu terminato, Gina smise di piangere.
Finché Tina e Gianni *non* ebbero telefonato, i loro genitori non andarono a letto.

Important!

Nowadays the past anterior is rarely used in either written or spoken Italian. Its use is limited to literary works from previous centuries.

Today this tense is often replaced by the past definite and sometimes by the pluperfect.

Quando ebbe finito di lavorare, *andò* via.
Quando finì di lavorare, *andò* via.
Quando aveva finito di lavorare, *andò* via.

EXERCISES

Choose the appropriate past anterior form then link the sentences.

ebbero riconosciuto   aveste finito   ebbe terminato
ebbe studiato   ci fummo riposati   furono usciti

___ 1. Dopo che tu e Luisa .... di mangiare,
___ 2. Non appena Lucia .... di parlare,
___ 3. Quando Riccardo .... il capitolo di storia,
___ 4. Appena i vicini mi ....,
___ 5. Marta aspettò finché i ragazzi non ....,
___ 6. Dopo che ....,

a) andammo a trovare la zia.
b) andaste a letto.
c) mi invitarono a bere un caffè.
d) poi parlò e discusse con suo marito.
e) si mise a mangiare.
f) guardò un po' la TV.

Un po' di letteratura! Put the verbs in the past anterior. Don't worry if you don't understand everything!

> Carlo Lorenzini (1826-1890), conosciuto come Collodi, nacque a Firenze e fu un famoso scrittore e giornalista. *Le avventure di Pinocchio* uscì nel 1880, quindi l'italiano non è sempre facile, e fu tradotto in tutte le lingue del mondo.
> Visita il sito www.letteratura.it/carlocollodi per avere più informazioni.

Le avventure di Pinocchio

[...] Appena Mastro Geppetto ....(1 - *vedere*) quel pezzo di legno, si rallegrò tutto per la contentezza.

La casa di Geppetto era una stanza terrena che pigliava luce da un sottoscala. La mobilia non poteva essere più semplice: una seggiola cattiva, un letto poco buono e un tavolino tutto rovinato. Nella parete di fondo si vedeva un caminetto col fuoco acceso; ma il fuoco era dipinto, e accanto al fuoco c'era dipinta una pentola che bolliva allegramente e mandava fuori una nuvola di fumo, che pareva fumo davvero. Appena ....(2 - *entrare*) in casa, Geppetto prese subito gli arnesi e si mise a fabbricare il suo burattino. – Che nome gli metto – disse fra sé e sé – Lo voglio chiamar Pinocchio [...]

Quando ....(3 - *trovare*) il nome al suo buratti-no, allora cominciò a lavorare e gli fece subito i capelli, la fronte e poi gli occhi. Gli fece il naso, la bocca, le braccia e le mani. Non appena Geppetto ....(4 - *finire*) di fargli i piedi, sentì arrivarsi un calciosulla punta del naso.

Poi prese il burattino sotto le braccia e lo posò in terra, sul pavimento della stanza, per farlo camminare. Geppetto lo conduceva per mano per insegnargli a mettere un passo dietro l'altro. Dopo che Pinocchio ....
............................(5 - *imparare*) a camminare, cominciò a correre per la stanza, uscì in strada e scappò via.

E il povero Geppetto a corrergli dietro senza poterlo raggiungere [...]. – Piglialo! Piglialo! – urlava Geppetto: ma la gente che era per la via, vedendo questo burat-tino di legno che correva, si fermava incantata a guardarlo e rideva, rideva, rideva. Alla fine, e per buona for-tuna, capitò un carabiniere [...]

(adattato da Le avventure di Pinocchio, *Carlo Collodi, ed. BUR-Rizzoli)*

33.3 **Replace the past anterior with the past definite (4 verbs) or the pluperfect (2 verbs).**

1. Non appena Romeo ebbe visto la villa di Tonino, decise di comprarla.

   Quando Romeo vide la villa di Tonino, decise di comprarla.

2. Dopo che Lisa e Tommaso ebbero riordinato le loro camere, uscirono con gli amici.

   Dopo che ...., uscirono con gli amici.

3. Dopo che Damiano ebbe scritto un'e-mail a Daniela, iniziò a lavorare.

   Dopo che ...., iniziò a lavorare.

4. Non appena ebbi ricevuto la tredicesima*, la spesi tutta in vestiti.

   Quando ...., la spesi tutta in vestiti.

5. Non appena Lorenzo ebbe accarezzato il gatto, cominciò a stare male: era allergico.

   Lorenzo .... e poi cominciò a stare male: era allergico.

6. Finché non furono usciti tutti i bambini da scuola, il portiere non chiuse il cancello.

   Finché non ...., il portiere non chiuse il cancello.

*tredicesima: tredicesimo stipendio (mensilità) che si prende a dicembre

Agreement with a present tense

Main clause	Subordinate clause	With the **present** indicative or present perfect (with current relevance) in the main clause, the subordinate clause will take:
So che Ho saputo poco fa che	Mario lavora domani. Mario lavorerà domani.	the present or future indicative if the action takes place later (posteriority).
So che Ho saputo poco fa che	Mario lavora oggi. Mario sta lavorando adesso.	the present or present progressive indicative if the action takes place at the same time (contemporaneity).
So che Ho saputo poco fa che	Mario ha lavorato un'ora fa. Mario lavorò in Italia anni fa. Mario lavorava alla Fiat.	the present perfect, the past definite or imperfect indicative if the action takes place earlier (anteriority).

Agreement with past tense

Main clause	Subordinate clause	With a **past** tense, such as the imperfect indicative, the present perfect (remote time), pluperfect and past definite, the subordinate clause will take:
Sapevo che Ho saputo che Avevo saputo che Seppi che	Mario avrebbe lavorato il giorno dopo. Mario lavorava il giorno dopo.	the past conditional or imperfect indicative if the action takes place later (posteriority).
Sapevo che Ho saputo che Avevo saputo che Seppi che	Mario lavorava quel giorno. Mario stava lavorando quel giorno.	the imperfect indicative (also with the progressive form) if the action takes place at the same time (contemporaneity).
Sapevo che Ho saputo che Avevo saputo che Seppi che	Mario aveva lavorato due giorni prima. Mario lavorò in Italia anni fa.	the pluperfect indicative or past definite if the action takes place earlier (anteriority).

EXERCISES

34.1 Put ✔ in the correct column to show if the actions in the subordinate clauses take place before, during or after the actions in the main clause.

	before	during	after
1. Gianni, ti confermo che domani non verrò alla partita di basket.	☐	☐	☐
2. Tina ha saputo poco fa che ieri Franco le ha mandato un mazzo di fiori.	☐	☐	☐
3. Sara e Domenico hanno appena detto al telefono che stanno arrivando.	☐	☐	☐
4. Il vicino di casa racconta sempre che faceva il soldato durante la Seconda Guerra Mondiale.	☐	☐	☐
5. Marina ha scritto nella sua lettera che avrebbe avuto un esame il giorno dopo.	☐	☐	☐
6. Loretta sapeva che Damiano lavorava alla Fiat.	☐	☐	☐
7. Mandai un'e-mail per avvertire che ero già partita per le vacanze.	☐	☐	☐
8. Avevo capito che Lorenza aveva lasciato il marito da un mese.	☐	☐	☐

34.2 Choose the right tense.

1. So che Paolo .... ora.

   sta mangiando / mangerà / mangiava

2. Abbiamo appena letto nella relazione che la società .... quote di mercato l'anno prossimo.

   perse / perderà / sta perdendo

3. Stefano dice che un anno fa .... in centro.

   abita / abiterà / abitava

4. Ci hanno appena confermato che il Dottore Rossi .... due ore fa per Roma.

   partirà / parte / è partito

5. Siamo sicuri che Franco e Paola .... non appena arrivano in albergo?

   telefoneranno / hanno telefonato / stanno telefonando

6. *(Al telefonino)* Damiano, ti ripeto che .... di casa in questo momento.

   uscirò / sto uscendo / sono uscito

4.3 Choose the right tense.

1. Antonio non si ricordava che il suo capo gli .... di quell'affare lo scorso mese.

   aveva parlato / parlava / avrebbe parlato

2. Mia nonna mi diceva che .... troppo magra!

   sarei stata / fui / ero

3. Ti avevo già detto che non .... alla mostra di domani.

   ero andata / sarei andata / andai

4. Avevamo capito che .... a Londra da giovane.

   lavori / avevi lavorato / avresti lavorato

5. Eravamo sicuri che un giorno .... dei tuoi errori.

   ti saresti pentito / ti pentisti / ti eri pentito

6. Sapevo che Loretta e Paola .... oggi.

   arrivavano / arrivarono / saranno arrivate

4.4 Put the verb in the right tense. Be careful of the tense in the main clause! Sometimes there is more than one correct answer.

1. Sappiamo che Teresa .... oggi con il suo fidanzato. (*parlare*)
2. Sappiamo che Teresa .... domani con il suo fidanzato. (*parlare*)
3. Sappiamo che Teresa .... ieri con il suo fidanzato. (*parlare*)
4. Ho scritto che Daria .... un bambino un mese fa. (*avere*)
5. Ho scritto che Daria .... un bambino tra un mese. (*avere*)
6. Ho scritto che Daria non .... bambini, anche se è sposata da molti anni. (*avere*)

4.5 Find the 4 errors and correct them.

1 Disse che era andato dal dottore, ma nessuno gli credette.

2 Carlo mi ha scritto un'e-mail ieri dicendo che era partito oggi alle due.

3 Agli inizi della sua carriera nessuno immaginava che Antonio avrebbe avuto così tanto successo.

4 Luisella non ha avuto il coraggio di dire a suo marito che la prossima settimana arrivavano i suoi genitori per trascorrere un mese con loro.

5 Sappiamo che lunedì sera ci sarebbe stato un concerto di musica classica al Conservatorio "Verdi" di Milano, vi interessa?

6 Mia madre mi dice sempre che dovevo studiare di più, se voglio essere promossa.

Agreement with the present and past subjunctive

Main clause	Subordinate clause	With the **present** or **future** indicative in the main clause, the subordinate clause takes:
Penso che (Penserà che)	Maria scriva la lettera domani.	the present subjunctive if the action takes place later (posteriority).
Penso che (Penserà che)	Maria scriva/stia scrivendo la lettera adesso.	the present or present progressive subjunctive if the action takes place at the same time (contemporaneity).
Penso che (Penserà che)	Maria abbia scritto la lettera un mese fa.	the past or imperfect subjunctive if the action takes place earlier (anteriority).

Agreement with the imperfect and pluperfect subjunctive

Main clause	Subordinate clause	With a **past** tense in the main clause, such as the imperfect or present perfect indicative, the subordinate clause takes:
Ho sperato che Speravo che	Maria scrivesse la lettera più tardi.	the imperfect subjunctive if the action takes place later (posteriority).
Ho sperato che Speravo che	Maria scrivesse la lettera quel giorno stesso.	the imperfect subjunctive if the action takes place at the same time (contemporaneity).
Ho sperato che Speravo che	Maria avesse scritto la lettera due giorni prima.	the pluperfect subjunctive if the action takes place earlier (anteriority).

edizioni Edilingua

EXERCISES

5.1 Put ✔ in the correct column and say if the action in the subordinate clause expressed with the subjunctive takes place before, during or after the action in the main clause.

	before	during	after
1. Crediamo che Massimo parta domani.	▨	▨	▨
2. Pensavo che Luisa avesse trovato un buon lavoro e invece non è così.	▨	▨	▨
3. Giuseppe pensa che mi sia successo qualcosa.	▨	▨	▨
4. Ho paura che Luigi abbia perso l'aereo, è partito da casa troppo tardi.	▨	▨	▨
5. Abbiamo avuto l'impressione che Lorenzo parlasse del nostro spiacevole incidente con Luisa, quando siamo arrivati in ufficio.	▨	▨	▨
6. Speravamo che Teresa telefonasse a Marco dopo il nostro incontro.	▨	▨	▨
7. Senti che rumore... credo che la ruota della macchina sia bucata.	▨	▨	▨
8. Benché mia madre avesse 45 anni, sembrava mia sorella perché non dimostrava la sua età.	▨	▨	▨

5.2 Choose the right tense.

1. Abbiamo paura che Franca non abbia superato/avesse superato l'esame di guida.
2. Ieri Ugo è tornato a casa prima che faccia/facesse buio.
3. Qualunque cosa Franca abbia chiesto/avesse chiesto, i suoi genitori le dicevano sempre di sì.
4. Non sapevo che tu e Gianni abbiate avuto/aveste avuto così tante difficoltà in passato.
5. Loretta e Giovanni desiderano che domani veniate/veniste a pranzo.
6. Credi davvero che il capo ti dia/desse una promozione in futuro?
7. Mio nonno si ammalava spesso, benché non esca/uscisse mai di casa.
8. Avevamo l'impressione che il tuo lavoro non vada/andasse bene.

5.3 Congiuntivo presente o imperfetto? Put in the correct tense of the verbs below.

parlare   partire   essere   dovere   sapere   consumare

1. Credevano che io e Gianni non .... nulla, invece Fabio ci aveva informato su tutto.
2. Voglio comprare un'automobile che non .... troppo.
3. Non immaginavo che tua zia .... così giovane.
4. Come parlate bene l'inglese e il tedesco! Non sapevo che .... tante lingue!
5. Era Andrea. È passato a salutarmi perché pensava che io .... domani.
6. I tuoi genitori pensano che tu .... studiare di più.

35. La concordanza dei tempi al congiuntivo

35.4 Congiuntivo passato o trapassato? Put the verb in the right tense.

chiedere   incontrare   avere
nascondere   andare   essere

1. Penso che Paolo .... un ottimo padre.

2. Credevamo che tu e Lucia non .... alla festa di ieri.

3. Mi sembra che ieri tu non .... molto rispetto per la mamma. Sei stato veramente maleducato.

4. Mia madre mi ha regalato un viaggio all'estero, benché io non le .... nulla.

5. Sembra che il papa .... il primo ministro inglese in forma privata.

6. Credo che i nostri genitori .... i regali di Natale in cantina.

35.5 Complete the story about Giuseppe with verbs in the subjunctive. Be careful of the sequence of tense!

Giuseppe, il partner di Filomena, ha perso il lavoro e sta attraversando un brutto periodo. Filomena è preoccupata, vede che Giuseppe si comporta male e parlando con Marcella, la sua migliore amica, esprime le sue speranze.

Spero tanto che la situazione (potere) .... (1) cambiare, che Giuseppe (trovare) .... (2) un lavoro e (iniziare) .... (3) presto ad essere occupato. Tutto questo tempo libero non va bene. Mi auguro veramente che (ritornare) .... (4) ad essere quello di una volta. Ieri aveva una brutta faccia ed ero particolarmente preoccupata che (bere) .... (5) e (fumare) .... (6) più del solito. Speravo che la persona coinvolta nella lite al bar qui sotto casa non (essere) .... (7) lui, credevo che (coinvolgere) .... (8) il solito ubriacone della zona e invece mi sono sbagliata, era proprio Giuseppe! Che peccato! E dire che è l'uomo più bravo e con sani principi che (conoscere) .... (9) mai in tutta la mia vita! Ah! Se solo non (perdere) .... (10) il lavoro, tutte queste cose non sarebbero successe!

edizioni Edilingua

1 **Un po' di scienza! Put the verbs, which are in the right order, in the past definite.** (past definite)

> *nascere   diffondere   dovere   pubblicare   esporre   costringere   diventare   avere*

Un famoso scienziato italiano: Galileo Galilei

Questo famoso scienziato ....(1) a Pisa nel 1564. Dal 1604 ....(2) le teorie di Copernico sull'immobilità del Sole e il movimento della Terra. Nel 1615, convocato a Roma dal Sant'Uffizio, ...(3) assistere alla condanna della teoria copernicana. Dopo l'elezione a papa di Urbano VIII, credendo possibile un cambiamento dell'atteggiamento della Chiesa, ...(4) il *Dialogo sopra i due massimi sistemi del mondo* (1632), nel quale ....(5) ancora le tesi copernicane. Il Sant'Uffizio lo ....(6) a negare le sue tesi. Il suo caso ....(7) simbolo dello scontro tra la Chiesa cattolica e la cultura scientifica moderna, argomento di aspre polemiche sino al 1992, quando si ....(8) la riabilitazione di questo personaggio e il riconoscimento dell'errore da parte della Chiesa con Papa Giovanni Paolo II.

(*adattato da www.sapere.it*)

Each correct answer is worth one point.
If you score less than 5, revise the grammar.

Result
___/8

2 **Un po' di storia! Put the verbs in the past definite.** (past definite)

Lorenzo partecipa a un quiz televisivo. Il suo argomento prescelto è Giuseppe Garibaldi.

Conduttore: Allora Lorenzo, sei pronto?
Lorenzo: Sì, sì.
Conduttore: L'argomento da te scelto è Giuseppe Garibaldi, generale e uomo politico, chiamato l'*eroe dei due mondi* per le sue imprese in Italia e in America Latina. La figura più popolare del Risorgimento italiano.
Lorenzo: Esatto.
Conduttore: Cominciamo con una domanda facile: Garibaldi chi (*sposare*) ....(1) e quanti figli (*avere*) ....(2)?

Lorenzo:	Nato nel 1807, (*unirsi*) ....(3) in matrimonio con Anita ed (*avere*) ....(4) quattro figli.
Conduttore:	Perché (*fuggire*) ....(5) a Marsiglia e poi (*andare*) ....(6) in Sudamerica?
Lorenzo:	Perché (*partecipare*) ....(7) ad un'insurrezione, che (*fallire*) ....(8), e quindi (*decidere*) ....(9) di fuggire.
Conduttore:	A quali guerre d'indipendenza (*partecipare*) ....(10)?
Lorenzo:	A tutte e tre le guerre d'indipendenza. Nella II Guerra d'Indipendenza (*aiutare*) ....(11) il re Vittorio Emanuele II e (*partire*) ....(12) da Quarto, vicino a Genova, a capo della spedizione dei Mille, per liberare il Meridione dai Borboni. Nella III Guerra d'Indipendenza (*vincere*) ....(13) a Bezzecca.
Conduttore:	Bravo Lorenzo! E adesso siamo all'ultima domanda: dove e quando (*morire*) ....(14) Giuseppe Garibaldi?
Lorenzo:	A Caprera nel 1882.
Conduttore:	Complimenti, hai risposto correttamente a tutte le domande!

Giuseppe Garibaldi
(Nizza 1807-Caprera 1882)

Each correct answer is worth one point.
If you score less than 8, revise the grammar.

Result
/14

3 **Put the verbs in the pluperfect.** (pluperfect)

conoscere   sposarsi   passare   fare   incontrare   dedicare   assorbire   lasciare

La vita di Pietro

Pietro aveva 65 anni. Ripensava spesso agli anni passati, a tutti i viaggi che ....(1) per motivi di lavoro, a tutte le donne che ....(2) e a tutte le persone che ....(3). Quando pensava alla sua vita si rattristava un po'. Era triste perché non ....(4) e non aveva una famiglia, non aveva figli e ....(5) tutte le sue energie sempre al suo lavoro che l'...................(6) tanto, forse davvero troppo e non gli ....(7) spazio per costruirsi una vita privata. Gli anni più belli ormai ....(8)!

Each correct answer is worth one point.
If you score less than 5, revise the grammar.

Result
/8

4 Complete the sentences with the verbs below and link the sentences. (past anterior and pluperfect)

ebbero letto	*ebbe pulito*	*ebbero discusso*
aveva litigato	*aveva sentito*	*ebbe parlato*

___ 1. Non appena Paola e Teresa .... la lettera,

___ 2. Dopo che Roberto .... tutta la casa,

___ 3. Quando Gina .... con l'avvocato,

___ 4. Dopo che Luisa e Antonio .... l'itinerario delle vacanze,

___ 5. Dario .... con la sua fidanzata

___ 6. Roberto non .... la sveglia,

a) si riposò sul divano.

b) guardarono la TV.

c) ed era molto triste.

d) per questo arrivò tardi al lavoro.

e) si sentì sollevata.

f) piansero.

Each correct answer is worth one point.
If you score less than 7, revise the grammar.

Result
___/12

5 Replace the verbs in the past anterior with the past definite. (past definite and past anterior)

1. Dopo che gli attori ebbero finito di recitare, ricevettero molti applausi.
   Quando ...., ricevettero molti applausi.

2. Non appena Lisa fu tornata a casa, vide che c'era un regalo per lei.
   Lisa .... e vide che c'era un regalo per lei.

3. Non appena Giovanni ebbe saputo la verità, si rattristò.
   Quando ...., si rattristò.

4. Finché non ebbe interrogato tutti i sospettati, il maresciallo non andò a casa.
   Finché ...., il maresciallo non andò a casa.

5. Dopo che Franco ebbe litigato con Giulia, decise di richiamarla per scusarsi.
   Franco prima .... e poi decise di richiamarla per scusarsi.

6. Dopo che Daria ebbe visitato Roma, decise di trasferirsi lì con tutta la famiglia.
   Daria prima .... e poi decise di trasferirsi lì con tutta la famiglia.

Each correct answer is worth one point.
If you score less than 4, revise the grammar.

Result
___/6

Test 7 (unità 31-35)

Via della Grammatica   **241**

6 **Put the verbs in the right tense. Choose between the past definite, imperfect and pluperfect.** (past definite, imperfect and pluperfect)

La casa triste

C'(*essere*) ....(1) una volta una grande casa in campagna molto bella, ma anche molto triste, perché nessuno ci (*abitare*) ....(2). Ogni tanto i suoi padroni (*andare*) ....(3) a trovarla, ma solo per pochi giorni, e in più la casa non (*avere*) ....(4) nemmeno dei mobili o dei divani con cui parlare, perché era tutta vuota. Soprattutto la notte (*sentirsi*) ....(5) sola e sconsolata.

Un giorno però, all'improvviso, la casa (*scoprire*) ....(6) che qualcosa stava cambiando. I suoi padroni (*venire*) ....(7) a trovarla molto più spesso, e tra le sue stanze (*girare*) ....(8) anche degli estranei, pieni di attrezzi, pennelli, vernici e tante altre cose. Ma le sorprese non (*finire*) ....(9). Un bel giorno d'inverno non (*sentire*) ....(10) più freddo, perché qualcuno (*accendere*) ....(11) la caldaia e in più, quello stesso giorno, (*arrivare*) ....(12) dei camion con mobili, tavoli e sedie. Ma la gioia più grande la casa la (*provare*) ....(13) quando (*vedere*) ....(14) entrare tutti i suoi padroni con le valigie: la nonna, il babbo, Camilla e la mamma con un gran pancione, perché in attesa della sorellina di Camilla, e (*capire*) ....(15) che sarebbero rimasti lì per sempre. Finalmente la casa (*riempirsi*) ....(16) di voci, di risate, di grida di bambino e la casa (*essere*) ....(17) talmente felice che, il giorno che (*arrivare*) ....(18) anche Carolina, c'è chi giura di averla vista sorridere e piangere una lacrima di gioia.

(*adattato dal sito www.pinu.it - fiabe italiane*)

Each correct answer is worth one point.
If you score less than 10, revise the grammar.

Result
/18

7 **Put ✔ in the correct column to show whether the actions in the subordinate sentences take place before, during or after the actions in the main clause.** (sequence of tense in the indicative)

	before	during	after
1. I genitori di Luisa sono sicuri che la loro figlia passerà l'esame di chimica.	◼	◼	◼
2. Vedo che parli il tedesco molto bene. Complimenti!	◼	◼	◼
3. Avevamo capito che eri iscritto alla facoltà di Medicina e non di Ingegneria.	◼	◼	◼
4. La mamma ha appena sentito che Tiziana non è stata molto bene. Che cosa ha avuto?	◼	◼	◼

5. Giancarlo aveva confermato che si sarebbe trasferito
   a Napoli il mese prossimo. ▪ ▪ ▪
6. Luisa ha promesso che telefona domani. ▪ ▪ ▪
7. In Tv hanno detto che domani nevica. ▪ ▪ ▪
8. Gianni mi dice nel suo sms, che il suo aereo
   è atterrato mezz'ora fa. ▪ ▪ ▪

Each correct answer is worth one point.
If you score less than 5, revise the grammar.

Result

_____ /8

8 **Put the verbs in the right tenses. Choose between the present/future, present perfect, imperfect, pluperfect and past conditional.** (sequence and use of indicative tenses)

Maria: Tiziana, ma che cosa (*succedere*) ....
...................(1)? Ancora in ritardo! Sabato
scorso mi (*promettere*) ....
(2) che almeno oggi (*arrivare*) ....
...........(3) puntuale.

Tiziana: Scusami, ma (*accadere*) ....
(4) una cosa incredibile. Mentre io (*leggere*)
.................................(5) il giornale in treno,
(*entrare*) ....(6) nello scom-
partimento un ragazzo veramente carino e
ben vestito. Quando (*finire*) ....
.........(7) di leggere il giornale, questo ragaz-

zo me l'(*chiedere*) ....(8). Mentre lui (*leggere*) ....(9) il giornale,
l'(*guardare*) ....(10) con attenzione e (*accorgersi*) ....(11) che
(*essere*) ....(12) Luigi, un mio compagno di liceo.

Maria: Luigi? Quello che ti (*fare*) ....(13) il filo*, ma che (*essere*) ....(14)
bruttino e insignificante?

Tiziana: È vero, ma allora, adesso non più. Arrivati alla stazione, siamo andati a bere un caffè al bar e mi
ha raccontato che non (*sposarsi*) ....(15) e che (*diventare*) ....(16)
avvocato cinque anni fa.

Maria: E poi?

Tiziana: Mi (*invitare*) ....(17) a cena per la prossima settimana! Chissà, magari (*nascere*)
...............................(18) qualcosa!

*fare il filo: corteggiare

Each correct answer is worth one point.
If you score less than 10, revise the grammar.

Result

_____ /18

9 Choose the right verb and put ✔ in the correct column. Show whether the action in the subordinate clause takes place before, during or after the actions in the main clause. (sequence of tense in the subjunctive)

	before	during	after
1. Penso che l'avvocato rimanga/rimanesse in studio ancora un po', ha tante pratiche da sbrigare.	■	■	■
2. Avevamo paura che dobbiamo/dovessimo tornare a casa prima della fine della vacanza.	■	■	■
3. Credo che Marina da giovane sia stata/fosse stata una bellissima donna.	■	■	■
4. Antonella sperava che alla fine della riunione Marco le dia/desse un passaggio per andare a casa.	■	■	■
5. Io e Marcello temevamo che Laura abbia avuto/avesse avuto un incidente con la macchina.	■	■	■
6. Penso che Gianfranco voglia/volesse vederti al più presto, deve parlarti di una cosa importante.	■	■	■
7. Ci sembrava che Domenico abbia/avesse intenzione di incontrare Luisa.	■	■	■
8. Crediamo che Gianna lavori/lavorasse in banca adesso.	■	■	■

Each correct answer is worth one point.
If you score less than 9, revise the grammar.

Result
<u>/16</u>

Total score **/108**

Piazza de Ferrari, *Genova*

edizioni Edilingua

Gli interrogativi

Interrogative adverbs: come, dove, quando, perché
Interrogative pronouns: chi
Interrogative adjectives and pronouns: quanto, quale, che (che cosa, cosa)

> We use the interrogative adverbs, pronouns and adjective/pronouns to form direct or indirect questions. In direct questions the interrogative form is placed at the beginning of the sentence.
>
> Claudio chiede a Maria: "Come stai?" (*direct question*)
> Claudio chiede a Maria come sta. (*indirect question*)

Interrogative adverbs

Come, dove, quando, quanto, perché are invariable, like all adverbs, and are used at the beginning of sentences (direct questions):	
Come is used for questions about mode/means of transport;	• Come vai a scuola? • Vado in autobus.
Dove is used for questions about place;	• Dove vi siete incontrate? • Davanti al cinema *Corso*.
Quando is used for questions about time;	• Quando tornerà dalle vacanze Lino? • Tornerà lunedì o la prossima settimana.
Quanto is used to indicate quantity.	• Quanto hai pagato questa borsa? • L'ho pagata 100 euro.
Perché is used for questions about the cause or reason (it is used in questions and answers).	• Perché lavori così tanto? • Perché spero di avere una promozione.

Interrogative pronouns

Chi is invariable and can be used with the prepositions (*di, a, per, con*); chi is only used for people and to request identity.	• Chi è Tommaso? • Un ragazzo siciliano. • Con chi sei uscito ieri? • Con Roberto.

Interrogative adjectives and pronouns

Quanto/a/i/e (ADJ. - PRON.) has 4 endings and is used when asking questions about quantity. It is used for people and things.	• Quanta pasta devo cucinare? (ADJ.) • Cucinane mezzo chilo. • Ecco le mie penne! Quante ne vuoi? (PRON.) • Ne voglio due.

Quanto becomes quant' when it is followed by a vowel. (PRON.)

Quale/i (ADJ. - PRON.) has 2 forms. Quale in the masculine and feminine singular and quali in the masculine and feminine plural. It is used for people and things, and for questions about quality and identity.

Careful!

Qual, without apostrophe, is used before the verb *essere*.

Che is invariable.
Che (ADJ.) has the same meaning and use as quale/i and particularly in spoken Italian it can replace quale/i.
Che (PRON.) is used for things and for general questions. Che is often replaced by che cosa or cosa.

Quant'è (= Quanto tempo è) che non lo vedevi?

- Quale macchina vuoi comprare? (ADJ.)
- La Fiat Seicento.

- Lorenzo ha due fratelli. Tu quale conosci? (PRON.) • Conosco Pietro.

- Qual è il tuo cantante preferito?
- Vasco Rossi.

- Quale libro preferisci? = Che libro preferisci? • Quello su Cartesio.

- Che fai stasera? = Che cosa fai stasera? = Cosa fai stasera?
- Non lo so.

EXERCISES

36.1 Find the interrogative adjectives, pronouns and adverbs then complete the table, as in the example.

1. Di chi è quella borsa?
2. Quanta carne vuole, signora?
3. Perché non mangiate il dolce?
4. Che cosa è successo ieri in ufficio?
5. Quali capitali europee avete visitato?
6. Come vanno le lezioni di guida?
7. Quando ritornano Gianni e Loretta dal Portogallo?
8. Che dici, vado o non vado alla festa di Marco?

Interrogative adjectives	Interrogative pronouns	Interrogative adverbs
	chi	

edizioni Edilingua

6.2 Choose the correct interrogative form, look at the pictures and answer the questions.

> quale   quanti   che
> dove   che cosa   chi

1. .... banca hanno rapinato i rapinatori?
2. .... si trova questa banca?
3. .... ora era quando i rapinatori sono usciti dalla banca?
4. .... ha chiamato la polizia?
5. .... ha fatto un altro passante?
6. .... ostaggi hanno preso i quattro rapinatori?

6.3 Un po' di cultura generale! Choose the correct interrogative form and match the questions to the answers, as in the example in blue.

> chi   quante   perché   qual
> dove   quando   che cosa   quali

___ 1) .... ha scritto *Il Milione*?

___ 2) .... scoprì l'America Cristoforo Colombo?

___ 3) .... si trova San Remo?

___ 4) .... San Francesco lasciò tutte le sue ricchezze e la vita mondana?

_b_ 5) Qual è il nome del primo presidente della Repubblica Italiana?

___ 6) .... sono state le capitali d'Italia prima di Roma?

___ 7) .... regioni ci sono in Italia?

___ 8) .... accadde a Pompei?

a) 20.
b) Enrico De Nicola.
c) Per diventare frate.
d) Nel 79 a.C. fu sommersa dall'eruzione del Vesuvio.
e) In Liguria.
f) Nel 1492.
g) Marco Polo.
h) Torino e Firenze.

36.4 **Use interrogative forms to complete the questions.**

La signora Trevigiani abita a Verona ed è appena tornata con il marito dalle vacanze in California e alle Hawaii. La sua vicina di casa, la signora Saluzzi, che è sempre molto curiosa, incontrandola per strada le fa molte domande.

Sig.ra Saluzzi: Signora Trevigiani, ...(1)? La vedo bene, tutta abbronzata!

Sig.ra Trevigiani: Sto bene, grazie. Io e mio marito siamo appena tornati dalle vacanze. Sono state fantastiche!

Sig.ra Saluzzi: Ah, sì? E ....(2)?

Sig.ra Trevigiani: Siamo stati in California, a San Francisco, e poi dieci giorni alle Hawaii.

Sig.ra Saluzzi: ....(3)?

Sig.ra Trevigiani: Siamo stati via una ventina di giorni in totale.

Sig.ra Saluzzi: ....(4)?

Sig.ra Trevigiani: Abbiamo viaggiato con la compagnia aerea inglese British Airways da Londra.

Sig.ra Saluzzi: ....(5)?

Sig.ra Trevigiani: Siamo andati da soli. Dovevano venire dei nostri amici, ma poi all'ultimo momento non sono potuti partire.

Sig.ra Saluzzi: Insomma, proprio una vacanza coi fiocchi*!

Sig.ra Trevigiani: Eh, sì, proprio una vacanza coi fiocchi.

*coi fiocchi: molto bella, eccezionale

edizioni Edilingua

Conditional sentences are formed by two clauses: a subordinate clause, introduced by se, + a main clause. The subordinate clause expresses condition, while the main clause indicates the result. There are 3 types of conditionals.	Se Marco finisce di lavorare presto, andiamo al cinema. (il fatto di andare al cinema si può realizzare se Marco finisce di lavorare presto)
	Se avrò tempo, ti chiamerò. (1st) Se avessi tempo, ti chiamerei. (2nd) Se avessi avuto tempo, ti avrei chiamato. (3rd)
Important! 	
In conditional sentences the order of clauses can be inverted: main clause + subordinate clause.	Ti chiamerò, se avrò tempo. (1st) Ti chiamerei, se avessi tempo. (2nd) Ti avrei chiamato, se avessi avuto tempo. (3rd)

First type of conditional sentence (reality)

Subordinate clause	Main clause
se + simple future indicative Se andrai in Germania,	*simple future indicative* imparerai il tedesco.
se + present indicative Se veniamo a Roma,	*present indicative* ti chiamiamo.
se + present indicative Se fa freddo,	*future indicative* non uscirò.
se + present indicative Se vedi Gianni,	*imperative* dimmelo!
This type of conditional implies a realistic outcome.	

Second type of conditional sentence (possibility)

Subordinate clause	Main clause
se + imperfect subjunctive Se andassi in Germania,	*present conditional* impareresti il tedesco.

This sentence implies a possible outcome, but one that is unlikely to be fulfilled.

It is also used to express/give:
1. wishes;
2. personal advice and opinions.

Se avessi tanti soldi, farei il giro del mondo.
Se fossi in te, cambierei lavoro.

Third type of conditional sentence (impossibility)

Subordinate clause	Main clause
se + pluperfect subjunctive Se fossi andato in Germania, (past action)	*past conditional* avresti imparato il tedesco. (result in the past)
se + pluperfect subjunctive Se fossi andato in Germania, (past action)	*present conditional* parleresti bene il tedesco adesso. (result in the present)

Important!

In spoken Italian the structure *se + pluperfect subjunctive + past conditional* is often substituted by *se + imperfect indicative + imperfect indicative*.

Se fossi andato a Roma, ti avrei dato un passaggio.
Se andavo a Roma, ti davo un passaggio.

This type of conditional implies an impossible outcome.

It is used to express/give:
1. wishes that cannot be fulfilled;
2. personal advice and opinions.

Se avessi cambiato lavoro, adesso guadagnerei tanti soldi.
Se avessi incontrato la donna giusta, mi sarei sposato.
Se fossi stato al tuo posto, avrei chiesto un aumento di stipendio.

Piazza del Campo, *Siena*

edizioni Edilingua

EXERCISES

7.1 Put the sentences in the right order and say which type of conditional sentence it is: first (reality), second (possibility), third (impossibility).

1. Se/Gino/potrebbe/risparmiasse/una macchina/comprarsi

   .... 1st ☐ 2nd ☐ 3rd ☐

2. domani/Se/a casa mia/vi/preparerò/verrete/gli spaghetti alla carbonara

   .... ☐ ☐ ☐

3. la macchina fotografica/Se/avessi usato/non/si sarebbe rotta/bene

   .... ☐ ☐ ☐

4. non/il lavoro/Se/avessi ascoltato/avresti perso/i miei consigli

   .... ☐ ☐ ☐

5. Se/Lino e Paola/si riposeranno/andranno/al mare/di sicuro

   .... ☐ ☐ ☐

6. avesse fatto/così/sarei andata/a teatro/Se/non/freddo

   .... ☐ ☐ ☐

7.2 Put the verb in the right tense, as in the example.

Isola Bella, Lago Maggiore, *Piemonte*

Una gita al lago Maggiore

Che cosa faranno Marco e Loredana *se domenica ci sarà bel tempo?*

1. Alzarsi presto.   *Si alzeranno presto.*

2. (*Andare*) al lago Maggiore e   ....

3. (*prendere*) il sole.   ....

4. All'una (*mangiare*) un panino.   ....

5. Nel pomeriggio (*fare*) una gita in barca all'Isola Bella.   ....

37. Il periodo ipotetico

37.3 **Un po' di usi e costumi!** Complete the sentences with the verb in the right tense, as in the example. Which of these traditional beliefs also exist in your country?

1. Se una ragazza (*prendere*) prende al volo il bouquet della sposa ad un matrimonio, nel giro di un anno (*sposarsi*) si sposa.

2. Se a Capodanno (*mangiare/tu*) .... le lenticchie, (*avere*) .... ricchezza e felicità.

3. Se (*sognare/tu*) .... che qualcuno morirà, gli (*allungare*) .... la vita.

4. Se una coccinella (*posarsi*) .... su di te, (*avere*) .... fortuna.

5. Se (*passare/tu*) .... sotto una scala, (*essere*) .... sfortunato.

6. Se (*toccare/tu*) .... ferro pensando a qualche situazione, (*tenere*) .... lontano i pericoli e i disastri.

37.4 **Look at the pictures and put the verbs in the right tense, as in the example.**

La vita e i sogni di Paola

Paola lavora in banca a Roma e vive in un appartamento con altre due ragazze, ma se fosse (*essere*) possibile, vivrebbe (*vivere*) per conto suo. Se (*lasciare*) ....(1) la città e (*andare*) ....(2) a vivere in campagna, (*avere*) ....(3) un appartamento tutto per sé o forse una piccola casetta e (*potere*) ....(4) anche tenere un cane. Se (*vivere*) ....(5) in campagna poi, (*fare*) ....(6) anche un po' di giardinaggio, lei adora i fiori, e (*coltivare*) ....(7) un po' di verdure, come fagiolini e zucchine, e pomodori. In città Paola per muoversi prende i mezzi o la metropolitana, che sono sempre affollati, e va a fare la spesa nei grandi supermercati. Se (*vivere*) ....(8) in campagna, (*andare*) ....(9) a fare la spesa a piedi o in bicicletta e (*comprare*) ....(10) quello che le serve nei negozi caratteristici di paese. Paola adora camminare e spesso fa passeggiate in città, ma c'è poco verde e tanto rumore e inquinamento. Se (*trasferirsi*) ....(11) in campagna, (*passeggiare*) ....(12) per i campi o le strade tranquille di campagna insieme al suo cane.

Paola, però, lavora a Roma e trovare un lavoro in campagna non è facile, quindi tutti questi sogni non sono facilmente realizzabili!

7.5 Rewrite these sentences, as in the example. Be careful to make all the changes!

1. Quel vestito è caro e quindi non lo compro.

   Se quel vestito non fosse caro, lo comprerei.

2. Tu e Gianni fumate tanto, così avete sempre la tosse.

   ....

3. Franco non si cura e quindi ha sempre mal di stomaco.

   ....

4. Luisa e Tonino abitano lontano, quindi noi non li vediamo spesso.

   ....

5. Paolo non studia, così prende brutti voti.

   ....

6. Tu hai sempre poco tempo per riposarti e così sei sempre stanco.

   ....

7.6 Quanti desideri non realizzati! Put the verbs in the right tense. Be careful if the result has current relevance!

| bagnarsi | essere | lasciare | essere | lavorare | perdere |

1. Se avessi finito l'università, adesso .... come ingegnere.

2. Se avessimo preso l'ombrello, non .... dalla testa ai piedi.

3. Se avessi indossato il vestito nero all'inaugurazione di ieri, ... molto più elegante.

4. Se non avessi giocato tutti i miei soldi al casinò, adesso non .... povero!

5. Se fossimo stati puntuali, non .... il treno.

6. Se non avessi abitato così lontano dal mio ufficio, non .... mai il mio lavoro.

37.7 **Put the verbs in the right tense and make sentences, as in the example.**

Se Laura fosse stata più attenta, che cosa non sarebbe successo?

1. *Se avesse spento il forno, l'arrosto non si sarebbe bruciato.*

2. ....
....

3. ....
....

4 ....
....

5. ....
....

6. ....
....

7. ....
....

spegnere il forno
incendiarsi il parco
prendere la multa
la casa allagarsi
chiudere il rubinetto dell'acqua
essere più delicata
sporcarsi il vestito
chiacchierare a lungo al telefono
parcheggiare in divieto di sosta
il vaso rompersi
sedersi sulla panchina appena verniciata
bruciare l'arrosto
rovinare la camicetta con il ferro da stiro
buttare la sigaretta ancora accesa

37.8 **Put the verbs in the right tense. Be careful: all three types of conditional sentence are used!**

essere   venire   dispiacere   rompersi   essere   potere   divertirsi   potere

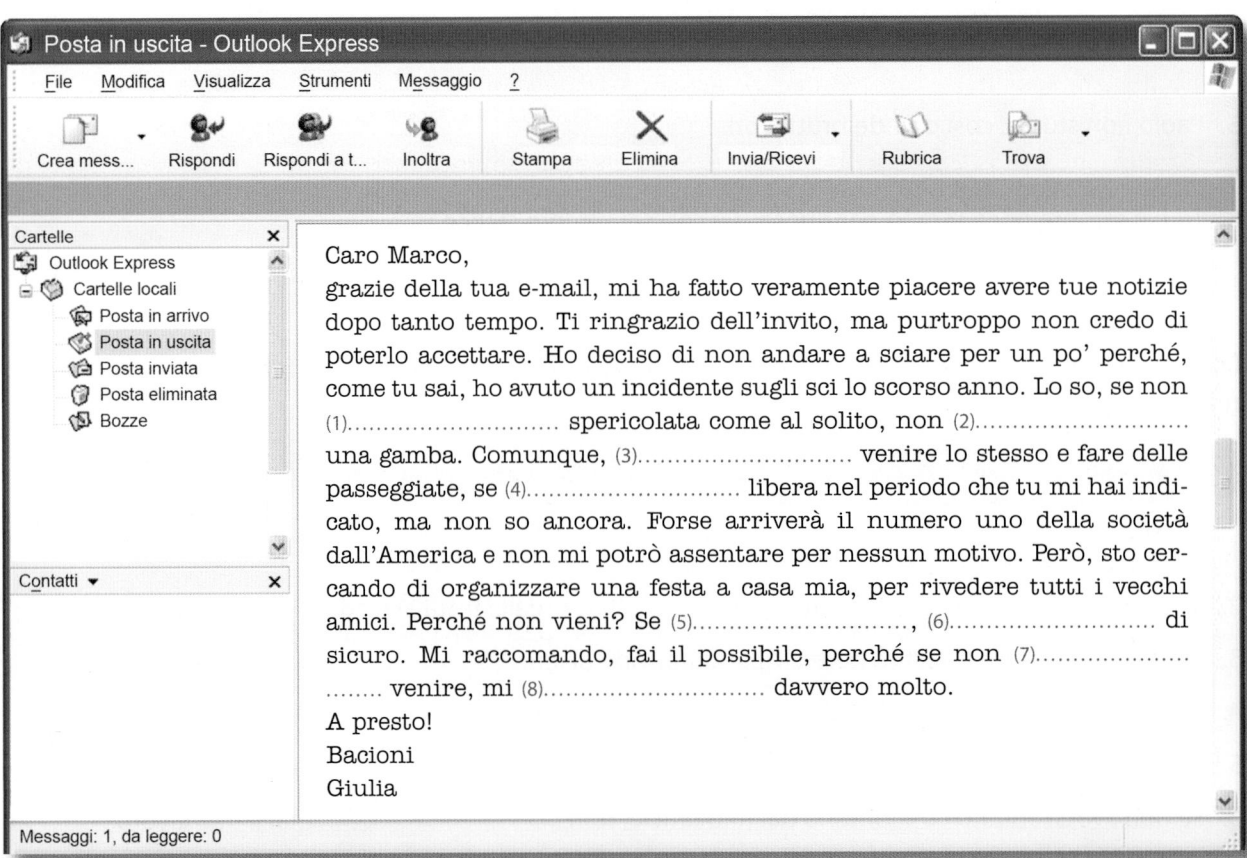

Caro Marco,
grazie della tua e-mail, mi ha fatto veramente piacere avere tue notizie dopo tanto tempo. Ti ringrazio dell'invito, ma purtroppo non credo di poterlo accettare. Ho deciso di non andare a sciare per un po' perché, come tu sai, ho avuto un incidente sugli sci lo scorso anno. Lo so, se non (1)............................ spericolata come al solito, non (2)............................ una gamba. Comunque, (3)............................ venire lo stesso e fare delle passeggiate, se (4)............................ libera nel periodo che tu mi hai indicato, ma non so ancora. Forse arriverà il numero uno della società dall'America e non mi potrò assentare per nessun motivo. Però, sto cercando di organizzare una festa a casa mia, per rivedere tutti i vecchi amici. Perché non vieni? Se (5)............................, (6)............................ di sicuro. Mi raccomando, fai il possibile, perché se non (7)............................. venire, mi (8)............................ davvero molto.
A presto!
Bacioni
Giulia

INFINITIVE		GERUND		PARTICIPLE	
present	past	present	past	present	past
amare	avere amato	amando	avendo amato	amante	amato
perdere	avere perduto	perdendo	avendo perduto	perdente	perduto/perso
partire	essere partito	partendo	essendo partito	partente	partito

> The infinitive, gerund and participle forms, unlike the indicative, conditional, subjunctive and imperative, do not conjugate and are invariable.
> The infinitive, gerund and participle have only two tenses and have different uses. They are used in main clauses, but mostly in subordinate clauses.

Infinitive

Present infinitive

STRUCTURE	
The present infinitive is a simple tense. Verbs are divided into three groups (-are, -ere, -ire) based on the ending of their infinitive.	lavorare perdere partire
Reflexive verbs form their infinitive in -arsi, -ersi, -irsi.	lavarsi, mettersi, vestirsi
There are few irregular verbs, which usually end in -arre, -orre, -urre.	sottrarre comporre produrre

USE	
We use the present infinitive as a noun.	Studiare arricchisce molto. ➡ Lo *studio* arricchisce molto. È l'ora di partire. ➡ È l'ora della *partenza*.
We also use the present infinitive as a verb: *in main clauses* 1. after the verbs dovere, potere, volere or other verbs, such as fare, lasciare, sapere, preferire, piacere, ascoltare, vedere, osservare;	*Lascia* fare a me. *Devo* studiare geografia.
2. after the expressions avere voglia di and avere l'abitudine di;	*Ho l'abitudine di* alzarmi presto la mattina. *Ho voglia di* mangiare un bel risotto ai funghi.

3. to give an order, an instruction or advice. We prefer to use the present infinitive rather than the direct imperative when we address the general public. | Tenere la destra.
Non fumare.

in subordinate clauses
1. with the preposition prima di (subordinate clause of time).

  Careful!

Prima di + infinitive is used if the subjects of the main and subordinate clauses are the same, otherwise prima che + subjunctive is used (*see Unit 28, page 195*). | *Prima di* partire, parla con Gianni.
       (tu)   (tu)
Prima che Luisa parta, devo parlarle.
            (lei)   (io)

2. with verbs + prepositions (*see list, page 257*);

  **Careful!**

The verb + di + infinitive is used if the subjects of the main and subordinate clauses are the same, otherwise verb + che + subjunctive is used (*see Unit 28, page 195*). | *Penso di* essere una brava insegnante.
(io)   (io)
Penso che tu sia una brava insegnante.
(io)   (tu)

3. adjectives + prepositions (*see list, pages 257-258*). | Ero *libera di* fare quello che volevo.

 Remember!

From the verbs + prepositions revise "stare per + infinitive" (*see Unit 14, page 73*). | *Sto per* partire per le Eolie.

Past infinitive

STRUCTURE

The past infinitive is a compound tense formed by the verbo essere or avere in the present infinitive and the past participle of the verb.

USE

We use the past infinitive in subordinate clauses to express an action that has taken place *before* the action expressed in the main clause. | Dopo avere studiato sono andato in discoteca. (*Before* I studied, *then* I went to the disco)

The past infinitive is used after:
1. verbs + prepositions (*see list, page 257*); | Non *credo di* avere capito.
2. adjectives + prepositions (*see list, pages 257-258*); | Siamo *contenti di* essere stati in Sicilia per le vacanze.
3. the preposition dopo. | *Dopo* essere ritornato a casa, ho ascoltato un po' di musica.

edizioni Edilingua

The past infinitive is usually used when the subjects of the main and subordinate clause are the same.	Non ricordo di **essere andata** in quel negozio. (io) (io)
Important! ●●●●●●	
The direct, indirect, reflexive and combined pronouns and the particles *ci* and *ne follow* the infinitive.	Dopo esser*mi* laureato sono partito per gli Stati Uniti.

Verbs + a + infinitive

abituarsi a	divertirsi a	persuadere a	***Verbs of movement***
affrettarsi a	imparare a	preparare a	andare a
aiutare a	incoraggiare a	provare a	correre a
cominciare a	insegnare a	rinunciare a	fermarsi a
condannare a	invitare a	riprendere a	passare a
continuare a	mandare a	riuscire a	tornare a
convincere a	mettersi a	sbrigarsi a	venire a
costringere a	obbligare a	servire a	
decidersi a	pensare a	stare a	

Verbs + di + infinitive

accettare di	decidere di	offrire di	ringraziare di
accorgersi di	dimenticarsi di	ordinare di	sapere di
ammettere di	dire di	pensare di	sentirsela di
aspettare di	dispiacere di	pentirsi di	sforzarsi di
aspettarsi di	domandare di	permettere di	smettere di
augurare di	dubitare di	pregare di	sognare di
augurarsi di	fingere di	preoccuparsi di	sperare di
chiedere di	finire di	proibire di	stancarsi di
comandare di	illudersi di	promettere di	suggerire di
confessare di	impedire di	proporre di	temere di
consigliare di	lamentarsi di	rendersi conto di	vergognarsi di
contare di	meravigliarsi di	ricordarsi di	vietare di
credere di	minacciare di	rifiutarsi di	

Adjectives + a + infinitive

abituato a	disposto a	solo a
attento a	interessato a	ultimo a
bravo a	pronto a	unico a

Adjectives + di + infinitive

capace (incapace) di contento (scontento) di curioso di desideroso di	felice di libero di sicuro di soddisfatto di	spiacente di stanco di triste di

EXERCISES

38.1 **Replace the noun with the present infinitive or vice versa, as in the example. Be careful to make all the changes!**

1. I viaggi allargano la mente.   *Viaggiare allarga la mente.*

2. Studiare è importante.   ....

3. Amo molto la lettura.   ....

4. Lavorare stanca.   ....

5. Fumare fa male alla salute.   ....

6. Il nuoto fa bene a tutti.   ....

38.2 **Un po' di attualità! Match the infinitives below to the right sentences. Be careful of the negative sentences!**

L'inquinamento atmosferico e i danni per la salute

In molte città d'Italia ci sono problemi di inquinamento atmosferico, causato dagli scarichi delle automobili e degli impianti di riscaldamento e industriali, il quale crea gravi danni alla salute, soprattutto di anziani e bambini. Ecco alcuni consigli da parte dell'Associazione Medici per l'Ambiente per adottare comportamenti "ecologici":

usare   abituare   portare   regolare   utilizzare   fare

1. .... i mezzi di trasporto pubblici.

2. .... i bambini a passeggio nelle strade di traffico intenso.

3. .... i bambini a respirare non con la bocca, ma con il naso.

4. .... le mascherine quando si va in bici, perché si respira più forte.

5. .... la temperatura nei locali: nei soggiorni a 19-21° e nelle stanze da letto a 16-18°.

6. .... jogging lungo le strade di traffico, perché correndo si aspira di più.

(*adattato da* Panorama)

edizioni Edilingua

3.3 Make sentences.

1. Marco, aiuta Teresa
2. Abbiamo costretto Tino
3. Hanno accettato
4. Vi hanno consigliato
5. Finitela
6. Stai qui

a. partire subito?
b. scrivere quella lettera!
c. vendere la loro casa.
d. portarci a casa.
e. farmi un po' di compagnia!
f. prendermi in giro!

8.4 Make sentences.

1. Saremmo contenti
2. Gianni è stanco
3. È sempre l'ultimo
4. I miei genitori non sono più disposti
5. Maria ha sbagliato e io sono incapace
6. Franca è abituata

a. lavorare così tanto tutti i giorni!
b. perdonarla.
c. tollerare i miei sbagli.
d. visitare il nuovo museo aperto in città.
e. finire di mangiare.
f. fare un'abbondante colazione ogni mattina.

3.5 Prima che + subjunctive or prima di + infinitive? Complete the sentences.

1. Prima .... (io) ...., mi lavo sempre le mani.
2. Prima .... tu ...., vorrei parlarti.
3. Andammo a casa prima .... il concerto ....
4. È partito prima .... (voi) ....
5. Prima .... (Gianni) .... dall'ufficio, Gianni ha telefonato alla moglie.
6. Prima .... tu .... in farmacia a comprare delle medicine, ti consiglio di andare dal dottore.

mangiare
partire
finire
arrivare
uscire
andare

3.6 Complete the sentences with dopo + past infinitive, as in the example.

leggere il giornale   andare dal medico di famiglia   mangiare un panino
tagliare l'erba   studiare geografia   andare in pizzeria

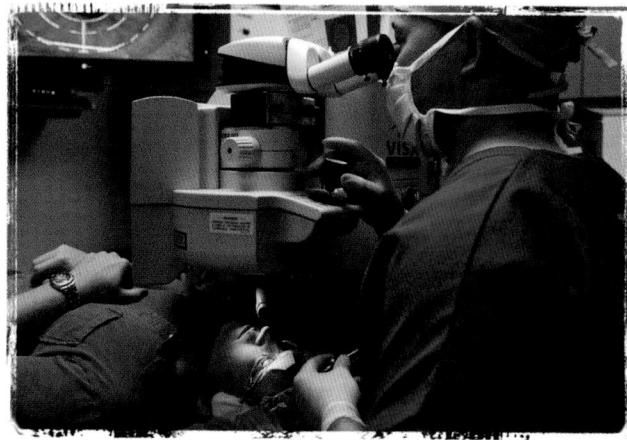

1. Dopo aver letto il giornale, Paola e Giovanni hanno guardato la televisione.
2. ...., Francesco ha preso il sole in giardino.
3. ...., Teresa ha ascoltato un po' di musica.
4. ...., Letizia ha scritto una relazione al computer.
5. ...., Damiano e Daniela sono andati al cinema.
6. ...., Antonio ha prenotato una visita specialistica dall'oculista.

38. I modi indefiniti

38.1 **Gerund**

Present gerund

STRUCTURE

The present gerund is a simple tense. The endings of the present gerund for the three groups of verbs are as follows:

-*are* ➡ -ando
-*ere* ➡ -endo
-*ire* ➡ -endo

lavorare	➡	lavorando
prendere	➡	prendendo
partire	➡	partendo

The present gerund is irregular only in a few verbs.

fare	➡	facendo
bere	➡	bevendo
dire	➡	dicendo

USE

The present gerund is used in subordinate clauses to express an action that takes place at the same time as the action in the main clause.

The present gerund is used to express:

1. cause (*perché? / why?*). The present gerund replaces poiché/perché/siccome/dato che/dal momento che + indicative;

   Non avendo il televisore, Gianni non ha potuto vedere la partita di calcio. ➡ *Poiché non aveva* il televisore, Gianni non ha potuto vedere la partita di calcio.

2. time (*quando? / when?*). The present gerund replaces mentre + indicative;

   Tornando a casa dal lavoro, ho incontrato Luisa. ➡ *Mentre tornavo* a casa dal lavoro, ho incontrato Luisa.

3. manner (*in che modo? / how?*). The present gerund usually replaces di/a/con/in + noun;

   Il bambino era in ritardo ed entrò a scuola correndo. ➡ Il bambino era in ritardo ed entrò a scuola *di corsa.*

4. condition (*se... / if...*). The present gerund replaces se + indicative or subjunctive;

   Avendo tempo, potremmo andare anche a trovare il nonno. ➡ *Se avessimo* tempo, potremmo andare a trovare il nonno.

5. concession (*anche se... / even if...*). In this case the gerund is preceded by pur or anche.
   The present gerund replaces anche se + indicative and/or benché/sebbene + subjunctive.

   Anche volendo, non so come aiutarti. ➡ *Anche se voglio/volessi*, non so come aiutarti.

   Pur essendo ricco, era molto tirchio. ➡ *Anche se era* ricco, era molto tirchio. ➡ *Benché/Sebbene fosse* ricco, era molto tirchio.

The present gerund is usually used when the subjects of the subordinate and main clause are the same.

Facendo sport, ti mantieni in forma.
 (tu)   (tu)

edizioni Edilingua

Important! 	
The direct, indirect, reflexive, combined pronouns and the particles *ci* and *ne follow* the gerund.	Scriveno*mi*, mi terrai informato. (tu) (tu)
Remember! 	
Stare + present gerund (*see Unit 14, page 73*).	• Che cosa fai adesso? • *Sto* cenando.

Past gerund

STRUCTURE	
The past gerund is a compound tense formed by the verb **essere** or **avere** in the present gerund form and the **past participle** of the verb.	
USE	
The past gerund is used in subordinate clauses to express an action that takes place before the action in the main clause.	Avendo incontrato Dario, gli ho detto la verità. (*Before* I met Dario, *then* I told him the truth)
The past gerund is mainly used to express:	
1. cause (*perché? / why?*). The past gerund replaces poiché/perché/siccome/dato che/dal momento che + indicative;	Avendo mangiato molto, si è sentito male. ➡ *Poiché aveva mangiato* molto, si è sentito male.
2. time (*quando? / when?*). The past gerund replaces dopo che + indicative;	Avendo parlato a Giacomo, tornò a Siena. ➡ *Dopo che aveva parlato* a Giacomo, tornò a Siena.
3. concession (*anche se... / even if...*). In this case pur or anche is used before the past gerund. The past gerund replaces anche se + indicative and/or benché/sebbene + subjunctive.	Pur/Anche avendo studiato molto, Anna non ha passato l'esame di storia. ➡ *Anche se ha studiato* molto, Anna non ha passato l'esame di storia. ➡ *Benché avesse studiato* molto, Anna non ha passato l'esame di storia.
The past gerund is usually used when the subjects in the subordinate and main clause are the same.	Avendo mangiato poco, Luca aveva fame. (Luca) (Luca)

38. I modi indefiniti

> **Important!**
>
> The past gerund is not commonly used in spoken Italian. It is often replaced by the subordinate clauses set out above.

> **Important!**
>
> The direct, indirect, reflexive, combined pronouns and the particles *ci* and *ne follow essere* or *avere*.

Essendo*ci* incontrati, io e Giancarlo ci siamo scambiati l'indirizzo.

EXERCISES

38.1.1 **Say if the sentence expresses: Cause, Time, Manner, Condition, Concession.**

1. Non avendo dormito bene, il giorno dopo Titti aveva un forte mal di testa. ....
2. Guidando ascoltava le informazioni sul traffico alla radio. ....
3. Pur avendo saputo la notizia, non ha voluto rivelarla. ....
4. Anche volendo, Gianni non ha proprio tempo per aiutarti. ....
5. Volendo, potrei imparare a sciare.
   ....
6. Paolo ha vinto la gara di motociclismo correndo più veloce di tutti. ....

38.1.2 **Replace the gerund with mentre + indicative, as in the example.**

1. Gino è caduto andando in bicicletta.
   ....
2. Domenico mangiava leggendo il giornale.
   Domenico mangiava mentre leggeva il giornale.
3. Franca studia mettendosi lo smalto sulle unghie.
   ....
4. Lorenzo e Teresa puliscono la casa ascoltando la radio.
   ....
5. Luigi parlava al telefonino attraversando la strada.
   ....
6. Roberto si è rotto la gamba sciando.
   ....

edizioni Edilingua

1.3 **Rewrite the part in blue in the sentences using the present or past gerund, as in the example.**

1. Poiché era arrivato in ritardo, la maestra lo sgridò.

   Essendo arrivato in ritardo, la maestra lo sgridò.

2. Siccome non avevano capito la lezione, hanno chiesto all'insegnante di ripeterla.

   _____

3. Dopo che avevano abitato in Francia per dieci anni, decisero di tornare in Italia.

   _____

4. Dal momento che hanno finito di studiare, Luca e Tino escono a divertirsi un po'.

   _____

5. Dopo aver rivisto Teresa, la invitai a casa mia a cena.

   _____

6. Dato che dovete partire, lasciate sulla vostra scrivania la relazione che avete scritto.

   _____

7. Dopo che aveva litigato con la sua fidanzata, Stefano le chiese scusa.

   _____

8. Poiché ero stanco, non sono uscito.

   _____

1.4 **Join the sentences and replace the part in blue in the subordinate clauses with pur + present/past gerund.**

1. Anche se aveva un'ottima preparazione,

   Pur avendo un'ottima preparazione, non ha superato l'esame per diventare avvocato.

2. Benché la incontrassimo tutti i giorni,

   ....

3. Anche se vado in macchina al lavoro,

   ....

4. Sebbene avesse bevuto molto,

   ....

5. Anche se non parlavo l'inglese,

   ....

6. Anche se avevano perso tutto,

   ....

   a) decisi di andare per un anno negli Stati Uniti.
   b) non si buttarono giù di morale e ricominciarono da capo.
   c) non ha superato l'esame per diventare avvocato.
   d) io e Luisa non sapevamo niente di Loretta.
   e) ordinò un altro bicchiere di vino.
   f) ci impiego sempre un'oretta.

38. I modi indefiniti

38. I modi indefiniti (gerundio presente e passato)

38.1.5   **Put the verbs in the present gerund.**

> guardare   scusarsi   lasciare   leggere   piangere   scendere

1. Giorgio arrivò al lavoro .... per il ritardo.
2. Laura è andata via .... qui la sua borsa.
3. Alfredo è caduto .... dall'autobus.
4. Ha imparato l'italiano .... trasmissioni televisive italiane.
5. Per andare al lavoro passa il tempo in metropolitana .... il giornale.
6. Ha raccontato la sua brutta avventura di ieri ....

38.1.6   **Replace the part in blue in the sentences with the present gerund or with se + indicative/subjunctive.**

1. Se farai molta ginnastica, ti manterrai in forma.

   ....

2. Se lavoriamo tanto, possiamo risparmiare e comprarci una casa.

   ....

3. Potendo, partirei venerdì per andare in campagna.

   ....

4. Se leggerai la lettera di Lorenzo, capirai perché è partito.

   ....

5. Volendo, potresti andare tu alla conferenza al posto mio.

   ....

6. Se avessimo i soldi, potremmo andare in vacanza a Venezia.

   ....

Ponte di Rialto, *Venezia*

edizioni Edilingua

Present participle

STRUCTURE

The present participle is a simple tense.
The endings of the present participle for the three groups of verbs are as follows:

-*are* ➡ -ante	cantare ➡ cantante	
-*ere* ➡ -ente	perdere ➡ perdente	
-*ire* ➡ -ente	morire ➡ morente	

The present participle is irregular only in a few verbs.

fare ➡ facente

USE

The present participle is widely used as an adjective and a noun.

Francesca ha un bel viso sorridente ed è molto affascinante.
Il mio cantante preferito è Lucio Dalla.

The present participle is rarely used as a verb form in written or spoken Italian. The present participle is mainly used in Italian bureaucratic language.
The present participle can be replaced by a subordinate relative clause (che + verb) (*see Unit 20, page 124*).

È una questione riguardante migliaia di operai. ➡ È una questione che riguarda migliaia di operai.

Past participle

STRUCTURE

The past participle is a simple tense.
The endings of the past participle for the three groups of regular verbs are as follows:

-*are* ➡ -ato	lavorare ➡ lavorato	
-*ere* ➡ -uto	credere ➡ creduto	
-*ire* ➡ -ito	partire ➡ partito	

Many verbs have an irregular past participle (*see Unit 17, pages 102-103*).

USE

1. The past participle is used with essere and avere to form the compound tenses of all verbs;

Luigi ha mangiato la mela.
Ah, se avessi vinto!
Sono stata investita da una macchina.

38. I modi indefiniti

2. The past participle is used in subordinate clauses to express an action that takes place before the action in the main clause.

Letto il giornale, guardò la televisione. (*Before* he read the newspaper and *then* he watched the television)

The past participle is used to express:
1. time (*quando?* / *when?*). The past participle replaces dopo + past infinitive and dopo che + indicative.

Fatti i compiti, andò a giocare. ➡ *Dopo aver fatto* i compiti, andò a giocare. ➡ *Dopo che aveva fatto* i compiti, andò a giocare.

2. cause (*perché?* / *why?*). The past participle replaces poiché/perché/siccome/dato che + indicative.

Spiegata la regola, si aspettava che i suoi alunni la sapessero usare. ➡ *Dato che aveva spiegato* la regola, si aspettava che i suoi alunni la sapessero usare.

The past participle of transitive verbs (with a direct object) agrees with the direct object.
The past participle of intransitive verbs (with no direct object) agrees with the subject.

Puli**t**a *la casa*, si mise a guardare la TV. (transitive verb)
Torna**t**o da Roma, *Luigi* andò a riposarsi. (intransitive verb)

The past participle is usually used when the subjects of the subordinate and main clause are the same.

Scritta la lettera, andò ad imbucarla.
  (lui)   (lui)

Important! ●●●•••

The past participle is not commonly used in spoken Italian. The past participle is often replaced by the subordinate clauses.

Important! ●●●•••

In the past participle the direct, indirect, reflexive, combined pronouns and the particles *ci* and *ne follow* the past participle.

Vestito*si*, uscì per andare a lavorare.

EXERCISES

38.2.1 Replace the present participle (in blue) with a relative clause, as in the example.

1. I candidati residenti all'estero non sono ammessi al concorso.
   I candidati che risiedono all'estero non sono ammessi al concorso.

2. La questione riguardante gli elettori all'estero è stata risolta.

   ....

3. L'elenco comprendente tutti gli impiegati è sul tavolo del direttore generale.

....

4. Gli studenti appartenenti alle classi meno abbienti possono fare la domanda per la borsa di studio.

....

5. Gli stranieri provenienti dai paesi extracomunitari devono avere il permesso di soggiorno per lavorare in Italia.

....

6. La dottoressa Tomasi, avente la funzione di vicedirettore, va in pensione.

....

2.2 **Connect the sentences and insert the missing vowels.**

1. Finit..... di leggere il giornale,

2. Raccontat..... la storia,

3. Ritornat..... dal campeggio,

4. Rimast..... sole,

5. Arrivat..... i clienti,

a) li ricevemmo nella sala riunioni.
b) Anna e Lucia decisero di giocare a carte.
c) Patrizia chiese la nostra opinione su quanto ci aveva confidato.
d) iniziarono di nuovo a lavorare sul loro progetto.
e) si mise a leggere un libro.

2.3 **Replace the part in blue with the past participle and say if the sentence expresses cause or time.**

1. Dopo aver riordinato la sua stanza, Giuliana si mise a pulire il resto della casa.
   Riordinata la sua stanza, ... _time_ ....

2. Poiché aveva chiarito il problema con sua moglie, Luigi partì tranquillo.

....

3. Dato che avevamo ricevuto molti soldi dagli zii, siamo andati a comprarci un bel regalo.

....

4. Dopo aver riparato la bicicletta, andò a fare un bel giro nel parco.

....

5. Siccome avevano sentito uno strano rumore, si svegliarono.

....

6. Dopo che era arrivata in piscina, si mise il costume e andò a nuotare.

....

38. I modi indefiniti

39

La forma passiva

Indicative	Active	Passive
Present	Tutti amano Maria.	Maria è amata da tutti.
Present Perfect	Tutti hanno amato Maria.	Maria è stata amata da tutti.
Imperfect	Tutti amavano Maria.	Maria era amata da tutti.
Pluperfect	Tutti avevano amato Maria.	Maria era stata amata da tutti.
Simple Future	Tutti ameranno Maria.	Maria sarà amata da tutti.
Future Perfect	Tutti avranno amato Maria.	Maria sarà stata amata da tutti.
Past Definite	Tutti amarono Maria.	Maria fu amata da tutti.
Past Anterior	Tutti ebbero amato Maria.	Maria fu stata amata da tutti.

Conditional	Active	Passive
Present	Tutti amerebbero Maria.	Maria sarebbe amata da tutti.
Past	Tutti avrebbero amato Maria.	Maria sarebbe stata amata da tutti.

Subjunctive	Active	Passive
Present	(che) Tutti amino Maria.	(che) Maria sia amata da tutti.
Perfect	(che) Tutti abbiano amato Maria.	(che) Maria sia stata amata da tutti.
Imperfect	(che) Tutti amassero Maria.	(che) Maria fosse amata da tutti.
Pluperfect	(che) Tutti avessero amato Maria.	(che) Maria fosse stata amata da tutti.

Imperative	Active	Passive
Present	ami! ama!	sii amato/a! sia amato/a!

Infinitive	Active	Passive
Present	amare	essere amato/a/i/e
Past	avere amato	essere stato/a/i/e amato/a/i/e

Gerund	Active	Passive
Present	amando	essendo amato/a/i/e
Past	avendo amato	essendo stato/a/i/e amato/a/i/e

Participle	Active	Passive
Past	amato/a/i/e	stato/a/i/e amato/a/i/e

268

edizioni Edilingua

STRUCTURE

All the tenses that we have studied so far have been in the active form.

The passive is formed only with transitive verbs (transitive verbs are those that take a direct object and that answer the questions *what? who?*).

Main form of the passive (with essere):

1. The passive is formed with the verb essere + past participle of the verb.	Maria scrive *una lettera*. (*direct object*) Una lettera è scritta da Maria.
This construction is used for simple and compound tenses. The verb essere takes the same tense as in the active.	Hanno aperto *un nuovo cinema*. (*direct object*) Un nuovo cinema è stato aperto. Gli studenti organizzano (present tense) una festa. ➡ Una festa è (present tense) organizzata dagli studenti.
The person doing the action may be indicated, and if so, is introduced by the preposition da.	Questa casa è stata costruita da mio zio.

Other form of the passive (with venire):

2. The passive can also be formed with the verb venire + past participle of the verb.	Venezia è considerata una bella città. Venezia viene considerata una bella città.
Venire has the same meaning as *essere*.	Il regista Tornatore è molto stimato anche all'estero. ➡ Il regista Tornatore viene molto stimato anche all'estero.
The person doing the action may be indicated, and if so, is introduced by the preposition da.	Questo regolamento viene seguito da tutti gli operai della fabbrica.
The verb venire takes the same tense as the verb in the active.	La nonna annaffiava (imperfect tense) i fiori. ➡ I fiori venivano (imperfect tense) annaffiati dalla nonna.
This construction is only used with simple tenses.	Maria è stata amata dal marito. (**SÌ!**) Maria *viene stata amata* dal marito. (**NO!**)

Other form of the passive (with andare):

3. The passive can also be formed with the verb andare + past participle of the verb.	Le piante vanno annaffiate (*devono* essere annaffiate) ogni settimana.
The verb andare is used to express obligation and need. The verb andare takes the same tense as the verb in the active.	La moquette andrebbe lavata (*dovrebbe* essere lavata) ogni settimana.

This construction is only used with simple tenses. The person doing the action may be indicated, and if so, is introduced by the preposition da.	Tutti gli studenti *leggono* il giornale ogni giorno. Il giornale è letto da tutti gli studenti ogni giorno. ➡ Il giornale viene letto da tutti gli studenti ogni giono. ➡ Il giornale va letto da tutti gli studenti ogni giorno.
Important!	
The following phrases are very common: va considerato va ricordato va detto	Va considerato anche questo problema. Va ricordato che la puntualità è importante! Va detto che questa soluzione è la migliore.
Other form of the passive (si passivante):	
4. The passive can also be formed with *si* + third person singular or plural of the verb.	In Italia a Natale si mangia il panettone. In Italia a Capodanno si mangiano le lenticchie.
The si passivante has the same meaning as essere + past participle or venire + past participle. The si passivante is preferred when we refer to actions in general.	In Italia si beve il vino e non la birra a tavola. (most used) In Italia è bevuto il vino e non la birra a tavola. In Italia viene bevuto il vino e non la birra a tavola.
This construction is used with simple and compound tenses. With the compound tenses, essere is always used. The person doing the action is not indicated.	Si è scritto molto sulla vita di San Francesco.
Careful!	
The si passivante should not be confused with the impersonal si. With the si passivante there is a singular or plural noun.	Si beve *molta birra* in Germania. (*si* passivante) Si mangiano *molti dolci* durante il periodo natalizio. (*si* passivante) In Italia si mangia bene. (impersonal *si*)
USE	
The passive is common in written Italian when we wish to emphasise an action or a fact, and not the person doing the action. In particular, the passive is used to describe/give:	
a. news (including newspaper articles);	Dopo giorni di ricerche il ladro è stato arrestato.
b. changes or scientific experiments;	Il preparato chimico era stato prima congelato, poi è stato scongelato e utilizzato.
c. orders, advice and instructions.	La domanda andrà depositata entro e non oltre la scadenza prevista. Si ammettono solo bambini accompagnati dai genitori.

EXERCISES

9.1 Un po' di opera e cultura generale! Find the 11 verbs in the passive and complete the table, showing the city on the map where each theatre is located, following the example.

1) I lavori del *Teatro la Fenice* iniziarono nel 1789. Fu costruito su progetto di A. Selva e fu inaugurato nel 1792. Nel 1996 è stato distrutto da un incendio, ma oggi è nuovamente attivo.

Ⓥ Ⓔ Ⓝ Ⓔ Ⓩ Ⓘ Ⓐ

2) Il *Teatro Comunale* è sede del Maggio Musicale Fiorentino, che è considerato il più prestigioso Festival Europeo insieme a quello di Bayreuth e di Salisburgo, con il quale è gemellato. Inizialmente era stato costruito all'aperto poi nel 1882 è diventato un teatro coperto.

Ⓕ ◯ ◯ ◯ ◯ ◯ ◯

3) Il *Teatro di San Carlo* è il più antico teatro operante in Europa. Fu costruito nel 1737 per volontà del sovrano Carlo di Borbone. Dopo solo otto mesi dall'inizio dei lavori era già ultimato. All'inaugurazione fu rappresentata l'opera *Achille in Sciro* di Metastasio.

Ⓝ ◯ ◯ ◯ ◯ ◯

4) Il *Teatro alla Scala* è il teatro italiano più famoso nel mondo. Fu fondato per volontà dell'imperatrice Maria Teresa d'Austria e fu progettato da Piermarini. Fu inaugurato il 3 agosto 1778 con l'opera di Antonio Salieri, *L'Europa Riconosciuta*, che è stata riproposta recentemente per l'inaugurazione della stagione lirica, dopo alcuni anni di chiusura del teatro per restauro. L'inizio della stagione lirica avviene ogni anno il 7 dicembre, il giorno di Sant'Ambrogio, patrono della città.

Ⓜ ◯ ◯ ◯ ◯ ◯

Verb	Infinitive	Tense
fu costruito	costruire	passato remoto

39.2 Go back to Exercise 39.1 and replace (where you can) the passive form in **essere + past participle** with the passive form **venire + past participle**. This is how it starts...

I lavori del *Teatro la Fenice* iniziarono nel 1789. Venne costruito su progetto di A. Selva e...

....
....
....
....
....
....
....

edizioni Edilingua

9.3 Consigli, istruzioni e ordini! Rewrite the sentences using **andare**. Be careful of the different tenses!

1. I denti devono essere lavati tre o quattro volte al giorno.

   I denti vanno lavati tre o quattro volte al giorno.

2. Questi prodotti dovevano essere conservati in frigorifero, adesso sono andati a male.

3. Questa medicina non deve essere data ai bambini di età inferiore ai 3 anni.

4. Signorina, questo documento dovrebbe essere tradotto al più presto.

5. Questo libro deve essere letto con molta attenzione, se si vuole capire bene la trama.

6. Questi pagamenti devono essere fatti alla posta entro domani.

7. Credo che questi dati debbano essere consegnati al direttore.

8. Le domande per l'ammissione al concorso dovranno essere consegnate entro e non oltre il 30 marzo.

9.4 Use **andare** or **venire**, and where possible, use both. Be careful of the different tenses!

1. L'anno scorso Giulia veniva invitata tutti i fine settimana al mare dai suoi amici. (*invitare*)

2. Il controllo della caldaia .... ogni anno secondo la normativa regionale. (*fare*)

3. Questa raccomandata .... ieri mattina. (*spedire*)

4. La frutta .... molto bene prima di essere mangiata. (*lavare*)

5. Secondo le ultime indicazioni dei sindacati, molti operai e impiegati .... (*licenziare*)

6. Il ruolo del protagonista del nuovo film di Gianni Amelio .... da un attore sconosciuto. (*interpretare*)

39. La forma passiva

39.5 **Un po' di usi e costumi!** Put the verbs in the passive (using the **si passivante**) and guess the occasion or celebration, as in the example in blue.

| Natale | Pasqua | carnevale | matrimonio | Epifania |

In Italia alcuni dolci sono legati a feste o a ricorrenze particolari.

1. I confetti (*distribuire*) si distribuiscono agli invitati di un matrimonio.

2. Il carbone nero dolce (*dare*)................................. ai bambini cattivi all'.................................

3. Le chiacchiere, i tortelli, i cenci e le frappe (*preparare*)................................. a ....

4. Il panettone e il pandoro (*comprare*)................................. a ....

5. La colomba e l'uovo di cioccolato (*mangiare*)................................. a ....

edizioni Edilingua

9.6 Un po' di usi e costumi! Che cosa si fa e che cosa non si fa in Italia? Put the verbs in the passive (using the **si passivante**) and make negative or affirmative sentences, as in the example.

bere   finire   mangiare   cuocere   mettere   prendere

In Italia

non si beve

....
....
....
....
....

- il vino rosso con il pesce.
- gli spaghetti con il cucchiaio.
- la grappa come digestivo.
- il Parmigiano Reggiano sul risotto ai frutti di mare.
- il pasto con un cappuccino.
- la pasta al dente.

9.7 Put the verbs in the passive (present perfect), as in the example.

allargare   piantare   costruire   ingrandire   demolire   trasformare

1. La strada principale è stata allargata.
2. Il supermercato ....
3. I giardini pubblici .... in un parco giochi per bambini.
4. La prigione .... per costruire degli uffici.
5. Vicino al parco giochi per bambini .... nuovi palazzi.
6. Lungo la nuova strada .... degli alberi.

9.8 Complete the newspaper articles with the passive **essere/venire + past participle** (present perfect, simple future and pluperfect), then find the right title for each article.

a **Investita una seconda volta rifinisce in ospedale**

b **BOMBA in un edificio nel centro di Roma**

c **Luce e gas aumentano**

d **Energia solare continua a diffondersi**

1 Un edificio nel centro di Roma, sede di uffici di grandi società, (*evacuare*) è stato evacuato ieri dopo che il portiere aveva ricevuto una telefonata che lo informava della presenza di una bomba. Tutti gli impiegati hanno così lasciato l'edificio al più presto, la bomba però non (*trovare*) ....

2 I vari sistemi di riscaldamento (*sostituire*) .... sempre più dall'energia prodotta dal sole. Questo permetterà un notevole risparmio energetico. I pannelli solari (*posizionare*) .... sui tetti delle case per assorbire energia, che (*impiegare*) .... per i diversi usi domestici.

3 Una signora stava attraversando la strada sulle strisce pedonali, quando (*investire*) .... da un automobilista che andava ad alta velocità. La macchina ha poi sbandato ed è finita contro un albero. L'automobilista si è ferito, ma non gravemente. Questa signora (*investire*) .... già .... l'anno scorso ed (*ricoverare*) .... già .... nello stesso ospedale. Quando si dice la sfortuna!

4 Le aziende di gas e luce hanno comunicato che (*aumentare*) .... i costi per la fornitura di gas ed elettricità. Le bollette di gas ed elettricità saranno, quindi, più care a partire dal 1° gennaio.

1 **2** **3** **4**

39.9 **Read the interview then complete the article with the passive (essere/venire + past participle), as in the examples in red.**

In una cittadina c'è una piccola biblioteca. I costi sono elevati e il comune vuole chiuderla. Un giornalista scrive un articolo sul giornale locale per sottolineare l'importanza, non solo culturale, ma anche sociale della biblioteca nella speranza che non venga chiusa. Ecco l'intervista che il giornalista fa alla direttrice della biblioteca.

Giornalista: Parliamo un po' dell'importanza sociale e culturale della biblioteca.

Direttrice: La nostra biblioteca è un importante centro di riferimento per gli anziani della zona, che vengono qui per leggere il giornale e le riviste disponibili o per incontrare amici e amiche e passare così qualche ora in compagnia dopo aver accompagnato i nipoti a scuola e aver fatto altre commissioni per la casa o per i figli. Molti anziani vengono qui anche per leggere dei libri, per avere consigli sugli ultimi libri pubblicati e su quelli che potrebbero leggere.

Giornalista: Quindi la biblioteca svolge sicuramente una funzione sociale, ma entriamo più in dettaglio sulla sua funzione culturale. Come scegliete i nuovi libri per la biblioteca?

edizioni Edilingua

Direttrice:	Scegliamo i libri dai cataloghi delle varie case editrici o, a volte, i lettori richiedono i libri che a loro interessano di più.
Giornalista:	Quindi ordinate i libri alle case editrici o alle librerie?
Direttrice:	Sia dalle case editrici sia dalle librerie. Però preferiamo ordinare i libri direttamente alle case editrici, perché di solito abbiamo qualche sconto. Infatti, a volte, acquistiamo due o tre copie di un libro, se è molto famoso.
Giornalista:	Che cosa fate quando i libri arrivano, li leggete?
Direttrice:	Sì, li leggiamo, ma non tutti, non ne abbiamo il tempo, però cerchiamo di farlo. Comunque leggiamo sempre molte recensioni sui diversi libri, così possiamo consigliare meglio i nostri lettori.
Giornalista:	Che cosa fate con i libri che sono molto vecchi?
Direttrice:	Dipende, a volte li vendiamo così recuperiamo altri soldi che usiamo per ricomprare nuove edizioni dello stesso libro o che investiamo per migliorare il servizio della biblioteca. Altre volte li regaliamo anche, soprattutto quelli che sono davvero in cattive condizioni.

Here is the journalist's article.

Dall'intervista fatta alla nostra direttrice, emerge che la nostra biblioteca è un importante centro di riferimento per gli anziani della zona. Vengono qui per leggere il giornale o le riviste e per incontrare amici e amiche e passare qualche ora in compagnia, dopo aver accompagnato i nipoti a scuola e aver fatto altre commissioni per la casa.

Nella biblioteca della nostra cittadina i libri sono scelti dai cataloghi delle case editrici o a volte sono richiesti dagli stessi lettori. I libri ....(1) alle diverse case editrici o alle librerie, ma soprattutto alle case editrici perché ordinandone in grandi quantità la biblioteca ha uno sconto. Se il libro è molto famoso e richiesto ne ....(2) alcune copie. Molti dei libri che arrivano, ...(3) dal personale della biblioteca, che così può consigliare meglio i lettori sulla scelta del libro da leggere. Quando i libri sono molto vecchi ....(4) o ....(5). I soldi recuperati dalla vendita ....(6) per comprare lo stesso libro o ....(7) per migliorare i servizi della biblioteca.

Speriamo che questo articolo sensibilizzi le autorità sull'importanza sociale e culturale della nostra biblioteca!

Present tense in the main clause

Direct speech	Indirect speech
persons of the verb:	(io - tu) ➡ (lui, lei) (noi - voi) ➡ (loro)
personal subject pronouns:	io, tu ➡ lui, lei noi, voi ➡ loro
direct, indirect, reflexive pronouns:	mi, ti ➡ lo/la mi, ti ➡ gli/le mi, ti ➡ si ci, vi ➡ li/le ci, vi ➡ gli ci, vi ➡ si
possessive and demonstrative adjectives/ pronouns:	mio, tuo ➡ suo nostro, vostro ➡ loro questo ➡ quello
adverbs of place:	qui ➡ lì qua ➡ là
direct/indirect imperative:	di + infinito

Past tense in the main clause

Direct speech	Indirect speech
Present Indicative Present perfect and Past definite Indicative Simple future Indicative	Imperfect Indicative Pluperfect Indicative Past Conditional
Direct speech Present Conditional	**Indirect speech** Past Conditional
Direct speech Present Subjunctive Perfect Subjunctive	**Indirect speech** Imperfect Subjunctive Pluperfect Subjunctive
Direct speech Imperative	**Indirect speech** di + infinitive
Direct speech First type of conditional sentence Second type of conditional sentence Third type of conditional sentence	**Indirect speech** Third type of conditional sentence (se + pluperfect subjunctive + past conditional)

persons of the verb:	(io - tu) ➡ (lui, lei) (noi - voi) ➡ (loro)
personal subject pronouns:	io, tu ➡ lui, lei noi, voi ➡ loro
direct, indirect, reflexive pronouns:	mi, ti ➡ lo/la mi, ti ➡ gli/le mi, ti ➡ si ci, vi ➡ li/le ci, vi ➡ gli ci, vi ➡ si
possessive and demonstrative adjectives/ pronouns:	mio, tuo ➡ suo nostro, vostro ➡ loro questo ➡ quello
adverbs of place and time:	qui ➡ lì qua ➡ là oggi ➡ quel giorno ieri ➡ il giorno prima domani ➡ il giorno dopo stasera ➡ quella sera stamattina ➡ quella mattina un anno fa ➡ un anno prima adesso, ora ➡ allora, in quel momento prossimo ➡ seguente, successivo fra... ➡ dopo... ...fa ➡ ...prima

Direct speech reproduces the words spoken by a person. The following punctuation is used: " ... " (colon and inverted commas) or - ... - (two dashes).	La signora disse: "Ho lavorato tanto oggi e sono stanca". (*direct speech*) -Ho lavorato tanto oggi e sono stanca- disse la signora. (*direct speech*)
Indirect speech reports the words of a person through narration.	La signora disse che aveva lavorato tanto quel giorno ed era stanca. (*indirect speech*)
Indirect speech is usually introduced by the verbs: dire, affermare, dichiarare, esclamare + che.	

	Direct speech Maria dice:	Indirect speech Maria dice
When we report words spoken by others we usually report them using indirect speech in the third person singular or plural, while in the main clause we use a verb in the present or past.	"Oggi (io) sto bene". "Mi accompagna Orietta". "Mi dispiace partire". "Mi sono svegliata presto". "Questa è la mia auto". "Qui in montagna fa freddo". "Studia di più!"	che oggi (lei) sta bene. che l'accompagna Orietta. che le dispiace partire. che si è svegliata presto. che quella è la sua auto. che lì in montagna fa freddo. di studiare di più!

Verb in the present

	Direct speech Maria dice:	Indirect speech Maria dice
If a verb in the present is used in the main clause, these parts of speech usually change:		
1. persons of the verb: (io - tu) ➡ (lui, lei) (noi - voi) ➡ (loro)	"Oggi (io) sto bene".	che oggi (lei) sta bene.
2. personal subject pronouns: io, tu ➡ lui, lei noi, voi ➡ loro		
3. direct, indirect, reflexive pronouns: mi, ti ➡ lo/la ci, vi ➡ li/le mi, ti ➡ gli/le ci, vi ➡ gli mi, ti ➡ si ci, vi ➡ si	"Mi accompagna Orietta". "Mi dispiace partire". "Mi sono svegliata presto".	che l'accompagna Orietta. che le dispiace partire. che si è svegliata presto.
4. possessive and demonstrative adjectives/pronouns: mio, tuo ➡ suo nostro, vostro ➡ loro questo ➡ quello	"Questa è la mia auto".	che quella è la sua auto.
5. (some) adverbs of place: qui ➡ lì qua ➡ là	"Qui in montagna fa freddo".	che lì in montagna fa freddo.
6. the imperative becomes *di* + *infinitive*.	"Studia di più!"	di studiare di più!

Verb in the past

	Direct speech Maria disse/ha detto:	Indirect speech Maria disse/ha detto
If a verb in the past is used in the main clause, some parts of speech change, as in the present, the adverbs of time and many tenses:		
1. persons of the verb: (io - tu) ➡ (lui, lei) (noi - voi) ➡ (loro)	"Oggi (io) sto bene".	che quel giorno (lei) stava bene.

edizioni Edilingua

	Maria disse/ha detto:	Maria disse/ha detto
2. personal subject pronouns: io, tu ➡ lui, lei noi, voi ➡ loro		
3. direct, indirect, reflexive pronouns: mi, ti ➡ lo/la ci, vi ➡ li/le mi, ti ➡ gli/le ci, vi ➡ gli mi, ti ➡ si ci, vi ➡ si	"Mi accompagna Orietta". "Mi dispiace partire". "Mi sono svegliata presto ieri".	che l'accompagnava Orietta. che le dispiaceva partire. che si era svegliata presto il giorno prima.
4. possessive and demonstrative adjectives/pronouns: mio, tuo ➡ suo nostro, vostro ➡ loro questo ➡ quello	"Questa è la mia auto".	che quella era la sua auto.
5. (some) adverbs of place and time: qui ➡ lì qua ➡ là oggi ➡ quel giorno ieri ➡ il giorno prima domani ➡ il giorno dopo stasera ➡ quella sera stamattina ➡ quella mattina un anno fa ➡ un anno prima adesso, ora ➡ allora, in quel momento prossimo ➡ seguente, successivo fra... ➡ dopo... ...fa ➡ ...prima	"Qui in montagna fa freddo".	che lì in montagna faceva freddo.
6. many verb tenses: *Indicative* present ➡ imperfect present perfect ➡ pluperfect past definite ➡ pluperfect present/simple future ➡ past conditional *Subjunctive* present ➡ imperfect perfect ➡ pluperfect	"Vado al cinema". "Luisa è uscita". "Luisa visitò Firenze". "Mario va/andrà a Roma". "Credo che sia Giorgio al telefono". "Credo che Giorgio sia arrivato".	che andava al cinema. Luisa era uscita. Luisa aveva visitato Firenze. che Mario sarebbe andato a Roma. che credeva che fosse Giorgio al telefono. che credeva che Giorgio fosse arrivato.

40. Il discorso indiretto

Conditional present ➡ past	"Mangerei volentieri un gelato".	che avrebbe mangiato volentieri un gelato.
Important!  The change in verb tenses is not needed when the effects of the action remain in the present.	Maria ha detto (poco fa): "Vado al cinema". Maria ha detto (poco fa): "Mangerei volentieri un gelato".	Maria ha detto che va al cinema. Maria ha detto che mangerebbe volentieri un gelato.
Imperative direct/indirect imperative ➡ di + infinitive	"Studia di più!"	di studiare di più!
7. Conditional sentence 1. reality / 2. possibility / 3. impossibility ➡ se + pluperfect subjunctive + past conditional	"Se verrò, ti telefonerò". "Se venissi, ti telefonerei". "Se fossi venuta, ti avrei telefonato".	che se fosse venuta, mi avrebbe telefonato.

Important!

These remain unchanged:	**Direct speech** Maria ha detto:	**Indirect speech** Maria ha detto
Indicative imperfect ➡ imperfect pluperfect ➡ pluperfect	"Quando ero piccola, ero già stata a Roma".	che quando era piccola, era già stata a Roma.
Subjunctive imperfect ➡ imperfect	"Benché fosse domenica, ho dovuto lavorare".	che benché fosse domenica aveva dovuto lavorare.
pluperfect ➡ pluperfect	"Se l'avessi saputo ti avrei chiamato".	che se l'avesse saputo l'avrebbe chiamato.
Conditional past ➡ past	"Avrei mangiato volentieri una pizza stasera".	che avrebbe mangiato volentieri una pizza quella sera.
Infinitive present ➡ present	"Svegliarmi presto, mi pesa".	che svegliarsi presto le pesava.
Gerund present ➡ present	"Tornando a casa, ho incontrato Luigi".	che tornando a casa aveva incontrato Luigi.
Participle past ➡ past	"Partito il treno, ho cominciato a leggere il giornale".	che, partito il treno, aveva cominciato a leggere il giornale.

edizioni Edilingua

EXERCISES

0.1 Change these sentences from indirect into direct speech, as in the example.

C'è stato un furto in un negozio e la polizia ha fermato una persona sospetta, alla quale vengono fatte delle domande. L'agente ripete a voce alta, mentre scrive il rapporto, quello che sta dichiarando il sospettato. Che cosa ha esattamente dichiarato?

1. Il sospettato dichiara che il suo nome è Roberto Taramelli.
   "Il mio nome è Roberto Taramelli".

2. Vive con la sua famiglia in via Puccini, 54 a Lugo di Romagna, provincia di Ravenna.
   "...".

3. Lavora come impiegato nel negozio di suo padre.
   "...".

4. Il sospettato dichiara che alle 21 di oggi 12 novembre era al cinema da solo a vedere un film di Spielberg.
   "...".

5. Il sospettato dichiara che si è addormentato durante il film, così non è in grado di raccontare la trama del film.
   "...".

6. Il sospettato dichiara che poi ha preso l'autobus 10 per andare a casa.
   "...".

7. Il sospettato dichiara che è arrivato a casa verso mezzanotte, ha bevuto un bicchiere di vino con sua moglie ed è andato a letto verso l'una.
   "...".

Sarà lui il ladro?

0.2 Complete the direct speech.

Lisa ha incontrato Paola dopo tanto tempo. Lisa racconta l'incontro a Tiziano, il suo fidanzato. Ecco il suo racconto...

Tiziano, qualche giorno fa, ho incontrato Paola e mi sono dimenticata di dirtelo. Mi ha detto che si era appena laureata e che aveva trovato lavoro in una biblioteca e si era fidanzata con Roberto che aveva conosciuto all'università e che lavora come ingegnere. Mi ha detto infine che si sposeranno l'anno prossimo e che avevano comprato casa e la stavano arredando.

(a) abbiamo comprato casa e la stiamo arredando
(b) mi sono fidanzata con Roberto
(c) è un ingegnere e lavora all'IBM
(d) ho trovato lavoro in una biblioteca
(e) ci sposeremo l'anno prossimo
(f) Ho conosciuto Roberto, il mio fidanzato, all'università
(g) Mi sono appena laureata

Che cosa ha detto esattamente Paola a Lisa?

Lisa: Ciao Paola, come stai? È tanto tempo che non ci vediamo. Come va?

Paola: Bene, grazie! ....(1), ...(2), e ....(3). ....(4), ...(5).

Lisa: Caspita, che belle notizie! State progettando di sposarvi?

Paola: Sì, ...(6), ...(7).

40.3 **Change these sentences from direct into indirect speech and vice versa, as in the example.**

I soldati Poverelli e Tosi non sono due soldati modello e ricevono sempre delle punizioni.

1. "Fate i letti!"
   Il caporale gli ordina di fare i letti.

2. "Lei, soldato Tosi, riordini il suo armadio".
   Il caporale ordina al soldato Tosi ....

3. " ....".
   Il caporale ordina ai soldati Poverelli e Tosi di pulire il pavimento della cucina.

4. " ....".
   Il caporale ordina ai due soldati di radersi.

5. "Soldato Poverelli, come punizione faccia 40 flessioni".
   Il caporale ordina al soldato Poverelli ....

40.4 **Change these sentences from direct into indirect speech, as in the example.**

Elisabetta e Ugo devono cambiare casa, perché il loro apparta-mento è troppo piccolo.

Elisabetta parla al marito dell'appartamento che è andata a ve-dere e gli racconta quello che le ha detto l'agente immobiliare durante la visita.

1. "È uno degli appartamenti più belli che ho in vendita".
   L'agente immobiliare ha detto che era uno degli apparta-menti più belli che aveva in vendita.

2. "È in ottimo stato ed è un appartamento davvero moderno, con tutti i comfort".
   Ha detto che ....
   ....

3. "Questo appartamento apparteneva ad un'anziana signora che l'ha lasciato in eredità al suo unico nipote".
   Ha detto che ....
   ....

4. "Il nipote vorrebbe venirci ad abitare, ma vivendo in un'altra città è impossibile per lui trasferirsi con la famiglia".
   Ha detto che ....

5. "Il nipote ha, quindi, deciso di vendere la casa".

Ha detto che ....

....

6. "Il prezzo dell'appartamento è alto, 300.000 euro, ma il nipote, il proprietario, è disposto a trattare, quindi a ridurlo".

Ha detto che ....

....

0.5 **Un po' di attualità! Change these sentences from direct into indirect speech and give the name of the programme.**

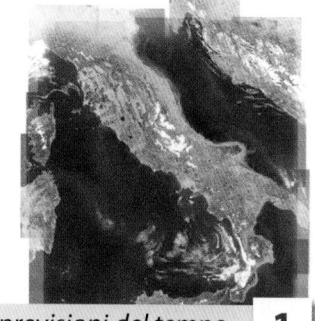

previsioni del tempo **1**

telegiornale

Domenica Sportiva

telecronaca della gara di slalom di sci

Che tempo che fa

1. "Pioverà nell'Italia settentrionale e nevicherà su tutto l'arco alpino".

2. "È un piacere essere qui e avere la possibilità di presentare il mio ultimo libro".

3. "Chiudiamo il collegamento e ripetiamo quindi che il valtellinese Giorgio Rocca è arrivato ancora primo nel quinto slalom della Coppa del mondo di sci".

4. "L'Inter ha battuto il Milan 3-2 nella partita di ritorno del campionato".

5. "Il sindaco di Roma ha nuovamente vinto le elezioni".

Luisa talks to her husband who has been in Russia for several months on business and brings him up to date.

1. Alle .... hanno detto che ....
.... nell'Italia settentrionale e che .... su tutto l'arco alpino.

40. Il discorso indiretto

2. A .... di Fabio Fazio, Alberto Bevilacqua ha detto che ....
....

3. Alla .... hanno detto che Giorgio Rocca ....
....

4. Alla .... hanno detto che nella partita di ritorno del campiona-
to ....

5. Al .... la conduttrice ha detto che il sindaco di Roma ha nuovamente ....

40.1 **Indirect speech with the verbs *domandare* and *chiedere***

For indirect speech with the verbs **domandare** and **chiedere** the same rules apply as for indirect speech (*see pages 278-282*).	"Pietro è in casa?" (*present indicative*) Paolo **domanda se** Pietro è/sia in casa. (*present indicative/present subjunctive*)
If there are no interrogative pronouns in the direct speech, **se** is always used after the verbs *chiedere* and *domandare* in indirect speech.	"Siete andati nella nuova pizzeria?" (*present perfect indicative*) Paolo **domanda se** sono andati/siano andati nella nuova pizzeria. (*present perfect indicative/past subjunctive*) "Quanti anni hai?" Mi ha chiesto **quanti anni** avessi/avevo.
After the verbs *chiedere* and *domandare*, instead of the indicative, the subjunctive can also be used. However, this is mainly a question of style on the part of the speaker.	"Pietro è in casa?" (*present indicative*) Paolo ha **domandato se** Pietro era/fosse in casa. (*imperfect indicative/imperfect subjunctive*) "Siete andati nella nuova pizzeria?" (*present perfect indicative*) Paolo ha **domandato se** eravamo andati/fossimo andati nella nuova pizzeria. (*pluperfect indicative/pluperfect subjunctive*)

edizioni Edilingua

EXERCISES

Change the sentences from indirect into direct speech. Write the questions that the customs officer has asked Ugo, as in the example.

Ugo è appena arrivato da Roma all'aeroporto di Boston, dove il suo amico John lo sta aspettando.

John: Ciao Ugo, finalmente! Come stai?

Ugo: Bene, grazie!

John: Ma è più di un'ora che ti aspetto e l'aereo è atterrato un'ora e mezza fa. Che cosa è successo?

Ugo: È successo che alla dogana mi hanno fermato e mi hanno fatto un sacco di domande. L'impiegato alla dogana mi ha chiesto se vivevo negli Stati Uniti (1), visto che il mio volo arrivava da New York. Mi ha chiesto se viaggiavo da solo (2). Mi ha chiesto se avevo fatto da solo i bagagli (3) e se qualcuno mi aveva chiesto di portare qualcosa (4). Poi mi ha chiesto se avevo intenzione di stare a lungo negli Stati Uniti (5), se avevo parenti o amici negli Stati Uniti (6). Mi ha chiesto se avevo tanto denaro con me (7) e dove pensavo di alloggiare (8). Guarda ti assicuro... un incubo!

John: Lo so, ma dopo tutti gli attentati terroristici che ci sono stati i controlli sono diventati rigidissimi.

Queste sono le domande che l'impiegato della dogana ha fatto a Ugo:

1. " *Vive negli Stati Uniti?* "

2. " .... "

3. " .... "

4. " .... "

5. " .... "

6. " .... "

7. " .... "

8. " .... "

40. Il discorso indiretto

1 **Make sentences using the words given and fill in the gaps. Be careful of tenses!** (interrogative pronouns, present tense and present perfect indicative, simple and articulated prepositions, definite articles, adjectives)

1. Quale/preferire/tu e Giovanni/musica/tipo/ascoltare/?

....

2. Chi/vedere/ieri/riunione/Gianni/?

....

3. A che/ora/iniziare/concerto/musica classica/domani sera/?

....

4. Qual/città/italiana/preferita/essere/vostra/?

....

5. Quando/arrivare/aereo/Teresa e Luigi/Londra/?

....

6. Perché/non/andare/farsi/curare/dente/dentista/Marcella/?

....

Each sentence has a maximum of 4 points.
If you score less than 14, revise the grammar.

Result
/24

2 **Connect the sentences and complete the conditional sentences.** (2nd type of conditional sentence)

___ 1. Se Roberto ti prestasse la macchina,
___ 2. Franco, se .... uscire prima dall'ufficio, (*dovere*)
___ 3. Se Enrico e Tiziana prendessero l'aereo invece del treno per andare a Bruxelles,
___ 4. Se vedessi Lorenzo,
___ 5. Se prendessi la moto,
___ 6. Se mi sposassi,

a) .... dalla lavanderia a ritirare il mio vestito nero? (*passare*)
b) .... andare a fare un bel giro in campagna. (*potere*)
c) .... poco per arrivare in ufficio. (*impiegarci*)
d) gli .... il numero di telefono di Dario. (*chiedere*)
e) .... prima. (*arrivare*)
f) .... finalmente una casa tutta per me. (*avere*)

Each correct answer is worth one point.
If you score less than 7, revise the grammar.

Result
/12

3 **Put the verbs in the conditional sentences.** (third type of conditional sentence)

All'inizio del secondo quadrimestre di un istituto superiore, l'insegnante d'inglese commenta i risultati scolastici e dà dei consigli ai suoi studenti su come migliorare il loro andamento scolastico.

"Incominciamo da te, Moretti. Credo che se tu (*essere*) ....(1) più attento durante le lezioni, (*avere*) ....(2) dei risultati migliori. Invece per Potenza devo dire che è stata molto attenta durante le lezioni, ma se (*studiare*) ....(3) di più, i suoi voti (*essere*) ....(4) più alti e non appena sufficienti. Passiamo adesso a Torregiani, che è molto bravo nelle altre materie, ma non in inglese. Se (*dare*) ....(5) più importanza all'apprendimento di una lingua straniera, che può essere utile per tanti motivi, il tuo inglese (*migliorare*) ....(6). Loiacono, tu hai fatto molte assenze: se non (*saltare*) ....(7) così tante lezioni, i tuoi risultati non (*essere*) ....(8) così scarsi."

Each correct answer is worth one point.
If you score less than 5, revise the grammar.

Result
/8

---

4 **Put the verbs in the passive using the *si* passivante or the impersonal form.** (*si* passivante and impersonal *si*)

Gianni ha otto anni e fa la terza elementare. La mamma di Gianni rimprovera il figlio dopo aver parlato con la maestra.

Mamma: La maestra mi ha detto che da un po' di tempo ti comporti molto, molto male e che sei stato sospeso dalle lezioni per una settimana. Questa è una cosa gravissima. Due giorni fa durante una partita di calcio hai dato un calcio al portiere della squadra avversaria. Ma sei impazzito! Ma sei proprio diventato un vandalo! Non (*dare*) ....(1) calci alla gente! Per nessun motivo. Poi, sempre durante questa partita, hai mancato di rispetto all'arbitro e hai dato uno spintone a un avversario. Non (*fare*) ....(2) queste cose! Che cosa hai fatto all'arbitro?

Gianni: Gli ho detto una parolaccia.

Mamma: Ma bravo! Non (*dire*) ....(3) le parolacce e non (*dare*) ....(4) gli spintoni, è da incivili! Io sono veramente molto, molto dispiaciuta del tuo comportamento. E non è finita, ieri durante la lezione di matematica hai rovesciato una bottiglietta d'acqua addosso a un compagno, sei uscito dalla classe senza permesso e hai sbattuto la porta. Ma quante volte ti ho detto che non (*fare*) ....(5) queste cose? Non (*rovesciare*) ....(6) l'acqua, non (*uscire*) ....(7) dalla classe senza permesso e non (*sbattere*) ....(8) la porta! Guarda... questo tuo comportamento è totalmente inaccettabile! Per due mesi non avrai la paghetta e non potrai uscire durante i fine settimana e niente televisione! Così avrai un sacco di tempo per pensare a quello che hai fatto.

Each correct answer is worth one point.
If you score less than 5, revise the grammar.

Result
/8

5 **Un po' di moda! Find the verbs in the passive and complete the table, as in the example.** (passive form)

Un famoso stilista italiano: Gianni Versace

Viene considerato uno dei più famosi stilisti di moda del XX secolo.

Qualche volta i suoi abiti furono criticati, ma i ricchi e i famosi continuarono a comprarli.

Gianni Versace veniva dal Sud e precisamente dalla Calabria, dove sua madre faceva la sarta. Si trasferì a Milano negli anni Settanta e la sua prima collezione venne presentata nel 1978.

Poco dopo anche i suoi fratelli, Donatella e Santo, iniziarono a lavorare per la società del fratello. Comprò case a Milano, Parigi, New York e Miami, che furono progettate come veri e propri musei, ricchi di opere d'arte.

Nel 1994 l'attrice inglese Liz Hurley indossò un suo vestito per la *premiere* del film *Quattro matrimoni e un funerale* a Londra. Questo vestito era nero ed era tenuto insieme da alcune spille dorate. Le foto di questa serata fecero il giro del mondo e la notorietà di Gianni Versace aumentò ulteriormente.

I suoi vestiti venivano indossati da star famose come Elton John, Madonna, la modella Naomi Campbell e la Principessa Diana.

Gianni Versace venne ucciso il 15 luglio 1997 all'ingresso della sua casa a Miami. Il suo funerale venne celebrato nel Duomo di Milano e vi parteciparono molti vip, tra cui Elton John e la Principessa Diana.

Verb	Infinitive	Tense
viene considerato	*considerare*	*presente indicativo*

Each correct answer is worth one point.
If you score less than 12, revise the grammar.

Result
/21

6 **Put the part in blue in the present infinitive and put ✔ to indicate the noun or imperative verb.** (present infinitive)

	NOUN	VERB (imperative)
1. La lettura arricchisce molto.	▪	▪
2. Mantenete la destra!	▪	▪
3. Non tirate la maniglia del freno d'emergenza!	▪	▪

edizioni Edilingua

	NOUN	VERB (imperative)

4. Il pianto non serve a niente.

.... ▪ ▪

5. La cura dei suoi bambini era la sua unica preoccupazione.

.... ▪ ▪

6. Non parlate al conducente!

.... ▪ ▪

Each correct answer is worth one point.
If you score less than 7, revise the grammar.

Result
/12

---

7 **Make sentences. Be careful: the preposition is not always needed.** (present and past infinitive)

1. Gentili passeggeri, siamo pronti
2. Appena ha visto il ladro, ha cominciato
3. Ricordati
4. Roberta ha passato la serata
5. Pensavamo
6. Francesco, sia a mare che in piscina, sa davvero
7. Giovanni è proprio bravo
8. Credo

a

di

a. andare dal dentista lunedì.
b. giocare a tennis.
c. nuotare bene.
d. urlare dallo spavento.
e. essere già stata in questo teatro.
f. andare al ristorante cinese, va bene?
g. scrivere e-mail a tutti i suoi amici.
h. decollare.

Each correct answer is worth one point.
If you score less than 9, revise the grammar.

Result
/16

---

8 **Rewrite the sentences using the present gerund or replacing it. Then put ✔ in the correct column.**
(present gerund)

	MANNER	CONDITION

1. Con la lettura si diventa intelligenti e sapienti.

.... ▪ ▪

2. Se ripetete più volte la lezione di storia, sarete preparati per l'interrogazione di domani.

.... ▪ ▪

3. Volendo, potete venire anche voi alla partita di calcio.

.... ▪ ▪

4. Elena è una ragazza dolcissima. Ti risponde sempre sorridendo.

.... ▪ ▪

5. Con gli sbagli si impara.

.... ▪ ▪

6. Se mi ubbidirai, potrai davvero fare dei progressi.

.... ▪ ▪

Each correct answer is worth one point.
If you score less than 7, revise the grammar.

Result
/12

Test 8 (unità 36-40)

9 **Change the sentences using the present or past gerund and say if it relates to cause (C), time (T) or concession (CO).** (present and past gerund)

1. Mentre facevo la spesa al supermarket, ho incontrato una mia vecchia amica.   C   T   CO

    .... ▪ ▪ ▪

2. Poiché avevo mal di gola, ho preferito rimanere a casa invece di uscire sabato sera.

    .... ▪ ▪ ▪

3. Anche se abbiamo abitato in Olanda per un anno, non abbiamo imparato una parola di olandese, infatti, parlavamo sempre in inglese.

    .... ▪ ▪ ▪

4. Dato che ha bevuto troppo vino ieri sera, oggi Giovanni ha un cerchio alla testa e nausea.

    .... ▪ ▪ ▪

5. Anche se era l'ultimo, non si ritirò dalla gara, ma la portò a termine.

    .... ▪ ▪ ▪

6. Anche se sono molto stanco, vado lo stesso a lezione di aerobica.

    .... ▪ ▪ ▪

7. Mentre passeggiava al parco, Anna ha trovato un gatto ferito.

    .... ▪ ▪ ▪

8. Dopo che ero uscito dal cinema, ripensavo al film che avevo visto.

    .... ▪ ▪ ▪

Each correct answer is worth one point.   *Result*
If you score less than 9, revise the grammar.   /16

10 **Rewrite the parts in blue using the past participle and say if the function is time or cause.** (past participle)

                                                        TIME   CAUSE

1. Siccome aveva guadagnato tanti soldi, Luisa decise di comprarsi una borsa.

    .... ▪ ▪

2. Dato che aveva ricevuto la telefonata del marito, Teresa era più tranquilla.

    .... ▪ ▪

3. Dopo aver finito il viaggio di lavoro negli Stati Uniti, Dario e Giorgio sono rimasti lì e sono andati a sciare in Colorado.

    .... ▪ ▪

4. Dopo aver comprato i biglietti per il concerto, Stefania è tornata a casa.

    .... ▪ ▪

	TIME	CAUSE

5. Poiché si erano svegliati molto presto, Carlo e Giovanna hanno deciso di andare in palestra.

.... ■ ■

6. Tutti i sabati, dopo aver lavato la macchina, Gino andava al supermercato con la moglie.

.... ■ ■

Each correct answer is worth one point.
If you score less than 7, revise the grammar.

Result
/12

11 **Change into indirect speech.** (indirect speech)

1. Rino lavora in banca, dove oggi c'è stata una rapi-na. Rino racconta che il rapinatore, senza parlare e senza far vedere la pistola agli altri, ma solo a lui, gli ha passato un biglietto che diceva che ....

....

.... (1) e che gli ordinava ....

....

.... (2), di ....

.... (3) e ....

.... (4).

2. Lorenzo è tornato a casa, ha letto il biglietto la-sciato dalla mamma e quando è tornato il padre gli ha detto che la mamma aveva lasciato un bi-glietto in cui diceva che ....

.... (5).

La cena .... (6),

la .... (7) e

.... (8).

Inoltre, la mamma gli ha scritto ....

.... (9)

e .... (10).

Poi gli ha anche scritto che ....

.... (11) e .... (12).

24 luglio

Cara Gina,

qui va tutto bene.
Il tempo è bellissimo!
Facciamo tanti bagni e prendiamo
tanto sole.
I bambini sono contenti e si divertono.
Non lavorare troppo!

Ciao e a presto!

                    Patrizia

Gina Giacomelli

via Depretis, 6

61100 Pesaro

3. Gina racconta a suo marito che la sorella Patrizia le ha mandato una cartolina in cui ha scritto che
....(13) e il
tempo ....(14). Inoltre ha scritto che ....
....(15) e ....(16). I ....
....(17) e ....(18).
Le consiglia anche ....(19).

Each correct answer is worth one point.
If you score less than 10, revise the grammar.

Result
/19

Total score /160

edizioni Edilingua

Unità 1

1.1.

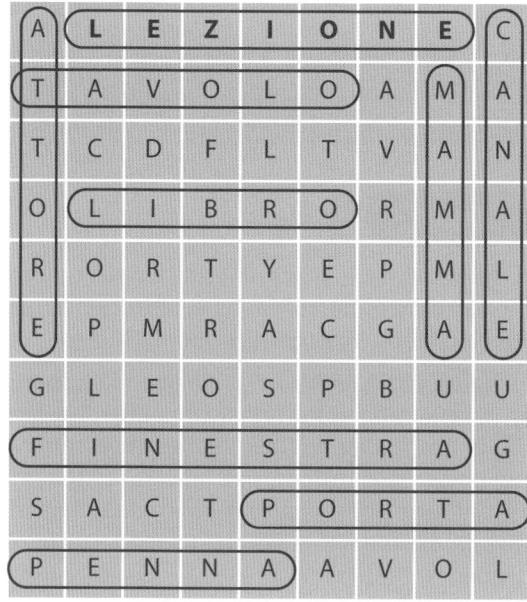

1.2. *masculine*: scultore, albero, padre, cane, fiore, treno, giornale, appartamento; *feminine*: *piazza*, televisione, chiave, attrice, strada, lezione, stazione

1.3. *lettera* (f), scultrice (f), cielo (m), mare (m), regalo (m), musica (f), luce (f), nazione (f), cappello (m), stanza (f), pittore (m), casa (f)

1.4. *libro*, zaini, cortili, dottore, cani, tavolo, ragazzi, quaderni, porte, chiesa, lavagne, lezione, cielo, gatti

1.5. *masculine singular*: cestino; *masculine plural*: banchi; *feminine singular*: lavagna, porta, cartina; *feminine plural*: sedie, finestre, tende

1.6.

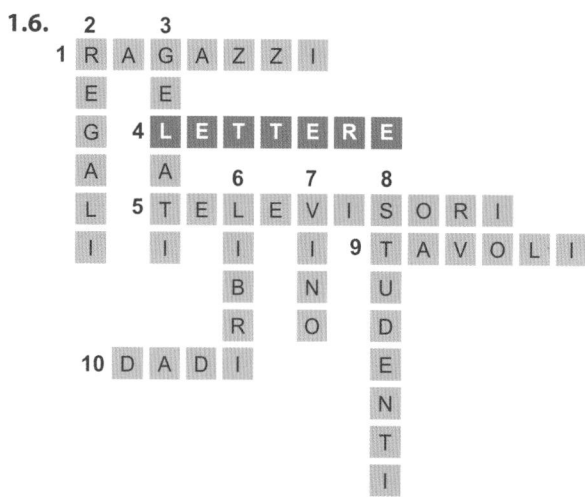

Unità 2

2.1. *singular*: 1, 3, 4, 7, 9; *plural*: 2, 5, 6, 8, 10

2.2. 1. a, 2. c, 3. b, 4. b, 5. a, 6. a, 7. c, 8. a, 9. b, 10. c

2.3. 1. ciliegie, 2. fichi, 3. albicocche, 4. prugne, 5. mele, 6. arance

2.4. 1. parchi, 2. negozi, 3. bar, 4. ristoranti, 5. discoteche, 6. farmacie

2.5. 1. amica (amiche); 2. dialogo (dialoghi), dietologo (dietologi); 3. film (film), computer (computer); 4. doccia (docce), spiaggia (spiagge); 5. specie (specie), moglie (mogli); 6. radio (radio), auto (auto); 7. dizionario (dizionari), zio (zii)

2.6. 1. chirurgo (chirurghi), nemico (nemici), greco (greci); 2. uovo (uova), ginocchio (ginocchia), braccio (braccia); 3. dentista (dentisti); 4. diploma (diplomi); 5. università (università), menù (menù); 6. tesi (tesi); 7. uomo (uomini)

Unità 3

3.1. 1. *la*, 2. lo, 3. il, 4. lo, 5. il, 6. l'(f), 7. la, 8. lo, 9. il, 10. l'(f), 11. lo, 12. lo, 13. l'(f), 14. la, 15. l'(m), 16. l'(m)

3.2. 1. i, 2, le, 3. i, 4. i, 5. i, 6. i, 7. gli

3.3. 1. La, 2. l, 3. Il, 4. Le, 5. L'(f), 6. gli

3.4. 1. angelo, 2. bacio, 3. nonno, 4. giornali, 5. gnomi, 6. attrice, 7. amico, 8. quadri

3.5. 1. l'*Ariete*, 2. il Toro, 3. i Gemelli, 4. il *Cancro*, 5. il Leone, 6. la Vergine, 7. la *Bilancia*, 8. lo Scorpione, 9. il *Sagittario*, 10. il *Capricorno*, 11. l'*Acquario*, 12. i Pesci

3.6. 1. *il*, 2. lo, 3. la, 4. i, 5. le, 6. gli, 7. le, 8. la, 9. il, 10. i

3.7. 1. *i*, 2. lo, 3. gli, 4. gli, 5. la, 6. l'(m), 7. l'(f), 8. l'(f), 9. le, 10. l'(m)

Unità 4

4.1. 1. un panino, 2. uno gnomo, 3. un caffè, 4. uno specchio, 5. uno yogurt, 6. un televisore, 7, una tazza, 8. una radio, 9. una mela, 10. un'albicocca, 11. un cappuccino, 12. un orologio

4.2. 1. un maiale, 2. un pappagallo, 3. una farfalla, 4. un cane, 5. un elefante, 6. una giraffa, 7. una scimmia, 8. un'ape

M	A	I	A	L	E	R	P	T	P	Y
D	P	Z	M	B	C	I	T	E	A	L
R	E	L	E	F	A	N	T	E	P	S
C	A	N	E	F	V	B	N	I	P	D
M	G	H	J	G	K	L	O	E	A	S
Z	P	U	R	I	Z	O	L	H	G	C
Y	M	V	M	R	A	T	Y	C	A	I
F	A	R	F	A	L	L	A	D	L	M
U	D	E	Q	F	Y	T	P	E	L	M
Q	W	S	D	F	D	O	U	F	O	I
V	C	R	F	A	Y	R	A	I	D	A

4.3. 1. un, 2. un, 3. un, 4. un', 5. un', 6. un', 7. un, 8. un', 9. un, 10. un

4.4. 1. una (F), 2. un (F), 3. un' (T), 4. un (F), 5. una (T), 6. un (T), 7. una (F), 8. uno (F)

4.5. 1. *un dottore*, un; 2. un'insegnante, una; 3. un barista, un; 4. un'impiegata, una; 5. un ingegnere, un; 6. un architetto, uno; 7. un operaio, una; 8. una giornalista, un

4.6. 1. una, 2. Gli, 3. i, 4. il, 5. la, 6. la, 7. il, 8. un, 9. una, 10. i, 11. il, 12. il, 13. la, 14. uno

Unità 5

5.1. sono, sei, è, *siamo*, siete, sono; ho, hai, ha, abbiamo, avete, *hanno*

5.2. 1. avete, 2. hai, 3. hanno, 4. Ho, 5. ha, 6. ha, 7. hanno, 8. abbiamo

5.3. 1. sono, 2. Sei, 3. è, 4. è, 5. siamo, 6. Siete, 7. Sono, 8. Sono

5.4. 1. è, è, È, ha, ha, è, ha (D); 2. è, è, È, ha, ha, è (C); 3. sono, hanno, sono, hanno (B)

5.5. 1. Non c'è, 2. C'è, 3. C'è, 4. Ci sono, 5. C'è, 6. C'è, 7. C'è, 8. C'è, 9. Non ci sono, 10. Non ci sono

5.6. 1. *ha ragione*, ha *decisamente* torto; 2. ha *sempre* paura; 3. hanno freddo; 4. ha caldo; 5. ho *molta* fame, ho *anche* sete; 6. hai sedici; 7. ha *tanto* sonno; 8. avete fretta

5.7. 1. ha il raffreddore, 2. hanno mal di gola, 3. ha mal di denti, 4. hanno l'influenza, 5. ha la tosse, 6. ha *sempre* mal di testa, 7. ha mal di orecchi, 8. hanno mal di pancia

Test 1

1. *feminine*: nave, amica, finestra, chiave, canzone, zia, cucina, pittrice; *masculine*: cane, letto, ponte, giornale, orologio, treno, vino, gatto, dottore, esame

2. padre, *padri*; *problema*, problemi; *sport*, sport; *lezione*, lezioni; caffè, *caffè*; *brindisi*, brindisi; *psicologo*, psicologi; droga, *droghe*; figlio, *figli*; *camicia*, camicie; tesi, *tesi*; *barca*, barche; *università*, università; studente, *studenti*; *albero*, alberi; *moglie*, mogli; *maga*, maghe; uovo, *uova*; *uomo*, uomini; radio, *radio*; *cuoco*, cuochi; *ciliegia*, ciliegie

3. 1. città, 2. regione, 3. persone, 4. ragazzo, 5. scuola, 6. piscina, 7. tecnico, 8. discoteche, 9. bar, 10. amici

4. 1. Le; 2. il, il; 3. le, le, i; 4. La; 5. La, il; 6. Il; 7. il; 8. la

5. 1. (lo) il, 3. (uno) un, 4. (gl') gli, 5. (Un') Un, 7. (un) uno, 8. (un') uno

6. 1. una, 2. centro, 3. La, 4. moda, 5. gli, 6. cinema, 7. lo, 8. Il. *Solution*: Milano

7. 1. un, 2. città, 3. un, 4. romanzo, 5. una, 6. le, 7. villa, 8. gli

8. 1. È, 2. è, 3. C'è, 4. è, 5. Ci sono, 6. c'è, 7. è, 8. c'è, 9. è, 10. è. *Solution*: Torino

9. 1. (sono) è, 2. (siamo) abbiamo, 3. (sei) è, 4. (ha) è, 5. (sono) è, 6. (siamo) abbiamo, 7. (siamo) siete, 8. (siamo) sono

10. 1. *mamma*, 2. sono, 3. Ci sono, 4. *problema*, 5. *la*, 6. *ragazza*, 7. ha, 8. *borse*, 9. c'è, 10. *una*, 11. *terrazzo*, 12. *università*

Unità 6

6.1. *masculine singular*: *caldo*, freddo, caldo, rosso; *masculine plural*: analcolici; *feminine singular*: gasata, grande, piccola, grande; *feminine plural*: piccole

6.2. a. 4. una giacca rossa, 1. una cravatta gialla, 2. una camicia azzurra, 5. un paio di scarpe marroni, 3. un paio di pantaloni neri; **b.** 4. una gonna rossa, 3. una camicetta bianca, 2. un impermeabile nero, 5. una sciarpa verde, 1. un pullover beige

6.3. 1. spagnola, 2. indiano, 3. ungherese, 4. giapponese, 5. svizzero, 6. italiano, 7. russo, 8. inglese

6.4. 1. *Francesca ha 25 anni e fa la modella per un'agenzia* americana. *È* alta *e* snella. *Ha i capelli* biondi *e lunghi* (C); 2. *Lorenzo ha 15 anni. Ha i capelli* scuri *e gli occhi* verdi. *È* alto, magro *e molto* simpatico (D); 3. *Daniela ha 36 anni e lavora in banca. È bassa e magra con i capelli* castani *e corti. Ha un viso* sorridente (B); 4. *Paolo ha 50 anni. Lavora per una società* tedesca. *È* alto *e* grasso. *Ha i capelli* neri (A)

6.5. *grande, bella, grande, bella, piccolo, piccolo, grandi, piccoli, piccoli, grandi, grandi, piccoli, smilzo, longilineo*

Unità 7

7.1. amare: amo, ami, ama, amiamo, *amate*, amano; **ripetere**: ripeto, ripeti, *ripete*, ripetiamo, ripetete, ripetono; **sentire**: *sento*, senti, sente, sentiamo, sentite, sentono; **finire**: finisco, finisci, finisce, finiamo, finite, *finiscono*

7.2. 1. lava, 2. Aspettate, 3. parlano, 4. paghiamo, 5. fumi, 6. comincia, 7. Giochi, 8. presenta

7.3. 1. piange, 2. conosci, 3. guardate, 4. viviamo, 5. vende, 6. mettono, 7. prende, 8. chiudi

7.4. 1. *(partisce)* parte, 2. *(dormiscono)* dormono, 3. *(fine)* finisce, 4. *(divertisci)* diverti, 5. *(pule)* pulisce, 6. *(preferi)* preferisci

7.5. *Marina è una dottoressa: cura i malati*, lavora in un ambulatorio, porta un camice bianco; *Giovanni è un agricoltore*: vive in campagna, alleva gli animali, lavora molto all'aria aperta; *Lucio è un manager*: usa il computer, incontra molti clienti; *Simona è un'assistente di volo*: parla il francese, il tedesco e l'inglese, viaggia molto, assiste i passeggeri, indossa un'uniforme

7.6. 1. legge, 2. preferisco, 3. guardate, 4. apre, 5. giochiamo, 6. partono, 7. soffrono, 8. conosce

7.7. 1. lavoro, 2. Inizio, 3. scrivo, 4. prendo, 5. mangio, 6. leggo, 7. comincio, 8. finisco. *Solution*: L'impiegata

7.8. 2. *Nasce*, 3. lavora, 4. Vince, 5. riceve, 6. Ristruttura, 7. è, 8. pubblica, 9. progetta, 10. realizza, 11. vince. *Order of sentences*:1, 2, 3, 10, 4, 6, 7, 5, 8, 11, 9

Unità 8

8.1. a. 1. riesco, 2. facciamo, 3. tolgono, 4. sa, 5. dobbiamo, 6. morite, 7. vuoi, 8. va, *Solution*: Calabria (Sud); **b.** 1. vengono, 2. scegli, 3. stanno, 4. deve, 5. salite, 6. tengo. *Solution*: Veneto (Nord); **c.** 1. uscite, 2. vogliamo,

3. beve, 4. muori, 5. dico, 6. vanno. *Solution*: Umbria (Centro)

8.2. 1. danno, 2. esce, 3. salgono, 4. dice, 5. siede, 6. scegliamo

8.3. volere: *voglio*, vuoi, *vuole*, vogliamo, volete, vogliono; **potere**: *posso*, puoi, può, possiamo, *potete*, possono; **dovere**: devo, *devi*, deve, dobbiamo, dovete, *devono*; **sapere**: *so*, sai, sa, sappiamo, sapete, *sanno*

8.4. 1. *sa guidare, non sa andare*; 2. non sa suonare; 3. sanno giocare; 4. sa cucinare; 5. sanno guidare, sanno andare; 6. sa usare

8.5. 1. può, 2. posso, 3. Sai, 4. Sapete, 5. possiamo, 6. Sai, 7. sanno, 8. posso

8.6. 1. *Vanno*; 2. sai, So; 3. rimaniamo; 4. puoi, volete; 5. possono, devono; 6. vuoi, Voglio

8.7. 3. *(vieni)* viene, 5. *(salo)* salgo, 6. *(Rimangono)* Rimani, 8. *(usce)* esce

Unità 9

9.1. 1. Una festa a casa di amici (confidenziale), 2. Un incontro di lavoro (formale), 3. All'edicola (formale)

9.2. 1. Noi, voi; 2. io, tu; 3. Lei; 4. Lui, lei; 5. Voi, loro; 6. Io, tu; 7. Noi, loro; 8. Lei

9.3. 1. Ciao Gianni.; 2. Ciao Francesca, come stai?; 3. Bene, grazie e tu?; 4. Benissimo, grazie!; 5. Cosa fai adesso?; 6. Lavoro in un giornale.; 7. Complimenti!

9.4. 1. Buongiorno Signor Terenzi.; 2. Buongiorno Signora Biancotti, come sta?; 3. Bene, grazie e Lei?; 4. Benissimo, grazie!; 5. Cosa fa adesso?; 6. Lavoro in un giornale.; 7. Complimenti!

9.5. 1. Lui, 2. io, 3. Lui, 4. io, 5. Lui, 6. Lui, 7. io, 8. lui, 9. Io, 10. Lui, 11. Io, 12. Lui, 13. Io

Unità 10

10.1. *Proximity in Space*: 5, 6; *Proximity in Time*: 1, 3; *Distance in Space*: 2, 4, 8; *Distance in Time*: 7

10.2. 1. quella, 2. quei, 3. questo, 4. quel, 5. quelle, 6. quegli, 7. questa

10.3. 1. *Quella*, 2. Questi, 3. Quel, 4. Questo, 5. Quei, 6. Queste, 7. Queste, 8. Quella, 9. Questo, 10. Quegli

10.4. 1. e (quello, Questo); 2. c (quello); 3. d (questo, quello); 4. b (questi, quello); 5. a (quelli)

10.5. 1. questo, 2. Questo, 3. Questa, 4. quello, 5. Queste, 6. quella, 7. quelle, 8. quei, 9. Quelli

10.6. 2. (Quei) Quelle; 3. (Quella) Quel; 5. (Quello) Quel, (queste) questo; 6. (questi) queste

Test 2 ●●●₀₀

1. 1. *chiaccherona*, 2. *aperta*, 3. *generosa*, 4. *ottimista*, 5. *paziente*; Proposed response (questi aggettivi riferiti a Damiano possono avere anche un ordine diverso, se non si vuole rispettare l'ordine degli aggettivi usati per descrivere Daniela): 6. introverso, 7. chiuso, 8. taciturno, 9. pessimista, 10. avaro, 11. serio, 12. impaziente

2. 1. f. (italiana), 2. a. (inglese), 3. e. (americano), 4. b. (francese), 5. l. (brasiliano), 6. h. (spagnola), 7. g. (russo), 8. c. (olandese), 9. d. (greco), 10. i. (australiana)

3. 1. (mangiano) g., 2. (ascoltate) h., 3. (dormo) d., 4. (abitano) c./(preferiscono) b., 5. (preferiscono) b./(abitano) c., 6. (scrivi) e., 7. (obbedisce) a., 8. (pulisci) f.

4. 1. Viene, 2. Vince, 3. esce, 4. Canta, 5. Sposa, 6. Va, 7. Preferisce, 8. vive, 9. Fa, 10. gioca

5. 1. devono, 2. vengono, 3. entrano, 4. pagano, 5. partono, 6. arrivano, 7. Viaggiano, 8. muoiono, 9. affondano, 10. fa, 11. salvano, 12. ospitano

6. 1. (noi) e (voi); 2. (tu, io) f (tu); 3. (Lei) d (io); 4. c (Lei, lui); 5. (voi) b (noi); 6. a (loro)

7. 1. quel, 2. quello, 3. quello, 4. Quel, 5. questo, 6. questo, 7. questi, 8. Questo, 9. questo, 10. questi, 11. quelle, 12. questi, 13. Quelle, 14. questi

8. 1. italiano, 2. arriva, 3. questi, 4. grande, 5. lascia, 6. generazionale, 7. questo, 8. Queste, 9. innalza, 10. femminile

Unità 11 ●●●₀₀

11.1. **Io**: il mio, *la mia*, i miei, le mie; **Tu**: *il tuo*, la tua, i tuoi, le tue; **Lui**: il suo, la sua, *i suoi*, le sue; **Lei**: *il suo*, la sua, i suoi, le sue; **Noi**: il nostro, la nostra, *i nostri*, le nostre; **Voi**: il vostro, *la vostra*, i vostri, le vostre; **Loro**: il loro, la loro, i loro, *le loro*

11.2. 1. La sua, 2. la sua, 3. La sua, 4. Le sue, 5. le sue, 6. Le sue, 7. La sua, 8. I suoi, 9. Il suo, 10. Il suo. *Solution*: Venezia

11.3. 1. il tuo, 2. la tua, 3. la mia, 4. il mio, 5. le vostre, 6. i vostri, 7. i vostri, 8. i miei, 9. il suo, 10. la sua, 11. la sua, 12. la sua, 13. il suo

11.4. 1. (Le sue) e, 2. (I suoi) d, 3. (Il loro) f, 4. (La sua) b, 5. (Suo) c, 6. (La loro) a

11.5. 1. la mia/la tua, la tua/la mia; 2. la sua; 3. I miei; 4. il tuo, il mio; 5. I nostri, i vostri; 6. i vostri, i nostri

11.6. 1. La mia, 2. il nostro/il mio, 3. Il mio, 4. La sua, 5. il suo, 6. La mia, 7. La mia, 8. Il mio, 9. mio, 10. la sua, 11. il suo, 12. il mio, 13. la mia, 14. il mio, 15. il mio, 16. i miei, 17. il mio, 18. sua

Unità 12 ●●●₀₀

12.1. *non le abbiamo* (le seppie), non li prendo (i calamari), non li so cucinare (i calamari), le prendo (le cozze), lo prendo (il pesce spada), le ho vendute (le sogliole), la prendo (la sogliola), la faccio (la sogliola)

12.2. 1. b, 2. h, 3. g, 4. c, 5. e, 6. d, 7. f, 8. a

12.3. 1. le, 2. la, 3. li, 4. la, 5. lo, 6. lo, 7. li, 8. lo

12.4. 1. (mi) f (ti); 2. (ci) e; 3. (vi) d; 4. (ti) c; 5. (ti) a (mi); 6. (ci) b (vi)

12.5. 1. La compro in macelleria, 2. Lo compro in panetteria, 3. Li compro in salumeria, 4. Le compro nel negozio di frutta e verdura, 5. Li compro in cartoleria, 6. Li compro all'edicola

12.6. 1. Lo, 2. mi, 3. lo, 4. mi, 5. ci, 6. Vi

Unità 13 ●●●₀₀

13.1. **lavarsi**: mi lavo, *ti lavi*, si lava, *ci laviamo*, vi lavate, si lavano; **mettersi**: mi metto, ti metti, si mette, ci mettiamo, vi mettete, *si mettono*; **vestirsi**: mi vesto, ti vesti, *si veste*, ci vestiamo, *vi vestite*, si vestono

13.2. 1. ci divertiamo, 2. ci annoiamo, 3. ci riposiamo, 4. si veste, 5. si sveglia, 6. si alza, 7. Ci vediamo

13.3. 1. *Mi sveglio*, 2. mi alzo, 3. mi faccio, 4. mi lavo, 5. mi asciugo, 6. mi vesto, 7. faccio, 8. mi lavo, 9. mi metto, 10. vado

13.4. 1. *Si sveglia*, 2. si alza, 3. si fa, 4. si lava, 5. si asciuga, 6. si veste, 7. fa, 8. si lava, 9. si mette, 10. va

13.5. 1. Si conoscono, 2. si incontrano, 3. S'innamorano, 4. si fidanzano, 5. si amano, 6. Si lasciano, 7. si rimettono, 8. si sposano

13.6. 1. si intitola, 2. si svolge, 3. s'innamorano, 4. s'impossessa, 5. si rifiuta, 6. si rivolge. *Solution*: Edoardo De Filippo

Unità 14

14.1. *aprendo* (*aprire*), lavorando (lavorare), bevendo (bere), partendo (partire), leggendo (leggere), giocando (giocare), dormendo (dormire), ordinando (ordinare)

14.2. 1. stanno studiando, 2. sta leggendo, 3. sta prendendo, 4. sta inviando, 5. stanno controllando, 6. sta bevendo, 7. sta scrivendo, 8. stanno parlando

14.3. 1. lavora, si sente, sta riposando, sta leggendo (B); 2. fa, sta innaffiando, sta cantando (C); 3. è, è, sta ridendo, (sta) scherzando (A)

14.4. 1. sta per cadere, 2. sta per innaffiare, 3. sta per leggere, 4. sta per prendere, 5. sta per salire, 6. sta per telefonare

14.5. 1. sta crescendo, 2. Stanno aumentando, 3. sta diminuendo, 4. si sta elevando, 5. si sta alzando

Unità 15

15.1. *Place*: a, in, in, in, *al (a+il)*, in, a; *Time*: in, alla (a+la), dal (da+il), al (a+il), di

15.2. 1. A (T), 2. In (T), 3. a (F), 4. in (F), 5. A (T), 6. In (F), 7. in (T), 8. In (T)

15.3. 1. sull', 2. in, 3. dal, 4. in, 5. in, 6. con il

15.4. 1. in Umbria, 2. all'Upim, 3. negli Stati Uniti, 4. a Trieste, 5. al mercato, 6. dal giornalaio, 7. in piscina, 8. in farmacia, 9. da Teresa, 10. allo zoo

15.5. 1. (per la) a; 2. c (fra/tra la); 3. d (per); 4. (per) e; 5. (per il) b (fra/tra)

15.6. 1. in, 2. al, 3. in, 4. da, 5. da, 6. nelle, 7. alla, 8. in, 9. in, 10. dal

15.7. 1. all'; 2. al; 3. allo, di; 4. dalla, al; 5. dal; 6. in, da, di; 7. in, a, in, in, al, all'; 8. al, di

15.8. 1. A; 2. tra; 3. da; 4. Dalle, alle; 5. tra le; 6. per; 7. da; 8. in, a/in

15.9. 1. In, 2. dal, 3. nei, 4. dal, 5. dei, 6. sul, 7. di, 8. di, 9. nelle, 10. negli, 11. nelle, 12. negli, 13. sui/nei, 14. nei, 15. in, 16. nelle, 17. degli, 18. delle, 19. nei, 20. nei, 21. nei, 22. nelle, 23. nelle, 24. nei, 25. nei, 26. nei

15.10. 1. del prosciutto e melone, 2. delle bruschette, 3. del, 4. del, 5. dell', 6. dei tortellini al ragù, 7. del fegato alla veneziana, 8. degli spinaci al burro, 9. delle cozze alla marinara, 10. dell'insalata mista, 11. dell'arrosto di vitello, 12. delle patate arrosto, 13. della macedonia, 14. del crème caramel, 15. della panna cotta

15.1.1. 1. accanto a, 2. sotto, 3. *Vicino alla*, 4. Dietro, 5. lontano dalla, 6. di fronte alla, 7. lungo, 8. fino al

15.1.2. 1. durante, 2. Prima di, 3. Dopo, 4. mentre, 5. fino a

15.1.3. 1. *Un aereo vola sopra la casa*, 2. Un gatto dorme sotto l'albero, 3. Una bicicletta è dentro il garage, 4. Un cane è seduto di fianco alla macchina blu, 5. La casa è tra due alberi, 6. La macchina rossa e la macchina blu sono parcheggiate fuori dal garage

Test 3

1. 1. il mio, 2. il mio, 3. i loro, 4. il suo, 5. il mio, 6. mio, 7. il suo, 8. mio, 9. il suo, 10. il suo, 11. il mio, 12. la mia, 13. mia, 14. sua, 15. la sua

2. 1. loro, 2. si preoccupano, 3. Mio, 4. si chiama, 5. ci vediamo, 6. suo, 7. mi ricordo, 8. loro, 9. miei, 10. mia, 11. Mi rilasso, 12. suoi, 13. nostra, 14. nostri, 15. si trovano, 16. Si lamenta, 17. suo, 18. sue

3. 1. sta parcheggiando, 2. in, 3. lascia, 4. in, 5. sta pas-

Chiavi

seggiando, 6. nel, 7. sta salendo/sta scendendo, 8. su/da, 9. sta scendendo/sta salendo, 10. stanno andando, 11. in, 12. sta tornando, 13. a, 14. da

4. 1. alla, 2. di, 3. alla, 4. a, 5. da, 6. a, 7. alla, 8. di, 9. delle, 10. a, 11. alla, 12. di, 13. della, 14. di; MM2, MM1

5. 1. In/Ad, 2. a, 3. in, 4. in, 5. in, 6. in, 7. sulle, 8. al, 9. in, 10. in, 11. in, 12. alla, 13. della, 14. degli

6. 1. stiamo per uscire; 2. sta per partire; 3. *sul*, vicino alle, stanno per attraversare; 4. Sta per piovere, sotto i; 5. stiamo per mangiare; 6. sto per andare; 7. tra, sta per iniziare; 8. in, sta per finire

7. 1. la, 2. li, 3. le, 4. la, 5. lo, 6. *finir*la, 7. le, 8. la

8. 1. le, 2. le, 3. Mi, 4. Li, 5. li, 6. Le, 7. la, 8. ci, 9. l', 10. lo, 11. la, 12. mi

9. 1. la, 2. lo, 3. le, 4. la, 5. lo, 6. la, 7. li, 8. li

10. a. del riso, dei funghi, del vino bianco, della cipolla, del brodo, del parmigiano grattugiato, dell'olio, del burro; **b.** delle patate, dei piselli, delle zucchine, delle carote, del sale, dell'olio, della maionese

Unità 16

16.1. *Personal form*: 1, 2, 8; *Impersonal form*: 3, 4, 5, 6, 7

16.2. 1. si mangia (T), 2. si parla (F), 3. si legge (T), 4. si fuma (F), 5. si va (T), 6. si guida (T), 7. si inizia (F), 8. si finisce (T)

16.3. 1. si esce, 2. si gira, 3. si sale, 4. si scende, 5. si ha, 6. si può, 7. si esce, 8. si gira, 9. si va, 10. si svolta, 11. Si continua, 12. si arriva

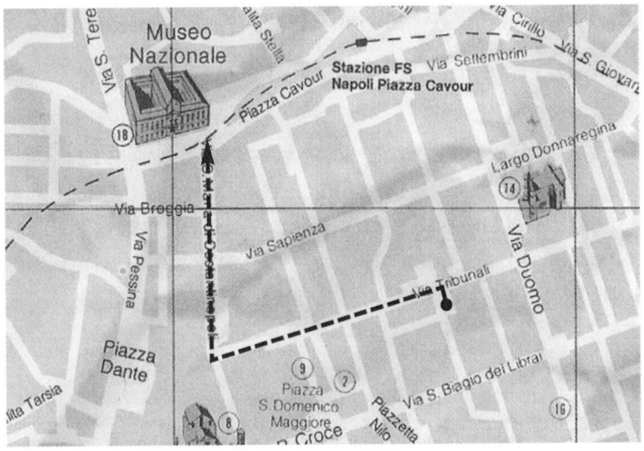

16.4. *montagna*: si scia, si pattina sul ghiaccio, si va a scalare; *mare*: si nuota, si cammina sulla spiaggia, si gioca con le racchette; *campagna*: si passeggia nel verde, si va a cavallo

16.5. 1. (si va) b (si prega); 2. (si mangia) e (si diventa deboli); 3. (si studia) c (si ripete); 4. (si viaggia) a (si spende); 5. (si è malati) d (si va); 6. (si è tolleranti) f (si va)

16.6. 1. *si esce, ci si diverte*; 2. si è, si vive, ci si abitua; 3. si va, ci si annoia; 4. si è, ci si alza; 5. ci si asciuga, si può; 6. ci si copre, ci si ammala

16.7. 1. si esce, 2. Ci si ferma, 3. ci si immette, 4. ci si dirige, 5. si passa, 6. si arriva, 7. ci si immette, 8. si giunge. *Solution*: Umbria

Unità 17

17.1. *sono andato* (*andare*), siamo partiti (partire), siamo arrivati (arrivare), abbiamo fatto (fare), siamo andati (andare), è successo (succedere), abbiamo pregato (pregare), ci siamo capiti (capirsi)

17.2. a. 1. visitato, 2. venduto, 3. preferito, 4. mangiato, 5. sentito. *Solution*: Adige; **b.** 1. capito, 2. restato, 3. spolverato, 4. ricevuto, 5. entrato, 6. creduto. *Solution*: Tevere

17.3. 1. *scritto* (*scrivere*), 2. venuto (venire), 3. vissuto (vivere), 4. nato (nascere), 5. acceso (accendere), 6. rimasto (rimanere), 7. letto (leggere), 8. bevuto (bere)

17.4. *Essere*: *restato*, entrato, venuto, vissuto, nato, rimasto; *Avere*: *visitato*, venduto, preferito, mangiato, sentito, capito, spolverato, ricevuto, creduto, scritto, vissuto, acceso, letto, bevuto

17.5. 1. d (ho finito), 2. h (sono andato), 3. b (sono *già* tornate), 4. g (ho *appena* cominciato), 5. a (ho assaggiato), 6. c (Ho finito), 7. f (è *ancora* cominciato), 8. e (ho salito)

17.6. 1. *Marcella è gia andata*, 2. *Non ha ancora telefonato*, 3. Ha già dato, 4. Ha già portato, 5. Non ha ancora comprato, 6. Ha già pagato, 7. Ha già innaffiato, 8. Non ha ancora scritto

17.7. 1. a (hanno deciso), 2. g (hanno preso), 3. d (sono andati), 4. c (hanno lasciato), 5. h (sono arrivati), 6. f (Hanno trovato), 7. e (Hanno montato), 8. b (sono andati)

17.8. *Nel luglio del 2006 Antonio e Giorgio si sono laureati in Ingegneria meccanica al Politecnico di Torino*. Nel gennaio del 2007 Antonio è partito per fare... Nell'estate del 2008 ha conosciuto Mary e poco dopo si sono sposati. Nel novembre del 2009 ha trovato lavoro... Nel gennaio del 2011 è nata... Nel gennaio del 2007 Giorgio ha fatto uno stage... Nell'estate del 2008 ha iniziato a lavorare... Nel novembre del 2009 ha incontrato Antonella a casa di amici e poco dopo si sono sposati. Nel gennaio del 2011 si è separato e ha divorziato.

17.9. 1. ha deciso, 2. ha iniziato, 3. ha partecipato, 4. ha cantato, 5. è diventata, 6. ha continuato, 7. ha fatto, 8. ha inciso, 9. Ha interpretato, 10. ha contribuito, 11. ha reso, 12. ha cantato, 13. è nata. *Order of sentences*: 1. D, 2. B, 3. C, 4. A

17.10. 1. Siamo partite, 2. siamo arrivate, 3. Fidenza, 4. abbiamo fatto, 5. abbiamo visitato, 6. siamo partite, 7. abbiamo visitato, 8. Correggio, 9. siamo andate, 10. ha preso/ha mangiato, 11. ho preso/ho mangiato, 12. Abbiamo bevuto, 13. siamo andate, 14. un'azienda, 15. Prosciutto di Parma, 16. ha comprato, 17. siamo partite, 18. siamo arrivate

17.1.1. 1. b (regista), 2. c (giornalista), 3. b (compositore), 4. a (scrittrice), 5. a (chef), 6. c (cantante)

17.1.2. 1. l'ho presa, 2. l'ho preso, 3. li ho presi, 4. l'ho messa, 5. li ho piegati, 6. l'ho lasciata, 7. le ho piegate, 8. le ho messe, 9. le ho pulite, 10. le ho messe, 11. Li ho già preparati, 12. li ho messi

17.1.3. *Il meeting l'ho fissato, le lettere* le ho scritte, il fax l'ho mandato, i file nuovi li ho riordinati, l'appuntamento l'ho preso, l'email l'ho inviata, le buste le ho preparate, l'aereo l'ho prenotato

17.2.1. 1. (sei *tornata*) e (Ho *dovuto finire*), 2. (*si è sentita*) d (è *dovuta uscire*), 3. (ha *preso*) a (ha *potuto accompagnarlo*), 4. (sei *andata*) b (sono *voluta* andare), 5. (hai *fatto*) f (hai *voluto/a ascoltare*), 6. (siete *arrivati*) c (siamo *potuti arrivare*, abbiamo *perso*)

17.2.2. 1. è voluto andare; 2. Ho dovuto lavorare, non sono potuto/a andare; 3. Sei potuto/a andare; 4. Avete dovuto studiare, siete potuti/e andare; 5. hanno voluto vedere

Unità 18

18.1. 1. mi, 2. gli, 3. ti, 4. vi, 5. le, 6. gli, 7. Le, 8. ci

18.2. 1. *Gli mando il pacco*; 2. Gli voglio dare/Voglio dargli una bella lezione; 3. Non le dispiace aspettare un attimo; 4. Restano loro/Gli restano solo dieci giorni per studiare per l'esame; 5. Non gli piacciono gli scherzi; 6. Le devo restituire/Devo restituirle 30 euro; 7. Gli ho letto il riassunto; 8. Non gli ho potuto prestare/Non ho potuto prestargli la bicicletta

18.3. 1. A, 2. B, 3. A, 4. A, 5. A, 6. A

18.4. 1. mi, 2. mi, 3. Le, 4. Le, 5. le, 6. mi, 7. mi, 8. gli, 9. Gli, 10. gli, 11. Ti

18.5. 1. c (le), 2. (Vi) e (ci), 3. (ti) d (Mi), 4. (Le) f (mi), 5. a (gli), 6. (ti) h (gli), 7. (ti) g (Mi), 8. (Vi) b (ci)

Unità 19

19.1. *aveva* (avere), sfiorava (sfiorare), se *li* copriva (coprirsi), andava (andare), spiccava (spiccare), poteva (potere), era (essere), era (essere), perdonava (perdonare)

19.2. 1. aveva; 2. sapevi; 3. era, lavorava; 4. nascondevano; 5. uscivamo; 6. cominciava; 7. andavo, leggevo; 8. partivano

19.3. 1. si sedeva, 2. serviva, 3. mangiava, 4. Parlava, 5. stava, 6. stava, 7. dormiva, 8. stufava, 9. era, 10. si buttava, 11. dormiva, 12. aveva, 13. Era, 14. Aveva, 15. arrivavano, 16. teneva, 17. Aveva, 18. Sembrava, 19. Era, 20. aveva

19.4. 1. C'era, 2. aveva, 3. suonava, 4. faceva, 5. scendeva, 6. sorrideva, 7. tornava, 8. aveva

19.5. 1. lavava, 2. cucinava, 3. puliva, 4. saltava, 5. abbaiava, 6. ascoltava, 7. metteva, 8. leggeva, 9. studiava, 10. ripeteva

19.6. 1. stavamo, 2. era, 3. era, 4. si conoscevano, 5. si aiutavano, 6. era, 7. aveva, 8. c'erano, 9. c'era, 10. ero, 11. avevano, 12. si divertivano, 13. avevano, 14. erano

19.1.1. 1. è *andata*, 2. ha preso, 3. è arrivata, 4. aspettava, 5. sono andate, 6. hanno mangiato, 7. hanno bevuto, 8. Era, 9. faceva, 10. era, 11. sono uscite, 12. è entrato, 13. era, 14. si sono salutati

19.1.2. 1. ha compiuto, 2. è arrivato, 3. ascoltavano/stavano ascoltando, 4. ballavano/stavano ballando, 5. beveva/stava bevendo, 6. mangiava/stava mangiando, 7. giocavano/stavano giocando, 8. leggeva/stava leggendo

19.1.3. 1. vivevano, 2. potevano, 3. vedevano, 4. aveva, 5. poteva, 6. andavano, 7. si riunivano, 8. aveva, 9. erano, 10. è nata, 11. sono cominciate, 12. è nata

19.1.4. 1. è potuto, 2. volevano, 3. Sapevo, 4. conosceva, 5. Sono dovuta, 6. ha voluto

19.1.5. 1. doveva, 2. è potuta, 3. ha voluto, 4. volevano, 5. ho dovuto, 6. Sapevo

Unità 20

20.1. *di cui* (l'unico industriale), che (Mauro), la cui (l'azienda di Mauro), che (i primi industriali), che (quei cartelloni di réclame), che (quei cartelloni di réclame), che (Adriano)

20.2. 1. per cui, 2. che, 3. da cui, 4. per cui, 5. con cui, 6. che, 7. che

20.3. 1. (in cui) b, 2. (che) e, 3. (che) a, 4. (che) d, 5. (in cui) c, 6. (di cui) f

20.4. 1. con cui, 2. in cui, 3. che, 4. che, 5. di cui, 6. a cui, 7. da cui, 8. che

20.5. **20.2.** 1. *per la quale*, 3. dal quale, 4. per i quali, 5. con i quali, 7. il quale; **20.3.** 1. nel quale, 3. il quale, 4. il quale, 5. nel quale

20.6. 1. le cui, 2. Eugenio Montale; 3. la cui, 4. Dante Alighieri; 5. i cui, 6. *Giovanni Spadolini*; 7. le cui, 8. Giuseppe Garibaldi; 9. il cui, 10. Alessandro Manzoni; 11. la cui, 12. Guglielmo Marconi

20.7. 1. che/il quale, 2. la cui, 3. il cui, 4. che, 5. del quale/di cui, 6. per cui/per il quale, 7. chi. 8. in cui/nella quale, 9. quale, 10. che

Test 4

1. 1. ha, deve; 2. continui, arrivi; 3. si è, si viaggia; 4. ci si diploma, ci si laurea; 5. andate, comprate; 6. si parla, si può; 7. ci si traveste, si va; 8. si prende, si arriva

2. 1. è nata, 2. si è laureata, 3. si è trasferita, 4. ha scoperto, 5. È tornata, 6. ha ottenuto, 7. ha ricevuto, 8. È stata, 9. è diventata

3. 1. Le (indir.), 2. Ci (indir.), 3. Vi (indir.), 4. *prender*li (dir.), 5. Vi (indir.), 6. l' (dir.), 7. ti (indir.), 8. lo (dir.)

4. 1. Ha tagliato, 2. l', 3. ha messa, 4. l', 5. ha fatta, 6. le, 7. ha sbattute, 8. ha aggiunto, 9. Ha cotto, 10. li, 11. ha scolati, 12. li, 13. ha versati, 14. Ha mescolato, 15. ha spento, 16. ha versato, 17. ha mescolato, 18. ha aggiunto

5. 1. ero, 2. passavo, 3. avevano, 4. andavo/andavamo, 5. metteva, 6. Ero, 7. incontravo, 8. giocavo, 9. facevo, 10. andavo

6. 1. Erano, 2. passeggiavo/stavo passeggiando, 3. ho visto, 4. faceva, 5. cercava/stava cercando, 6. era, 7. era, 8. indossavano, 9. indossava, 10. aveva, 11. è successo, 12. hanno visto, 13. sono scappati, 14. sono andati

7. 1. È scomparso, 2. Abitava, 3. ha sposato, 4. gli, 5. ha dato, 6. È stato, 7. Lo, 8. chiamavano, 9. aveva, 10. Era, 11. Era, 12. Amava, 13. li, 14. ha praticati, 15. gli, 16. ha dato, 17. Ha perso, 18. è scomparso, 19. si è suicidato, 20. lo, 21. consideravano, 22. lo, 23. amavano

8. 1. che, 2. quale, 3. chi, 4. chi, 5. che, 6. che, 7. che, 8. a cui/ai quali, 9. con cui/con i quali

9. 1. Andrea, la cui sorella è molto intelligente, è un mio vecchio amico; 2. Mia zia, i cui parenti abitano lontano, a Roma, è sempre molto sola; 3. Ho appena visto il Signor Monti, le cui figlie venivano a scuola con me; 4. La Signora Zonin, il cui marito è in viaggio d'affari, è in ospedale con una gamba rotta; 5. Il camion, i cui freni non funzionavano, non si è fermato allo stop e ha causato l'incidente; 6. Gianni e Loretta, i cui nipoti e figli vanno spesso a trovarli, sono in una casa di cura da tanti anni

Unità 21

21.1. *mangeranno* (*mangiare*), deciderà (decidere), verrò (venire), pagherete (pagare), offrirò (offrire), saliremo (salire), partirete (partire), avremo (avere), berrai (bere), vorranno (volere)

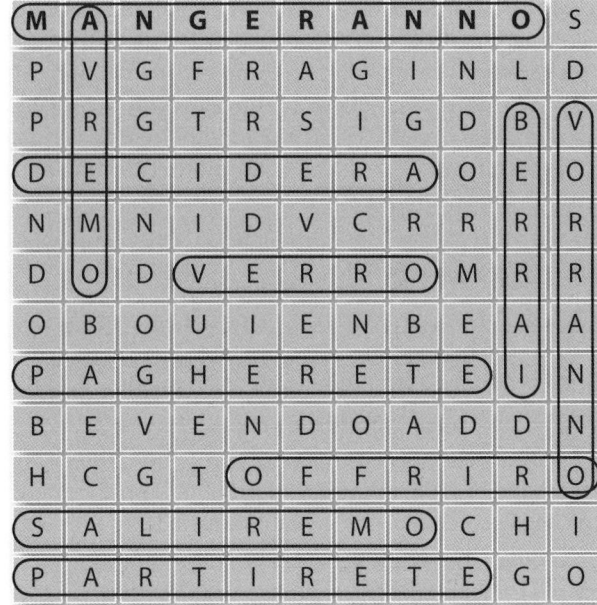

21.2. 1. d (troveranno), 2. h (ruberanno), 3. a (si dimetterà), 4. f (avranno), 5. b (vincerà), 6. e (sarà), 7. g (aumenterà), 8. c (continueranno)

21.3. 1. Andrò, 2. Prenderò, 3. Farò, 4. Leggerò, 5. Mangerò, 6. Giocherò

21.4. 1. premierà, 2. potranno, 3. ci sarà, 4. parleranno, 5. presenterà, 6. presenterà, 7. parteciperanno, 8. si svolgerà; 1. b, 2. a, 3. d, 4. c, 5. e

21.5. 1. partiranno (A); 2. si trasferirà (A); 3. metterò (C); 4. andrà (A); 5. aprirà (A); 6. racconterete (C); 7. farò/studierò (B)/(B); 8. sprecherò (B)

21.6. 1. scriverete (an order), 2. andrà (doubt), 3. avrà (supposition), 4. saranno/Saranno (supposition), 5. vedrai (an order), 6. diranno (doubt)

21.1.1. 1. *sarà finita*, 2. sarò scesa, 3. saremo andati, 4. avrete guadagnato, 5. avrai conosciuto, 6. si saranno laureati

21.1.2. 1. saranno entrati, 2. Avranno usato, 3. avranno appoggiata, 4. avrà visti, 5. saranno state, 6. saranno entrati, 7. avranno tagliato, 8. avranno avuto, 9. avranno rubato. *Order of pictures*: 1.d, 2.b, 3.a, 4.e, 5.c

21.1.3. 1. *Partirete per le vacanze, non appena finirà la scuola?/Partite per le vacanze, non appena finisce la scuola?*; 2. Appena scenderò dal treno, ti chiamerò/Appena scendo dal treno, ti chiamo; 3. Dopo che andremo a teatro, andremo al ristorante/Dopo che andiamo a teatro, andiamo al ristorante; 4. Fino a che non guadagnerete abbastanza, non potrete comprare la casa che volete/Fino a che non guadagnate abbastanza, non potete comprare la casa che volete; 5. Una volta che conoscerai meglio i miei genitori, li troverai più simpatici/Una volta che conosci meglio i miei genitori, li trovi più simpatici; 6. Non appena si laureeranno in

Ingegneria, cercheranno un lavoro in un'industria/ Non appena si laureano in Ingegneria, cercano un lavoro in un'industria

21.1.4. 1. farai, 2. Mi iscriverò, 3. Proverò, 4. mi sarò laureato, 5. andrò, 6. ti iscriverai, 7. andrò, 8. vedremo, 9. sarò diventato, 10. aprirò

Unità 22

22.1. *me lo*, me la, me li, me le; te lo, *te la*, te li, *te le*; glielo, gliela, *glieli*, gliele; glielo, gliela, glieli, *gliele*; *glielo*, gliela, *glieli*, gliele; ce lo, *ce la*, ce li, ce le; *ve lo*, ve la, ve li, *ve le*; glielo, *gliela*, *glieli*, gliele

22.2. 1. c, 2. a, 3. b, 4. a, 5. b, 6. c

22.3. 1. f, 2. e, 3. h, 4. g, 5. b, 6. a, 7. c, 8. d

22.4. 1. te le, 2. te la, 3. te li, 4. gliele, 5. telo, 6. gliela

22.5. 1. b (Ve lo), 2. d (Te la), 3. a (Me la), 4. e (Te li), 5. h (*portar*cele), 6. c (Ce l'), 7. g (glielo), 8. f (gliela)

22.6. 1. *Me li ha dati Lucia*, 2. Ve l'abbiamo restituita lo scorso mese, 3. Te le posso portare dopo cena, 4. Ce l'ha prestato Stefania, 5. Glieli ho richiesti due giorni fa, 6. Gliel'ha regalato suo marito

22.1.1. 1. a, 2. c, 3. b, 4. c, 5. a, 6. c

22.1.2. 1. se la, 2. Te lo, 3. *toglier*sele, 4. Ce li, 5. Ve la, 6. me lo, 7. Me li, 8. se lo

22.1.3. 1. a (Se li), 2. c (Ce lo), 3. e (ce la), 4. f (se li), 5. d (glielo), 6. b (me le)

22.1.4. 1. (Glielo) Gliele; 6. (Se li) Ce li; 8. (Me lo) Me la

Unità 23

23.1. 1. d-B, 2. a-C, 3. c-F, 4. e-A, 5. f-D, 6. b-E

23.2. a. *ci sono andata* (alla Valle dei Templi), b. ci è andata (in Piazza dei Miracoli), c. ci siamo stati (all'opera all'Arena), d. ci sono andata (ai Fori Imperiali), e. ci andrò (alla Pinacoteca di Brera), f. ci siamo stati (alla Cappella degli Scrovegni)

23.3. 1. *ci andiamo*, 2. Ci ritorniamo, 3. ci starò, 4. ci andavo, 5. ci ritorneremo, 6. ci vivo

23.4. Ci vado (alla stazione) perché...; Ci vado (al bar della stazione) tutti i giorni, perché...; ...o ci potrei andare (in ufficio) a piedi; ci vado (in questo ristorante) molto spesso, perché...; ...e ci rimango (in ufficio) fino alle sei circa; Ci vado (in questa palestra) a chiacchierare un po'

23.5. *ne prendo* (di pane pugliese), ne posso prendere solo due fette? (di torta di mele), ne prendo due etti (di prosciutto cotto), ne ho già comprati due etti (di prosciutto crudo), quanto ne vuole? (di formaggio Asiago), ne vuole assaggiare un po'? (di formaggio Asiago), ne

prendo tre etti (di formaggio Asiago)

23.6. 1. *ne conosco*, 2. ne voleva, 3. ne berranno, 4. ne corregge, 5. ne leggo, 6. ne abbiamo, 7. ne ho mangiato, 8. ne compreranno

23.7. 1. a (Ne *ho mangiata*), 2. d (li *ho mangiati*), 3. e (ne *abbiamo fatti*), 4. f (Ne *hanno comprati*), 5. b (ne *ho assaggiate*), 6. c (Ne *ho prese*)

23.8. 1. *Ci è andato a marzo*, 2. Ne ha quattro, 3. Ne ha mangiata mezza/la metà, 4. Ne voglio appendere due, 5. Ne ha fumate due, 6. Ci metto l'olio e l'aceto balsamico, 7. Ci va venerdì 7, 8. Ne ha bevuto uno

23.1.1. **a**: *ci penso = alla nostra storia*, non ci riesco = a credere che è finita, ci tenevo = a Luigi, non ci posso più credere = a tutte le sue promesse; **su**: ci ho sempre contato = sul tuo aiuto; **con**: non ci esco = con Giovanni; **di**: farci = dei suoi regali;

23.1.2. 1. *Anna ci sa giocare* (other uses: a), 2. Ci metterò il pesto (place), 3. Sara ci ha provato (other uses: a), 4. Matteo ci viene (place), 5. Franco e Mattia ci vanno (place), 6. Damiano ci crede (other uses: in), 7. Ci sei riuscito (other uses: a), 8. Secondo me, ci puoi contare (other uses: su)

23.1.3. 1. nell'astrologia e negli oroscopi, 2. su Maria, 3. in montagna, 4. con i colleghi dell'ufficio, 5. a quello che ha detto il portiere sui nostri vicini, 6. ad aprire il vino con questo cavatappi

23.1.4. 1. a (*Ne veniamo ora-dal museo*), 2. c (non ne ho voglia-di un bel piatto di spaghetti alla carbonara), 3. f (cosa ne pensi?-di quello che ha detto il direttore generale), 4. d (non ne abbiamo bisogno-di aiuto), 5. e (ne sia rimasta affascinata-da Raul Bova), 6. b (Ne deduco-da tutta questa brutta storia)

23.1.5. 1. *Ludovica ne è uscita due minuti fa*; 2. Marcella e Tina non ne avranno voglia; 3. Ne siete usciti distrutti ieri?; 4. La televisione e i giornali ne hanno parlato; 5. Ne conosco la storia; 6. La mamma ne rimarrà colpita

23.1.6. 1. *non n'è uscito*, 2. ne parlano sempre, 3. ne abbiamo bisogno, 4. non ne abbiamo voglia, 5. ne sono rimasta colpita, 6. non ne sono rimasta affascinata

23.2.1. 1. (*il pesce*) b, 2. (i biscotti) c, 3. (le ciliegie) a, 4. (la carne) d, 5. (i fiori) f, 6. (lo zucchero) e

23.2.2. 1. (alla stazione) ce l', 2. (nel forno) ce lo, 3. (al teatrino delle marionette) Ce li, 4. (in lavanderia) Ce le, 5. (conferenza di medicina) Ti ci, 6. (in centro) vi ci, 7. (a scuola) mi ci, 8. (a Ostia) ci

23.2.3. 1. f (*Ce li*), 2. d (ci), 3. e (ce l'), 4. a (vi ci), 5. c (Ce le), 6. b (ti ci), 7. h (mi ci), 8. g (ce la)

23.2.4. 1. *ce l'abbiamo*, 2. ce li abbiamo, 3. ce l'abbiamo, 4. ce li abbiamo, 5. ce l'ho, 6. ce le abbiamo

23.3.1. 1. a, 2. c, 3. b, 4. c, 5. b, 6. a

23.3.2. 1. e (se ne), 2. c (ve ne), 3. a (te ne), 4. b (se n'), 5. f (ce ne), 6. d (me ne)

23.3.3. 1. d (gliene), al bar; 2. c (gliene), in ufficio; 3. e (ve ne), a scuola; 4. a (se ne), in uno studio legale; 5. b (se ne), in un ambulatorio medico

23.4.1. 1a. *Ce ne sono rimasti tre*; 1b. *Non ce n'è rimasto nessuno*; 2a. Ce n'è una; 2b. Non ce n'è rimasta nessuna; 3a. Ce ne sono rimaste quattro; 3b. Ce ne sono rimaste tre; 4a. Ce ne sono rimasti tre; 4b. Non ce n'è rimasto nessuno; 5a. Ce ne sono rimaste due; 5b. Ce ne sono rimaste cinque; 6a. Ce ne sono rimaste tre; 6b. Ce ne sono rimaste sei

Unità 24

24.1. 1. c (*Attilio*), 2. d (Roberto), 3. e (Lorena), 4. b (Gianni), 5. a (Antonio)

24.2. 1. avrebbe, vivrebbe (La Gazzetta del Mezzogiorno); 2. vorrebbe (Il Mattino); 3. sarebbe (Il Messaggero); 4. risulterebbe (La Sicilia); 5. dovrebbe (il Resto del Carlino); 6. sarebbero (*Corriere della Sera*)

24.3. **1.** A: Farei, lascerei; B: Chiamerei, chiederei; C: Fermerei, chiederei; **2.** A: Crederei, telefonerei; B: crederei, farei; C: Crederei, chiederei; **3.** A: crederei, accetterei; B: Crederei, accetterei; C: Inizierei, cercherei

24.4. 1. andresti, 2. Potresti, 3. porteresti, 4. pagheresti, 5. telefoneresti, 6. prenderesti

24.5. 1. *Dovrebbe chiedere delle ferie, al suo posto andrei al mare*; 2. Dovresti fare un po' di sport, al tuo posto mi metterei a dieta; 3. Dovrebbe studiare veramente tanto, al suo posto andrei a ripetizione; 4. Dovrebbero vendere la loro casa, al loro posto chiederei un mutuo; 5. Dovreste bere molta acqua, al vostro posto indosserei solo vestiti di cotone o lino chiari

24.6. 1. (*potere*) potresti, 2. (volere) vorrebbero, 3. (avere) avrebbe, 4. (cambiare) cambieresti, 5. (stare) starei, 6. (venire) Verrei

24.1.1. *sarebbe piaciuto* (*piacere*), me ne sarei andato (andarsene), avrei lavorato (lavorare), sarei diventato (diventare), sarei rimasto (rimanere), sarei stato (essere), avremmo dovuto (dovere), avremmo potuto (potere)

24.1.2. 1. Sarei rimasta; 2. sarei andato/a; 3. avrebbero preferito; 4. avrebbe mangiato; 5. avrei trovato, sarebbe stata; 6. sarebbe uscita

24.1.3. 1. a (sarebbe venuto), 2. f (sarebbero arrivati), 3. b (avreste mandato), 4. d (avrebbe fatto), 5. c (avrebbe portato), 6. e (avrebbe tradito)

24.1.4. 1. *Mi sarei fermato anch'io*, 2. Gliel'avrei mostrata anch'io, 3. Avrei urlato anch'io, 4. Glieli avrei dati an-

ch'io, 5. L'avrei chiamata anch'io, 6. Lo sarei stata anch'io/Sarei stata contenta anch'io

24.1.5. 3. (mi accompagnerebbe) mi avrebbe accompagnato/a, 4. (avresti visto) vedresti, 6. (Sarei rimasta) Rimarrei, 8. (partiremmo) saremmo partiti

Unità 25

25.1. *Pronomi diretti forma debole*: Lo (frase 4), La (f. 7), la (f. 7), ti (f. 8); *Pronomi diretti forma forte*: me (f. 1), lei (f. 1), lei (f. 5), te (f. 6), lei (f. 6); *Pronomi indiretti forma debole*: farmi (f. 3); *Pronomi indiretti forma forte*: con lui (f. 2), a me (f. 3), a te (f. 4), a loro (f. 7), per te (f. 8),

25.2. 1. (con noi) e (con voi), 2. (a loro) f, 3. (a voi) b, 4. c (lei), 5. (te) a (per me), 6. (voi) d (noi)

25.3. 1. a te, 2. a lui, 3. per te, 4. me, 5. me, 6. te, 7. a lei, 8. A loro, 9. a me, 10. con te

25.4. 1. te; 2. lui; 3. te/me; 4. voi, noi; 5. voi; 6. me, lui

25.5. 1. *Giancarlo saluta me*; 2. Invitiamo loro alla festa di sabato sera?; 3. Gli zii accoglieranno te con tanta gioia; 4. Porteresti lei in spiaggia?; 5. Ringraziamo voi per tutto l'aiuto ricevuto; 6. Silvio ha mandato a lei un mazzo di fiori; 7. Perché avete raccontato a lui/(a) loro una bugia?; 8. L'insegnante spiegherebbe a noi solo la grammatica tedesca

Test 5

1. 1. scriverò, 2. porterà, 3. sarà, 4. scenderà, 5. faranno, 6. Ci sarà, 7. potranno, 8. farà, 9. potranno, 10. sparirà, 11. saranno, 12. passerà

2. 1. saranno *già* partiti, 2. avranno chiamato, 3. saranno usciti, 4. saranno arrivati, 5. saranno saliti, 6. sarà partito, 7. sarà arrivato, 8. avranno preso

3. 1. Me li, 2. glielo, 3. ve lo, 4. te le, 5. Ce la, 6. glieli, 7. se li, 8. *permettere*celo, 9. te la, 10. se l'

4. 1. ne (quantità), 2. Ne (quantità), 3. ci (altri usi), 4. ne (altri usi), 5. ci (luogo), 6. Ne (altri usi), 7. ci (luogo), 8. ne (quantità)

5. 1. gliene, 2. Me ne, 3. Ce n', 4. Ti ci, 5. ce ne, 6. te ne, 7. ce le, 8. ce l', 9. ce ne, 10. vi ci

6. 1. smetterei, 2. Comprerei, 3. cercherei, 4. Viaggerei, 5. Regalerei, 6. mi regalerei, 7. Darei, 8. donerei, 9. mi rivolgerei, 10. chiederei, 11. Organizzerei, 12. farei

7. 1. avrei smesso, 2. Avrei comprato, 3. avrei cercato, 4. Avrei viaggiato, 5. Avrei regalato, 6. mi sarei regalata, 7. Averi dato, 8. avrei donato, 9. mi sarei rivolta, 10. avrei chiesto, 11. Avrei organizzato, 12. avrei fatto

8. dovrebbe (consiglio/opinione personale), potrebbe

(dubbio/supposizione), piacerebbe (desiderio), vorrebbero (desiderio), farebbe (consiglio/opinione personale), passeresti (richiesta/invito cortese), daresti (richiesta/invito cortese)

Unità 26

26.1. *Equality*: 6; *Minority*: 2, 5, 7; *Majority*: 1, 3, 4, 8

26.2. 1. che, 2. che, 3. di, 4. che, 5. che, 6. di, 7. dei, 8. della

26.3. 1. *Tommaso è più giovane di Roberto*, 2. Roberto è meno alto di Tommaso, 3. Roberto ha più figli maschi che figlie femmine, 4. La famiglia di Tommaso è meno numerosa di quella di Roberto, 5. La macchina di Roberto è nuova come quella di Tommaso, 6. Tommaso ha meno gatti che cani

26.4. 1. Le vendite di case di quest'anno sono state meno alte di quelle dello scorso anno, 2. Per il tennista Gianni giocare a tennis è più divertente che giocare a golf, 3. Promettere è più facile che mantenere, 4. La maestra è stata più gentile con te che con me, 5. A scuola Domenico era bravo come Luisa, 6. La macchina del vicino è più veloce della nostra

26.1.1. *Relative superlative*: 1, 2, 6; *Absolute superlative*: 3, 4, 5, 7, 8

26.1.2. 1. molto ricca, 2. *il simbolo più famoso*, 3. l'*edificio* più alto, 4. lo *scrittore italiano* più noto, 5. il *ponte* più antico, 6. antichissime, 7. *bellissimi*, 8. la più famosa, 9. gli *altri luoghi o chiese* più rinomati, 10. pregiatissimi

26.1.3. 1. *La ... più estesa, b*; 2. Il ... più attivo, c; 3. Il ... più alto, b; 4. La ... più popolosa, b; 5. Il ... più lungo, a; 6. La ... più vasta, c; 7. La ... più povera, c; 8. Il ... più grande, b

26.1.4. 1. *ricchissimo*, 2. grandissima, 3. bellissima, 4. carissima, 5. lussuosissima, 6. costosissimi, 7. elegantissimi, 8. lunghissimo

26.2.1. buono: migliore, il migliore, *ottimo*; **cattivo**: peggiore, *il peggiore*, pessimo; **grande**: *maggiore*, il maggiore, massimo; **piccolo**: minore, *il minore*, minimo; **alto**: superiore, il superiore, *supremo*; **basso**: inferiore, l'inferiore, *infimo*

26.2.2. 1. *più buoni: migliori*; 2. buonissima: ottima, cattivissima: pessima; 3. la più grande: la maggiore, la più piccola: la minore; 4. più bassi: inferiori; 5. più alto: superiore, più basso: inferiore; 6. bassissimo: infimo; 7. grandissima: massima; 8. più grande: maggiore

26.2.3. 2. (più migliore) migliore, 5. (minimissima) minima, 8. (il più massimo) il massimo

Unità 27

27.1. andare: va'/vai-non andare, andiamo-non andiamo, andate-non andate; **fare**: fa'/fai-non fare, facciamo-non facciamo, fate-non fate; **stare**: sta'/stai-non stare, stiamo-non stiamo, state-non state; **avere**: abbi-non avere, abbiamo-non abbiamo, abbiate-non abbiate

27.2. 1. guardate, 2. non urlate, 3. siate, 4. fate, 5. dite, 6. usate, 7. non ordinate, 8. non fumate

27.3. 1. *leggi*, 2. scrivi, 3. Non mangiare, 4. non bere, 5. ascolta, 6. telefona

27.4. 1. vieni; 2. chiudi; 3. aprite, ripetete; 4. parla; 5. Leggete, completate; 6. va'/vai; 7. Ascoltate, rispondete; 8. Fate

27.5. 10: 1. Non superate il limite di velocità..., 2. Non fate retromarcia in autostrada; **5**: 3. Non passate con il semaforo rosso, 4. Osservate lo stop; **4**: 5. *Usate gli occhiali da vista...*, 6. Non usate il telefonino, 7. Allacciate le cinture di sicurezza, 8. Date la precedenza

27.6. 1. Facciamo, 2. sta'/stai, 3. abbi, 4. sii, 5. andiamo, 6. fa'/fai

27.1.1. 1. a, 2. e, 3. b, 4. c, 5. f, 6. d

27.1.2. 1. telefonatemi, 2. chiedilo, 3. comprateli, 4. Chiedici, 5. mangiane, 6. Alzatevi, 7. tornaci, 8. Pensaci/Pensiamoci/Pensateci

27.1.3. 1. d (Fallo), 2. c (Dammi), 3. b (Dallo), 4. a (Dillo), 5. f (vallo), 6. e (Stacci)

Unità 28

28.1. *ami*, ami, ami, amiamo, amiate, amino; prenda, prenda, prenda, prendiamo, prendiate, *prendano*; parta, parta, *parta*, partiamo, partiate, partano; spedisca, spedisca, spedisca, *spediamo*, spediate, spediscano

28.2. sapere (*sappiano*): sappia, sappia, sappia, sappiamo, sappiate, *sappiano*; **bere** (bevano): beva, beva, beva, *beviamo*, *beviate*, bevano; **dovere** (debba): debba, debba, debba, *dobbiamo*, dobbiate, *debbano*; **uscire** (escano): *esca, esca, esca*, usciamo, usciate, escano; **dare** (dia): dia, dia, dia, diamo, *diate*, diano; **essere** (sia): sia, sia, sia, *siamo, siate*, siano; **dire** (dica): dica, dica, dica, *diciamo*, diciate, *dicano*; **avere** (abbia): abbia, abbia, abbia, abbiamo, *abbiate*, abbiano

28.3. 1. c (*abbiano rubato-rubare*), 2. a (siano *appena* tornati-tornare), 3. e (sia andata-andare), 4. b (abbia trovato-trovare), 5. d (abbia vinto-vincere)

28.1.1. mangiare: *io, tu mangiassi*; **essere**: lui/lei/Lei fosse; **prendere**: noi prendessimo; **stare**: voi steste; **avere**: voi aveste; **volere**: loro volessero; **venire**: noi venissimo; **dare**: io, tu dessi

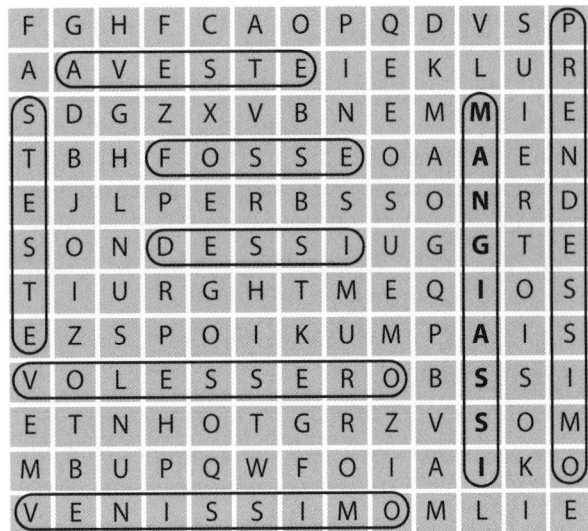

28.1.2. 1. lei, 2. Paola e Nora, 3. la figlia, 4. io, 5. Pietro

28.1.3. 1. (fosse potuto - potere) d, 2. (fosse venuta - venire) e, 3. (avesse detto - dire) b, 4. (fosse partito - partire) a, 5. (avessi già mangiato - mangiare) c

28.2.1. 1. abbia, 2. capisca, 3. vada, 4. riposi, 5. sia, 6. cerchiamo, 7. possa, 8. stiano, 9. vogliano, 10. sia

28.2.2. 1. parta; 2. leggano, giochino, guardino; 3. riesca; 4. faccia; 5. escano; 6. dia; 7. abbia; 8. siano

28.2.3. 1. ...abbiano fatto una corsa ai giardini, 2. ...abbia riparato la macchina, 3. ...abbia avuto dei problemi in ufficio, 4. ...abbia mangiato troppi cioccolatini, 5. ...siano partiti per le vacanze, 6. ...abbia ricevuto la lettera di licenziamento

28.2.4. 1. piovesse, 2. venissero, 3. portasse, 4. scendessi, 5. facessi, 6. capissi, 7. potessi, 8. avesse

28.2.5. 1. aveste venduto, 2. fossimo vissuti, 3. fossi già andato, 4. avesse superato, 5. avessero comprato, 6. avessi preso

28.2.6. 1. Nonostante/Sebbene, 2. a meno che, 3. perché, 4. a condizione che, 5. Prima che, 6. Nonostante/Sebbene

28.2.7. 1. ...Paola sia molto stanca e depressa, 2. ...Lorenzo e Stefania non abbiano problemi a scuola, 3. ...Patrizia venga in campagna con me e Roberto, 4. ...Dario debba avere più pazienza con i suoi colleghi, 5. ...oggi gli autobus non siano passati perché c'è stato lo sciopero, 6. ...Lucio non abbia superato l'esame d'avvocato

28.2.8. 1. Era meglio che Luisa e Giovanni tornassero a casa subito dopo il ristorante, invece di andare in discoteca; 2. Marta, qualsiasi cosa faccia la finisce sempre; 3. Abbiamo paura che queste biciclette non si possano aggiustare; 4. Chiunque sporchi i muri della classe, poi li deve pulire; 5. Ci dispiace che Marco non venga con noi; 6. Non sapevo che Agnese fosse brava a sciare;

7. Pensiamo che Gina si sia arrabbiata; 8. Non penso che bastino 10 euro per comprare quel CD

Unità 29

29.1. smetta (smettere), senta (sentire), non mi disturbi (disturbare), lasci (lasciare), scusi (scusare), dia (dare), venga (venire)

29.2. 1. Ripeta, cerchi, Si impegni (regista teatrale); 2. si pieghi, tenga, non pieghi (istruttore di ginnastica); 3. scriva, invii, Sia (dirigente); 4. Mi dia, non alzi, si ricordi (vigile urbano)

29.3. 1. allacci, 2. accenda, 3. metta, 4. si immetta, 5. Continui, 6. giri, 7. Prosegua, 8. prenda, 9. metta, 10. si fermi

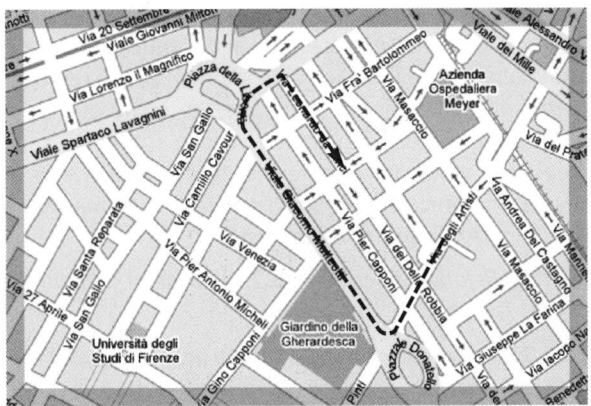

29.4. 1. Eviti, 2. esca, 3. vada, 4. beva, 5. Mangi, 6. elimini, 7. Indossi, 8. usi

29.5. 1. Vada a fare una passeggiata al parco, 2. Ordini del cibo in rosticceria, 3. Prenda della valeriana, 4. Esca con qualche amica, 5. Prenoti una visita di controllo dall'oculista, 6. Venga a trovarci

29.6. 1. li metta, 2. la sistemi, 3. Si sieda, 4. ne prenda, 5. lo faccia, 6. lo congeli, 7. le lasci, 8. le porti

Unità 30

30.1. 1. (qualcuno) a (nessuno); 2. (tante) d (tutti); 3. (qualcosa) f (niente); 4. c (nessun, qualunque, ogni); 5. (qualsiasi) b; 6. e (alcuni, altri)

30.2. Indefinite adjectives: tanta, tutti, molti, ogni, alcuni, altre, tante, alcuni; Indefinite pronouns: ciascuno, qualcuno, tutti, chiunque, troppi; Indefinite adverbs: molto, un po'

30.3. 1. qualche; 2. Ognuno, ogni; 3. qualcosa; 4. Chiunque; 5. nessun, 6. una, 7. Qualunque, 8. qualsiasi

30.4. 1. molto, 2. tanti, 3. troppi, 4. pochi, 5. nessun, 6. nessun, 7. qualche, 8. alcuni

30.5. 1. ogni, 2. qualcuno, 3. molte, 4. qualsiasi, 5. altro, 6. niente, 7. tutti. *Soluzione:* Galilei

Test 6 ●●●₀₀

1. *Minority:* 4 (della); *Equality:* 1 (come/quanto), 8 (come/quanto); *Majority:* 2 (che), 3 (che), 5 (di), 6 (di), 7 (che)

2. 1. molto allarmante, 2. vecchissimo, 3. il *paese* più vecchio, 4. l'*indice di vecchiaia* più alto, 5. la *speranza di vita* più lunga, 6. la *popolazione* più anziana, 7. il *tasso di fecondità* più basso, 8. Gli *uomini* più longevi, 9. grandissima, 10. la più grande

3. 1. Bevete, Evitate, 2. Non esponetevi, 3. ricordatevi, mettetevi, 4. Usate, continuate, usate

4. 1. dica, 2. si organizzi, 3. mangi, 4. Eviti, 5. si sazi, 6. compri, 7. Si pesi, 8. prenda

5. 1. Si sieda, 2. Dammi, 3. Mi passi, 4. spenga, 5. lo porti, 6. non scottarti, 7. prenda, 8. Beva, 9. dimmi, 10. assaggi

6. 1. avesse, 2. sia, 3. faccia, 4. fosse, 5. volesse, 6. sposasse, 7. potessero, 8. cambiasse, 9. vadano, 10. sia

7. 1. (fosse andata) c; 2. (avesse mangiato) a; 3. (abbia guidato) f; 4. (vi siate divertiti/e) e; 5. (aveste fatto) b; 6. (siano stati) d

8. 1. abbia *mai* visitato, 2. avessi scritto, 3. era, 4. impari, 5. sia andato, 6. sono separati, 7. venissero, 8. faccia

9. 1. Speriamo, 2. Credo, 3. ha risposto, 4. teme, 5. Sembra, 6. desideravano, 7. Credevo, 8. Pensavamo

10. 1. qualche (adj.), 2. Ogni (adj.), 3. qualsiasi (pron.), 4. qualcosa (pron.), 5. qualcuno (pron.), 6. Ognuno (pron.), 7. Chiunque (pron.), 8. nessuno (pron.)

11. 1. tanti, 2. troppi, 3. altro, 4. pochi, 5. nessuno, 6. altra, 7. altra, 8. molto, 9. tanto, 10. molto

Unità 31 ●●●₀₀

31.1. *Luchino Visconti:* 1 (si affermò - affermarsi), 4 (diresse-dirigere), 8 (fu-essere); *Sorelle Fontana:* 2 (fondarono-fondare), 6 (disegnarono-disegnare), 9 (crearono-creare); *Giotto:* 3 (affrescò-affrescare), 5 (progettò-progettare), 7 (dipinse-dipingere)

31.2. 1. raggiunsero, 2. si svolsero 3. votarono, 4. dovettero, 5. scelse, 6. elessero, 7. ottennero, 8. furono

31.3. 1. nacque, 2. compose, 3. partecipò, 4. fu, 5. compose, 6. elaborò, 7. morì, 8. si sposò, 9. ebbe; *Order of sentences: 1, 3, 5, 6, 7, 8, 4, 2*

31.4. Mi presentai, parlai, feci, raccontai, ebbi, *Ti* chiesero, *mi* chiesero, *mi* dissero

31.5. 1. trovarono, 2. disse, 3. disse, 4. disse, 5. si inginocchiarono, 6. diedero, 7. Cominciarono, 8. venne, 9. fu, 10. domandò, 11. disse, 12. disse, 13. disse, 14. portò, 15. si accorsero, 16. cominciarono, 17. lasciarono

31.6. 1. (dipinse) B; 2. (compose) C; 3. (morì) H; 4. (scrisse) D; 5. (scolpì) E; 6. (diresse) A; 7. (nacque) F; 8. (progettò) G

31.7. *mi* si avvicinò, notai, si sedette/si sedè, cominciò, incontrai, decidemmo, mi fidanzai

Unità 32

32.1. 1. avevano bevuto, 2. aveva smesso, 3. avevamo prestato, 4. erano nati, 5. avevo chiesto, 6. aveva *sempre* perdonato

32.2. 1. avevano cambiato, 2. avevano innaffiato, 3. Avevano mangiato, 4. Avevano rovinato, 5. Erano andati, 6. avevano pulito

32.3. 1. e (*si era addormentato*); 2. d (era finito); 3. f (ero *già* uscito/a); 4. b (avevano risparmiato); 5. c (aveva tradita); 6. a (avevamo conosciuto)

32.4. 1. Si era svegliata, 2. avevo visto, 3. aveva portato, 4. avevo bevuto, 5. era durato

32.5. 1. *c'*eri *già* andata, 2. *l'*avevi *già* vista, 3. avevi *già* bevuto, 4. avevi *già* mangiato, 5. eri *già* uscita, 6. *c'*eravamo *già* lasciati

Unità 33 ●●●₀₀

33.1. 1. (aveste finito) b; 2. (ebbe terminato) e; 3. (ebbe studiato) f; 4. (ebbero riconosciuto) c; 5. (furono usciti) d; 6. (ci fummo riposati) a

33.2. 1. ebbe visto, 2. fu entrato, 3. ebbe trovato, 4. ebbe finito, 5. ebbe imparato

33.3. 1. *Quando Romeo vide la villa di Tonino, ...;* 2. Dopo che Lisa e Tommaso avevano riordinato le loro camere, ...; 3. Dopo che Damiano aveva scritto un'e-mail a Daniela, ...; 4. Quando ricevetti la tredicesima, ...; 5. Lorenzo accarezzò il gatto...; 6. Finché non erano usciti tutti i bambini da scuola, ...

Unità 34

34.1. *Before:* 2, 4, 7, 8; *Same:* 3, 6; *After:* 1, 5

34.2. 1. sta mangiando, 2. perderà, 3. abitava, 4. è partito, 5. telefoneranno, 6. sto uscendo

34.3. 1. aveva parlato, 2. ero, 3. sarei andata, 4. avevi lavorato, 5. ti saresti pentito, 6. arrivavano

Chiavi

34.4. 1. parla/parlerà/ha parlato, 2. parla/parlerà, 3. ha parlato/ parlò, 4. aveva avuto/ebbe, 5. avrà/ha, 6. ha

34.5. 2. (era partito) sarebbe partito/partiva, 4. (arrivavano) arriveranno/arrivano, 5. (ci sarebbe stato) ci sarà/c'è, 6. (dovevo) devo

Unità 35

35.1. *Before*: 2, 3, 4; *Same*: 5, 7, 8; *After*: 1, 6

35.2. 1. abbia superato, 2. facesse, 3. avesse chiesto, 4. aveste avuto, 5. veniate, 6. dia, 7. uscisse, 8. andasse

35.3. 1. sapessimo, 2. consumi, 3. fosse, 4. parlaste, 5. partissi, 6. debba

35.4. 1. sia stato, 2. foste andati/e, 3. abbia avuto, 4. avessi chiesto, 5. abbia incontrato, 6. abbiano nascosto

35.5. 1. possa, 2. trovi, 3. inizi, 4. ritorni, 5. bevesse, 6. fumasse, 7. fosse, 8. fosse coinvolto, 9. abbia conosciuto, 10. avesse perso

Test 7

1. 1. nacque, 2. diffuse, 3. dovette, 4. pubblicò, 5. espose, 6. costrinse, 7. diventò, 8. ebbe

2. 1. sposò, 2. ebbe, 3. si unì, 4. ebbe, 5. fuggì, 6. andò, 7. partecipò, 8. fallì, 9. decise, 10. partecipò, 11. aiutò, 12. partì, 13. vinse, 14. morì

3. 1. aveva fatto, 2. aveva conosciuto, 3. aveva incontrato, 4. si era sposato, 5. aveva dedicato, 6. aveva assorbito, 7. aveva lasciato, 8. erano passati

4. 1. (ebbero letto) f; 2. (ebbe pulito) a; 3. (ebbe parlato) e; 4. (ebbero discusso) b; 5. (aveva litigato) c; 6. (aveva sentito) d

5. 1. Quando gli attori finirono di recitare, ...; 2. Lisa tornò a casa...; 3. Quando Giovanni seppe la verità, ...; 4. Finché non interrogò tutti i sospettati, ...; 5. Franco prima litigò con Giulia...; 6. Daria prima visitò Roma...

6. 1. era, 2. abitava, 3. andavano, 4. aveva, 5. si sentiva, 6. scoprì, 7. venivano, 8. giravano, 9. erano finite, 10. sentì, 11. aveva acceso, 12. arrivarono, 13. provò, 14. vide, 15. capì, 16. si riempì (si era riempita), 17. era, 18. arrivò

7. *Before*: 4, 8; *Same*: 2, 3; *After*: 1, 5, 6, 7

8. 1. è successo, 2. avevi promesso (hai promesso), 3. saresti arrivata, 4. è accaduta, 5. leggevo, 6. è entrato, 7. ho finito, 8. ha chiesto, 9. leggeva, 10. ho guardato, 11. mi sono accorta, 12. era, 13. faceva, 14. era, 15. si era sposato (si è sposato), 16. era diventato (è diventato), 17. ha invitato/a, 18. nasce/nascerà

9. *Before*: 3 (sia stata), 5 (avesse avuto); *Same*: 2 (dovessimo), 6 (voglia), 7 (avesse), 8 (lavori); *After*: 1 (rimanga), 4 (desse)

Unità 36

36.1. *Interrogative adjectives*: quanta (2), quali (5); *Interrogative pronouns*: chi (1), che cosa (4), che (8); *Interrogative adverbs*: perché (3), come (6), quando (7)

36.2. 1. Quale (La Banca Unicredit), 2. Dove (Si trova in Via degli Scipioni), 3. Che (Erano le tre e un quarto), 4. Chi (Un passante), 5. Che cosa (Ha preso il numero di targa dell'auto dei rapinatori), 6. Quanti (Ne hanno preso uno)

36.3. 1. (Chi) g, 2. (Quando) f, 3. (Dove) e, 4. (Perché) c, 5. (*Qual*) b, 6. (Quali) h, 7. (Quante) a, 8. (Che cosa) d

36.4. 1. come sta, 2. dove siete stati, 3. Quanti giorni siete stati via?, 4. Con quale compagnia aerea avete viaggiato?, 5. Con chi siete andati?

Unità 37

37.1. 1. Se Gino risparmiasse, potrebbe comprarsi una macchina (Second type); 2. Se domani verrete a casa mia, vi preparerò gli spaghetti alla carbonara (First type); 3. Se avessi usato bene la macchina fotografica, non si sarebbe rotta (Third type); 4. Se avessi ascoltato i miei consigli, non avresti perso il lavoro (Third type); 5. Se Lino e Paola andranno al mare, si riposeranno di sicuro (First type); 6. Se non avesse fatto così freddo, sarei andata a teatro (Third type)

37.2. 1. *Si alzeranno presto*, 2. Andranno al lago Maggiore, 3. prenderanno il sole, 4. All'una mangeranno un panino, 5. Nel pomeriggio faranno una gita in barca all'Isola Bella

37.3. 1. *prende*/prenderà, *si sposa*/sposerà; 2. mangi/ mangerai, hai/avrai; 3. sogni/sognerai, allunghi/allungherai; 4. si posa, avrai; 5. passi, sarai; 6. tocchi/toccherai, tieni/terrai

37.4. 1. lasciasse, 2. andasse, 3. avrebbe, 4. potrebbe, 5. vivesse, 6. farebbe, 7. coltiverebbe, 8. vivesse, 9. andrebbe, 10. comprerebbe, 11. si trasferisse, 12. passeggerebbe

37.5. 1. *Se quel vestito non fosse caro, lo comprerei*; 2. Se tu e Gianni non fumaste (così) tanto, non avreste sempre la tosse; 3. Se Franco si curasse, non avrebbe sempre mal di stomaco; 4. Se Luisa e Tonino non abitassero lontano, li vedremmo più spesso; 5. Se Paolo studiasse, non prenderebbe brutti voti; 6. Se non avessi sempre poco tempo per riposarti, non saresti sempre stanco

37.6. 1. lavorerei, 2. ci saremmo bagnati, 3. sarei stata/ saresti stata, 4. sarei, 5. avremmo perso, 6. avrei lasciato

37.7. 1. *Se avesse spento il forno, l'arrosto non si sarebbe bruciato*; 2. Se non avesse parcheggiato in divieto di sosta, non avrebbe preso la multa; 3. Se avesse chiuso il rubinetto dell'acqua, la casa non si sarebbe allagata; 4. Se fosse stata più delicata, non si sarebbe rotto il vaso; 5. Se non si fosse seduta sulla panchina appena verniciata, non si sarebbe sporcata il vestito; 6. Se non avesse chiacchierato a lungo al telefono, non avrebbe rovinato la camicetta con il ferro da stiro; 7. Se non avesse buttato la sigaretta ancora accesa, non si sarebbe incendiato il parco

37.8. 1. fossi stata, 2. mi sarei rotta, 3. potrei/potrò, 4. fossi/sarò, 5. verrai/venissi, 6. ci divertiremo/ci divertiremmo, 7. potessi/potrai, 8. mi dispiacerebbe/mi dispiacerà

Unità 38

38.1. 1. *Viaggiare allarga la mente*, 2. Lo studio è importante, 3. Amo molto leggere, 4. Il lavoro stanca, 5. Il fumo fa male alla salute, 6. Nuotare fa bene a tutti

38.2. 1. Usare/Utilizzare, 2. Non portare, 3. Abituare, 4. Utilizzare/Usare, 5. Regolare, 6. Non fare

38.3. 1. b (a), 2. d (a), 3. c (di), 4. a (di), 5. f (di), 6. e (a)

38.4. 1. d (di), 2. a (di), 3. e (a), 4. c (a), 5. b (di), 6. f (a)

38.5. 1. Prima di mangiare, 2. Prima che *tu* parta 3. prima che *il concerto* finisse, 4. prima che arrivaste, 5. Prima di uscire, 6. Prima che *tu* vada

38.6. 1. *Dopo aver letto il giornale*, 2. Dopo aver tagliato l'erba, 3. Dopo aver studiato geografia, 4. Dopo aver mangiato un panino, 5. Dopo essere andati in pizzeria, 6. Dopo essere andato dal medico di famiglia

38.1.1. 1. cause, 2. time, 3. concession, 4. concession, 5. condition, 6. manner

38.1.2. 1. mentre andava in bicicletta, 2. *mentre leggeva il giornale*, 3. mentre si mette lo smalto, 4. mentre ascoltano la radio, 5. mentre attraversava la strada, 6. mentre sciava

38.1.3. 1. *Essendo arrivato in ritardo*, ...; 2. Non avendo capito la lezione, ...; 3. Avendo abitato in Francia per dieci anni, ...; 4. Avendo finito di studiare, ...; 5. Avendo rivisto Teresa, ...; 6. Dovendo partire, ...; 7. Avendo litigato con la sua fidanzata, ...; 8. Essendo stanco, ...

38.1.4. 1. (*Pur avendo un'ottima preparazione*, ...) c; 2. (Pur incontrandola tutti i giorni, ...) d; 3. (Pur andando in macchina al lavoro, ...) f; 4. (Pur avendo bevuto molto, ...) e; 5. (Pur non parlando l'inglese, ...) a; 6. (Pur avendo perso tutto, ...) b

38.1.5. 1. scusandosi, 2. lasciando, 3. scendendo, 4. guardando, 5. leggendo, 6. piangendo

38.1.6. 1. Facendo molta ginnastica ,...; 2. Lavorando tanto, ...; 3. Se potessi, ...; 4. Leggendo la lettera di Lorenzo, ...; 5. Se volessi, ...; 6. Avendo i soldi, ...

38.2.1. 1. *I candidati che risiedono all'estero non sono ammessi al concorso*; 2. La questione che riguarda gli elettori all'estero...; 3. L'elenco che comprende tutti gli impiegati...; 4. Gli studenti che appartengono alle classi meno abbienti...; 5. Gli stranieri che provengono dai paesi extracomunitari...; 6. La dottoressa Tomasi, che ha la funzione di vicedirettore, ...

38.2.2. 1. (Finito) e, 2. (Raccontata) c, 3. (Ritornati/e) d, 4. (Rimaste) b, 5. (Arrivati) a

38.2.3. 1. *Riordinata la sua stanza*, ... (*time*); 2. Chiarito il problema con sua moglie, ... (cause); 3. Ricevuti molti soldi dagli zii, ... (cause); 4. Riparata la bicicletta, ... (time); 5. Sentito uno strano rumore, ... (cause); 6. Arrivata in piscina, ... (time)

Unità 39

39.1. **1)** *fu costruito* (costruire), *passato remoto*; fu inaugurato (inaugurare), passato remoto; è stato distrutto (distruggere), passato prossimo. *Soluzione*: Venezia; **2)** è considerato (considerare), presente indicativo; era stato costruito (costruire), trapassato prossimo. *Soluzione*: Firenze; **3)** Fu costruito (costruire), passato remoto; era ultimato (ultimare), imperfetto; fu rappresentata (rappresentare), passato remoto. *Soluzione*: Napoli; **4)** Fu fondato (fondare), passato remoto; fu progettato (progettare), passato remoto; Fu inaugurato (inaugurare), passato remoto; è stata riproposta (riproporre) passato prossimo. *Solution*: Milano

39.2. **1)** *Venne costruito*, venne inaugurato; **2)** viene considerato; **3)** Venne costruito, veniva ultimato, venne rappresentata; **4)** Venne fondato, venne progettato, venne inaugurato

39.3. 1. *I denti vanno lavati tre o quattro volte al giorno*; 2. Questi prodotti andavano conservati in frigo, adesso sono andati a male; 3. Questa medicina non va data ai bambini di età inferiore ai 3 anni; 4. Signorina, questo documento andrebbe tradotto al più presto; 5. Questo libro va letto con molta attenzione, se si vuole capire bene la trama; 6. Questi pagamenti vanno fatti alla posta entro domani; 7. Credo che questi dati vadano consegnati al direttore; 8. Le domande per l'ammissione al concorso andranno consegnate entro e non oltre il 30 marzo

39.4. 1. *veniva invitata*, 2. va fatto, 3. andava spedita, 4. va lavata, 5. verranno licenziati, 6. viene interpretato

Chiavi

39.5. 1. *si distribuiscono, matrimonio* (a); 2. si dà, Epifania (d); 3. si preparano, Carnevale (b); 4. si comprano, Natale (e); 5. si mangiano, Pasqua (c)

39.6. 1. *non si beve il vino rosso con il pesce*, 2. non si mangiano gli spaghetti con il cucchiaio, 3. si prende la grappa come digestivo, 4. non si mette il Parmigiano Reggiano sul risotto ai frutti di mare, 5. non si finisce il pasto con un cappuccino, 6. si cuoce la pasta al dente

39.7. 1. è *stata allargata*, 2. è stato ingrandito, 3. sono stati trasformati, 4. è stata demolita, 5. sono stati costruiti, 6. sono stati piantati

39.8. 1. è *stato evacuato*, è stata trovata (b); 2. saranno/verranno sostituiti, saranno/verranno posizionati, sarà/verrà impiegata (d); 3. è stata investita, era stata *già* investita, era *già* stata ricoverata (a); 4. saranno/verranno aumentati (c)

39.9. 1. sono/vengono ordinati, 2. sono/vengono acquistate, 3. sono/vengono letti, 4. sono/vengono venduti, 5. (sono/vengono) regalati, 6. sono/vengono usati, 7. sono/vengono investiti

Unità 40

40.1. 1. *Il mio nome è Roberto Taramelli*; 2. Vivo con la mia famiglia in via Puccini 54 a Lugo di Romagna, provincia di Ravenna; 3. Lavoro come impiegato nel negozio di mio padre; 4. Oggi, 12 novembre, alle nove ero al cinema da solo a vedere un film di Spielberg; 5. Mi sono addormentato durante il film, così non sono in grado di raccontarne la trama; 6. Poi ho preso l'autobus 10 per andare a casa, 7. Sono arrivato a casa verso mezzanotte, ho bevuto un bicchiere di vino con mia moglie e sono andato a letto verso l'una

40.2. 1. Mi sono appena laureata; 2. ho trovato lavoro in una biblioteca; 3. mi sono fidanzata con Roberto; 4. Ho conosciuto Roberto, il mio fidanzato, all'università; 5. è un ingegnere e lavora all'IBM; 6. ci sposeremo l'anno prossimo; 7. abbiamo comprato casa e la stiamo arredando

40.3. 1. *Il caporale gli ordina di fare i letti*, 2. Il caporale ordina al soldato Tosi di riordinare il suo armadio, 3. «Soldati Poverelli e Tosi, pulite il pavimento della cucina», 4. «Radetevi», 5. Il caporale ordina al soldato Poverelli di fare 40 flessioni

40.4. 1. *L'agente immobiliare ha detto che era uno degli appartamenti più belli che aveva in vendita*; 2. Ha detto che era in ottimo stato ed era un appartamento davvero moderno con tutti i comfort; 3. Ha detto che quell'appartamento apparteneva ad un'anziana signora che l'aveva lasciato in eredità al suo unico nipote; 4. Ha detto che il nipote sarebbe voluto venirci ad abi-

tare, ma vivendo in un'altra città era impossibile per lui trasferirsi con la famiglia; 5. Ha detto che il nipote aveva quindi deciso di vendere la casa; 6. Ha detto che il prezzo dell'appartamento era alto, 300.000 euro, ma il nipote, il proprietario, era disposto a trattare, quindi a ridurlo

40.5. 1. Alle *previsioni del tempo* hanno detto che sarebbe piovuto nell'Italia settentrionale e che avrebbe nevicato su tutto l'arco alpino; 2. A *Che tempo che fa* di Fabio Fazio, Alberto Bevilaqua ha detto che era un piacere essere lì e avere la possibilità di presentare il suo ultimo libro; 3. Alla *telecronaca della gara di slalom di sci* hanno detto che Giorgio Rocca era arrivato ancora primo nel quinto slalom della Coppa del mondo di sci; 4. Alla *Domenica Sportiva* hanno detto che nella partita di ritorno del campionato l'Inter aveva battuto il Milan 3-2; 5. Al *telegiornale* la conduttrice ha detto che il sindaco di Roma aveva nuovamente vinto le elezioni

40.1.1. 1. «*Vive negli Stati Uniti?*», 2. «Viaggia da solo?», 3. «Ha fatto da solo i bagagli?», 4. «Qualcuno le ha chiesto di portare qualcosa?», 5. «Ha intenzione di stare a lungo negli Stati Uniti?», 6. «Ha parenti o amici negli Stati Uniti?», 7. «Ha tanto denaro con sé?», 8. «Dove pensa di alloggiare?»

Test 8

1. 1. Quale tipo di musica preferite ascoltare tu e Giovanni?; 2. Chi ha visto Gianni ieri alla riunione?; 3. A che ora inizia il concerto di musica classica domani sera?; 4. Qual è la vostra città italiana preferita?; 5. Quando arriva l'aereo di Teresa e Luigi da Londra?; 6. Perché Marcella non va dal dentista a farsi curare il dente?

2. 1. a (passeresti); 2. (dovessi) b (potresti/potremmo); 3. e (arriverebbero); 4. d (chiederei); 5. c (ci impiegherei/ci impiegheresti); 6. f (avrei)

3. 1. fossi stato, 2. avresti avuto, 3. avesse studiato, 4. sarebbero stati, 5. avessi dato, 6. sarebbe migliorato, 7. avessi saltato, 8. sarebbero stati

4. 1. si danno, 2. si fanno, 3. si dicono, 4. si danno, 5. si fanno, 6. si rovescia, 7. si esce, 8. si sbatte

5. *viene considerato* (considerare), *presente indicativo*; furono criticati (criticare), passato remoto; venne presentata (presentare), passato remoto; furono progettate (progettare), passato remoto; era tenuto (tenere), imperfetto indicativo; venivano indossati (indossare), imperfetto indicativo; venne ucciso (uccidere), passato remoto; venne celebrato (celebrare), passato remoto

6. 1. Leggere... (noun), 2. Mantenere... (verb), 3. Non tirare... (verb), 4. Piangere... (noun), 5. Curare i suoi... (noun), 6. Non parlare... (verb)

7. 1. (a) h; 2. (a) d; 3. (di) a; 4. (a) g; 5. (di) f; 6. c; 7. (a) b; 8. (di) e

8. 1. Leggendo, ... (manner); 2. Ripetendo più volte... (condition); 3. Se volete, ... (condition); 4. ...Ti risponde sempre con il sorriso (manner); 5. Sbagliando... (manner); 6. Ubbidendomi, ... (condition)

9. 1. Facendo la spesa... (time); 2. Avendo mal di gola, ... (cause); 3. Pur avendo abitato in Olanda per un anno, ... (concession); 4. Avendo bevuto troppo vino ieri sera, ... (cause); 5. Pur essendo l'ultimo, ... (concession); 6. Pur essendo molto stanco, ... (concession); 7. Passeggiando al parco, ... (time); 8. Essendo uscito dal cinema, ... (time)

10. 1. Guadagnati tanti soldi, ... (cause); 2. Ricevuta la telefonata del marito, ... (cause); 3. Finito il viaggio di lavoro negli Stati Uniti, ... (time); 4. Comprati i biglietti per il concerto, ... (time); 5. Svegliatisi molto presto, ... (cause); 6. Tutti i sabati, lavata la macchina, ... (time)

11. 1. quella era una rapina; 2. di mettere i soldi in una borsa; 3. non suonare l'allarme; 4. di agire con naturalezza; 5. usciva a mangiare una pizza con le colleghe; 6. era pronta; 7. pasta era nel forno a microonde; 8. l'arrosto era nel forno; 9. di non guardare troppa televisione; 10. di studiare; 11. aveva telefonato la zia Tina; 12. di richiamarla; 13. lì andava tutto bene; 14. era bellissimo; 15. facevano tanti bagni; 16. prendevano tanto sole; 17. bambini erano contenti; 18. si divertivano; 19. di non lavorare troppo

Via dei Verbi 1 (A1-B1) is a guide on the most commonly used verbs in the Italian language. The volume presents a useful multilingual dictionary, on which the auxiliary verb and an example phrase are provided for each verb. Following, there are exercises divided by level and by letter. Grammar tables of verb formation and tense accordance can be found in the appendices, as well as answer keys, making this a useful tool for self-studying.

All the activities in interactive form can be found on i-d-e-e.

Via delle preposizioni e dei pronomi (A1-A2)

Theory and activities to practice the use of prepositions and pronouns.

Three sections:

- Le preposizioni, 25 chapters interspersed with 7 progress tests that allow you to monitor the learning process
- I pronomi, 12 chapters interspersed with 3 progress tests
- Infogramma, easy-to-use grammar tables on the uses and functions of Italian prepositions and pronouns; mini quizzes after each table make the consultation more dynamic and active

Collana Primiracconti

letture semplificate per studenti stranieri

The Primiracconti stories are available with or without an audio CD and have a section packed with stimulating activities, the answers to which are provided in the Appendix.

- Lo straniero (A2-B1)
- Ritorno alle origini (B1-B2)
- L'eredità (B1-B2)